GOLDMANN

Buch

Erzählt wird die Geschichte einer außergewöhnlichen Frau und
einer großen Liebe. Der Zweite Weltkrieg steht kurz vor seinem
Ende. In einem australischen Armeehospital auf einer Insel im
Pazifik besteht eine Sonderabteilung, die Station X. Hier werden
ausschließlich »troppos« behandelt – Soldaten, die im Grauen
des Kriegsalltags einen seelischen Schock davongetragen haben.
Die Leiterin dieser Station ist Schwester Honour Langtry, eine at-
traktive und unverheiratete Frau von dreißig Jahren. Sie ist allein-
verantwortlich für die Abteilung und deren Patienten. Trotz
mancher Spannungen ist die Atmosphäre auf der Station ausge-
glichen und harmonisch.
Alles geht gut, bis Sergeant Michael Wilson in die Station X eingeliefert wird. Er entwickelt sich schnell zum guten Geist der
Abteilung. Aber ausgerechnet er ist es, der das Drama auslöst,
dem keiner entkommt. Denn Honour Langtry empfindet mehr für
ihn als nur Sympathie. Und den anderen bleibt das nicht
verborgen...

Autorin

Colleen McCullough wurde im australischen Wellington geboren. Mit dreißig wanderte sie nach England aus, wo sie vier Jahre
als Neuro-Physiologin arbeitete, bevor sie nach Amerika an die
Yale Universtity's School of Medicine ging. 1974 wurde ihr erster
Roman, »Tim«, veröffentlicht. Der Roman »Dornenvögel«, die
Saga einer ungewöhnlichen Familie, erschien 1977 und wurde
auf Anhieb ein Welterfolg.

Colleen McCullough

Ein anderes Wort für Liebe

für Liebe

Roman

GOLDMANN VERLAG

Aus dem Amerikanischen übertragen
von Franz Schrapfeneder

Titel der Originalausgabe: An Indecent Obsession
Originalverlag: Harper & Row, Publishers, New York

Made in Germany · 9/87 · 11. Auflage
Genehmigte Taschenbuchausgabe
© der Originalausgabe 1981 by Colleen McCullough
© der deutschsprachigen Ausgabe 1982
by C. Bertelsmann Verlag, München
Umschlaggestaltung: Design Team München
Druck: Elsnerdruck, Berlin
Verlagsnummer: 6776
UK/Herstellung: Peter Papenbrok/Voi
ISBN 3-442-06776-6

Für
die »kleine Schwester«
Mary Nargi Bolk

Ich danke Colonel R. G. Reeves vom Australian Staff Corps (i. P.), Mrs. Alma Critchley und Schwester Nora Spalding für ihre großzügig gewährte Hilfe in Sachfragen.

CMcC

Eins

1

DER JUNGE MANN IN UNIFORM stand vor dem Eingang zu Station X. Er hatte seinen Seesack von der Schulter genommen, schaute auf die Tür, die kein Schild trug, und überlegte, ob das wohl sein Bestimmungsort sei. Der letzte Bau auf dem Gelände, hatte man gesagt und ihn, als er versicherte, er finde sich zurecht, erleichtert alleine auf den Weg geschickt. Gestern erst hatte ihm der Waffenmeister seine Ausrüstung abgenommen. Ansonsten war über seine Person völlig verfügt worden, aber dieser Umstand war ihm so vertraut, daß er ihm gar nicht mehr bewußt wurde. Das hier war also das letzte Gebäude. Wenn es sich um eine Station handelte, dann war sie jedenfalls kleiner als all die anderen auf dem Weg hierher. Und viel ruhiger. Eine »troppo«-Station. So den Krieg zu beenden! Nicht, daß es was ausmachte, wie er endete. Aber daß es tatsächlich das Ende war.

Schwester Langtry, die ihn, ohne daß er es merkte, vom Fenster ihres Büros aus beobachtete, sah mit gemischten Gefühlen auf ihn hinunter. Einerseits war sie verärgert, weil man ihr diesen Mann zu einem Zeitpunkt aufhalste, da sie fest damit rechnete, keine Neuzugänge mehr zu haben. Sie wußte, er würde das so empfindliche Gleichgewicht auf Station X, wenn auch nur geringfügig, stören. Andererseits fühlte sie sich von ihm angezogen, weil er etwas Neues repräsentierte, mit dem sie sich vertraut machen mußte. Sein Name war M. E. J. Wilson.

Er war Sergeant eines berühmten Bataillons einer berühmten Division. Über der Steppnaht seiner linken Brusttasche trug er das rot-blau-rote Band der Kriegsverdienstmedaille, eine sehr selten verliehene und sehr angesehene Auszeichnung, dazu die Bänder des 1939–1945-

Sterns, des Afrika-Sterns und des Pazifik-Sterns. Der fast weiß leuchtende Nackenschutz seiner Mütze mit dem farbigen Divisionszeichen war noch ein Relikt aus den Nah-Ost-Feldzügen. Er trug saubere, frisch gebügelte grüne Montur, Mütze und Sturmriemen saßen richtig, und die metallene Schnalle seines Gürtels glänzte. Er war nicht allzu groß, sah aber hart und entschlossen aus. Hals und Arme waren tiefbraun. Dieser Mann hatte den Krieg von Anfang an mitgemacht, das sah man, und wie er da vor dem Eingang stand, konnte Schwester Langtry sich nicht im entferntesten vorstellen, warum man ihn ihr auf Station X schickte. Jetzt wirkte er etwas verwirrt, wie jemand, der gewohnt ist, die Richtung, in die er geht, genau zu kennen, und sich plötzlich auf einem unbekannten Pfad befindet. Aber so ergeht es wohl jedem in neuer Umgebung. Die ansonsten üblichen Symptome gestörten Verhaltens waren nicht zu entdecken. Sie kam zu dem Ergebnis, daß er eigentlich absolut normal aussah, was für Station X an sich nicht normal war.

Plötzlich schien er sich entschlossen zu haben, er schwang seinen Seesack hoch und betrat die Rampe, die zur Eingangstür hinaufführte. Gleichzeitig ging Schwester Langtry um ihren Schreibtisch herum und trat aus dem Büro hinaus auf den Flur. Wie auf Vereinbarung trafen sie beim Eingangsvorhang zusammen, den irgendein Spaßvogel, der längst genesen und zu seinem Bataillon zurückgekehrt war, angefertigt hatte, indem er statt der Glasperlen Bierverschlüsse an endlose Angelschnüre geknüpft hatte. So ertönte anstelle von angenehmem Geklingel ein blechernes Geschepper. Ein Mißklang zur Begrüßung.

»Hallo, Sergeant, ich bin Schwester Langtry«, sagte sie und empfing ihn mit einem Lächeln in der Welt von Station X. Daß sich hinter diesem Lächeln immer noch ein gewisser Ärger verbarg, zeigte sich an der entschiedenen Bewegung, mit der sie die Hand nach seinen Papieren ausstreckte. Er trug sie in einem Kuvert, das, wie sie feststellte, nicht verschlossen war. Diese Armleuchter in der Aufnahme! Wahrscheinlich war er irgendwo stehengeblieben und hatte sie gelesen.

Ruhig stellte er seine Sachen nieder und begrüßte sie.

Dann nahm er die Mütze ab und gab ihr ohne Zögern das Kuvert mit den Papieren. »Es tut mir leid, Schwester«, sagte er. »Ich brauchte sie gar nicht erst zu lesen, ich weiß längst, was drinsteht.«

Sie machte eine leichte Drehung und schleuderte den Umschlag mit einer geschickten Bewegung aus dem Handgelenk durch die offene Tür ihres Büros, so daß er auf ihrem Schreibtisch landete. Da! Der Mann sollte wissen, daß sie nicht vorhatte, ihn wie einen Holzklotz vor sich stehenzulassen, während sie in seinem Privatleben herumstocherte. Später war Zeit genug, seine offizielle Krankengeschichte zu lesen. Jetzt ging es darum, ihm die Anspannung zu nehmen.

»Wilson, M. E. J.?« fragte sie und empfand es als angenehm, daß er so gelassen war.

»Wilson, Michael Edward John«, sagte er, und ein schwaches Lächeln deutete an, daß er ihre Sympathie erwiderte.

»Nennt man Sie Michael?«

»Michael oder Mike, spielt keine große Rolle.«

Der hatte sich in der Gewalt. Zumindest sah es so aus. Von einer Beeinträchtigung des Selbstgefühls konnte hier wohl nicht die Rede sein. Lieber Gott, betete sie, sorge bloß dafür, daß die anderen ihn nett aufnehmen!

»Und von wo sind Sie hierher geschickt worden?«

»Oh, von weiter oben«, sagte er vage.

»Ach, kommen Sie, Sergeant, der Krieg ist vorbei! Geheimhaltung ist nicht mehr vonnöten. Ich nehme an, Borneo, aber aus welcher Ecke? Brunei? Balikpapan? Tarakan?«

»Balikpapan.«

»Sie hätten sich keinen besseren Zeitpunkt für Ihre Ankunft aussuchen können«, sagte sie fröhlich und ging ihm voraus in den Hauptsaal. »Das Abendessen ist in Kürze fällig, und man ißt nicht schlecht hier.«

Station X hatte man aus übriggebliebenem Baumaterial zusammengesetzt und am äußersten Rand des Geländes plaziert, als wäre den Erbauern die Idee dazu erst nachträglich gekommen. Es war wohl nie beabsichtigt gewesen, hier

Patienten unterzubringen, die spezieller Betreuung bedurften. Die Station hatte bequem Platz für zehn Betten, im Notfall für vierzehn, abgesehen von denen, die man in die Veranda stellen konnte. Es war ein rechteckiger, aus unbehauenen Spanten gezimmerter Bau, in einem hellbraunen Farbton gestrichen, dem die Männer den Namen »Babykacke« gaben, mit einem Bretterboden. Die Fenster waren genaugenommen nur Löcher, unverglast und zum Schutz vor dem Wetter mit Holzjalousien versehen. Das Dach bestand aus einem einfachen Palmfasergeflecht.

Gegenwärtig befanden sich im Saal nur fünf Betten, vier an einer Wand in üblicher Anordnung, während das fünfte merkwürdig deplaziert für sich allein stand, längsseits an der gegenüberliegenden Wand und ganz gegen jede Vorschrift.

Es waren niedere Feldbetten, jedes säuberlich gemacht. Es gab keine Decken oder Steppdecken, das brauchte man in diesen feuchtwarmen Breiten nicht, lediglich eine Matratze und eine Überdecke aus ungebleichtem Kaliko, das vom vielen Waschen heller geworden war als alte Knochen. Sechs Fuß über jedem Kopfende hing ein Metallring von der Größe eines Basketballrings. Daran waren Moskitonetze in grüner Tarnfarbe befestigt, deren dekorative Drapierung selbst einem Jacques Fath Ehre gemacht hätte. Neben jedem Bett stand eine alte blecherne Kommode.

»Sie können den Seesack auf das Bett dort werfen«, sagte Schwester Langtry und deutete auf das letzte Bett in der Reihe der vier. Es stand der Außenwand am nächsten und bekam sowohl längsseits als auch von der Wand hinter seinem Kopfende durch die Wandschlitze stets etwas von der Brise ab. Ein günstiges Bett. »Verstauen Sie Ihre Sachen später«, fügte sie hinzu. »Auf Station X sind außer Ihnen noch fünf Mann, und ich möchte, daß Sie sie vor dem Essen noch kennenlernen.«

Michael legte seine Mütze auf das Kissen, alles übrige auf das Bett und wandte sich ihr zu. Gegenüber seinem Bett war ein Teil des Raumes durch eine Reihe von Wandschirmen vollkommen abgetrennt, als läge dahinter irgendeine geheimnisvolle Todeszone. Schwester Langtry forderte ihn auf, ihr zu folgen, und schlüpfte mit durch lange Übung erworbenem Geschick zwischen zweien dieser Wandschirme hindurch. Dahinter verbargen sich kein Geheimnis und keine Toten, sondern bloß ein langer, schmaler Eßtisch mit Bänken auf beiden Seiten und einem recht komfortabel aussehenden Stuhl am Kopfende.

Dahinter führte eine Tür hinaus auf die Veranda. Sie war drei Meter breit und zwölf Meter lang, erstreckte sich über die ganze Länge der Station und war daran festgemacht wie ein voluminöser Petticoat. Bambusrolleaus hingen unter den Dachvorsprüngen, um vor Regen und Wind zu schützen. Jetzt waren sie alle hochgerollt. Die Brüstung bestand aus fast hüfthohen Pfosten und Querhölzern. Der Boden war wie im Saal aus Hartholz, und Michaels Schritte klangen auf ihm wie hohles Getrommel. Vier Betten standen ziemlich knapp hintereinander an der Wand, außerdem gab es eine Sammlung verschiedenartiger Sitzgelegenheiten: nahe der Tür stand eine etwas größere Zweitausgabe des Eßtisches von drinnen mit Bänken an den Längsseiten und vielen Stühlen rundum. Offenbar war das hier die bevorzugte Sitzecke. Die Wand zum Saal war eine Art Verschlag mit vielen Durchlässen, um auch das leiseste Lüftchen durchzulassen, denn die Verandafront war nicht nur dem Monsun ausgesetzt, sie war auch jener Himmelsrichtung zugewandt, aus der der Südost-Passat wehte.

Der Tag ging zu Ende. Ein Muster aus bleichgoldenen Flecken und indigoblauen Schatten überzog den Boden des Geländers vor der Veranda; inmitten gebrochenen Abendlichts senkte sich eine große schwarze Gewitterwolke auf die Palmkronen und verwandelte sie in den Kopfschmuck balinesischer Tänzerinnen. Die Luft war erfüllt von Tausenden träge dahintreibender glitzernder Staubteilchen und vermittelte dem Betrachter den Eindruck, als säße er tief am Grunde des Meeres. Wie um das Himmelsgewölbe zu stützen, hob sich die helle Rippe eines Regenbogens empor, verschwamm aber auf halbem Wege ins Nichts. Die Schmetterlinge verschwanden, die nächtlichen Insekten kamen zum Vorschein und flogen aneinander vorbei, ohne voneinander Notiz zu nehmen, wie stumme, flimmernde Geisterwesen. Und aus den Palmwedeln tönte das klare Tirilieren und Trällern zahlloser Vögel.

O Gott, jetzt geht es los, dachte Schwester Langtry, als sie vor Sergeant Michael Wilson auf die Veranda hinaustrat. Nie weiß ich, wie sie sein werden. Welchem logischen Prinzip sie auch immer gehorchen, mit dem Verstand kann man es nicht erfassen. Ich kann mich nur auf meinen Instinkt verlassen. Wie ärgerlich! Irgendwo in mir ist die Fähigkeit, sie zu verstehen, vorhanden, und doch kann mein Verstand sie nicht begreifen.

Honour Langtry hatte ihnen vor einer halben Stunde mitgeteilt, daß ein neuer Patient kommen würde, und spürte ihr Unbehagen. Sie hatte damit gerechnet, denn sie betrachteten jeden Neuankömmling als Gefahr, und er störte sie so lange, bis sie sich an ihn gewöhnt hatten und das Gleichgewicht innerhalb ihrer Welt wiederhergestellt war. Der Grad dieser Ablehnung hing eng zusammen mit der Verfassung des Neuen: je mehr er Schwester Langtrys Fürsorge bedurfte, desto größer war er. Am Ende glätteten sich dann die Wogen, denn aus dem Neuling wurde ein Leidensgenosse. Doch bis dahin würden sie einander das Leben schwermachen.

Vier Männer saßen um den Eßtisch, alle bis auf einen mit nacktem Oberkörper, ein fünfter lag lang ausgestreckt auf dem vordersten Bett und las in einem Buch.

Nur einer von ihnen erhob sich bei ihrem Eintreten: ein hochgewachsener, dünner Kerl, Mitte Dreißig, blond, das Haar von der Sonne gebleicht, blauäugig. Er trug ein verschossenes Khaki-Buschjackett mit Stoffgürtel, glatte lange Hosen und Wüstenstiefel, und auf den Achselspangen die drei Bronzesterne eines Captains. Seine Höflichkeit wirkte natürlich, auch wenn sie sich nur auf Schwester Langtry erstreckte. Er lächelte sie auf eine Weise an, die den Mann an ihrer Seite nicht miteinschloß.

Was Michael zuallererst auffiel, war die Art, wie sie Schwester Langtry ansahen: in diesen Blicken lag weniger Zuneigung als vielmehr Besitzanspruch. Daß sie ihn überhaupt nicht beachteten, faszinierte ihn. Dabei hatte Schwe-

13

ster Langtry ihm die Hand auf den Arm gelegt und ihn von der Türöffnung weg in den Raum gezogen, so daß es schwierig war, ihn zu übersehen. Irgendwie brachten sie es aber alle fertig, selbst der kränklich wirkende Kerl, der auf dem Bett lag.

»Michael, ich möchte Sie mit Neil Parkinson bekannt machen«, sagte Schwester Langtry, milde die gespannte Atmosphäre übersehend.

Michael reagierte automatisch. Wegen der Rangabzeichen nahm er Haltung an. Das hatte auf sein Gegenüber eine Wirkung, als hätte man ihm ins Gesicht geschlagen.

»Um Himmels willen, lassen Sie diese Soldatenscheiße!« zischte Neil Parkinson. »Wir sind hier auf X alle mit demselben Pinsel geteert. Unter Bekloppten gibt's keine Ränge!«

In Michaels Gesicht zeigte sich keinerlei Reaktion auf diesen Anpfiff, während er wieder bequeme Haltung einnahm. Er spürte Schwester Langtrys Anspannung. Sie hatte zwar die Hand von seinem Arm genommen, stand aber immer noch so nahe neben ihm, daß ihr Ärmel den seinen streifte. So, als ob ich Hilfe bräuchte, dachte er und rückte ein wenig von ihr ab. Das hier war seine Feuertaufe, und er mußte sie selber durchstehen.

»Sprechen Sie ruhig für sich selbst, Captain«, meldete sich eine Stimme. »Wir sind nicht *alle* mit demselben Pinsel geteert. Wenn Sie wollen, können Sie sich bekloppt nennen, aber mit mir ist alles in Ordnung. Die haben mich hier nur reingesteckt, um mir das Maul zu stopfen, aus keinem anderen Grund. Ich war eine Gefahr für sie.«

Captain Parkinson trat zur Seite, um den Sprecher zu fixieren, einen jungen Mann, der halbnackt in einem Stuhl lümmelte, frech, aufsässig, wichtigtuerisch.

»Und du kannst auch dein Maul halten, du Schleimscheißer!« sagte er, und der plötzlich zutage tretende Haß in seinen Worten schuf eine unerträgliche Spannung.

Zeit, einzugreifen, bevor mir die Zügel entgleiten, dachte Schwester Langtry. Sie war sehr ärgerlich, obwohl man es ihr nicht ansah. Das sollte wohl eines jener Willkommensrituale werden, die das erträgliche Maß überstiegen. Wenn man hier von Willkommen überhaupt reden konnte. Das hier war mieseste Tonart, die Art von Betragen, die sie bei ihnen am wenigsten ausstehen konnte. Als sie sprach, war ihr Ton kühl, auf distanzierte Art humorig. Sie hoffte, dem Neuen die kleine Reiberei damit im rechten Licht zeigen zu können. »Ich muß mich entschuldigen, Michael«, sagte sie. »Um es noch einmal zu sagen: Das ist Neil Parkinson. Der Herr im Stuhl, der sein Scherflein zu Ihrem Empfang beigetragen hat, ist Luce Daggett. Der neben Neil auf der Bank sitzt, heißt Matt Sawyer. Matt ist blind und legt Wert darauf, daß man das gleich sagt. Es erspart einem später unangenehme Situationen. Auf dem Stuhl hinten sitzt Benedict Maynard, auf dem Bett liegt Nugget Jones. Gentlemen, das hier ist unser neuester Rekrut, Michael Wilson.«

Das war also erledigt. Vom Stapel gelassen. Das menschliche Wrack, leck sicherlich, sonst wäre es nicht hier, setzte die Segel, um die Stürme, die hochgehenden Wasser und die Windflauten in Station X zu durchfahren. Gott helfe ihm, dachte sie. Er sieht nicht aus, als ob etwas mit ihm nicht in Ordnung sei. Aber irgend etwas muß er haben. Er ist still, ja, aber das scheint seine Art zu sein. Und da ist Stärke in ihm, ein harter, unzerstörter Kern. Das habe ich noch nicht erlebt, seit ich auf Station X bin.

Sie sah streng von einem zum anderen. »Seid nicht aggressiv«, sagte sie. »Gebt dem armen Michael wenigstens eine Chance.«

Neil Parkinson setzte sich auf die Bank nieder und begann zu lachen. Er drehte sich dabei halb um, so daß er Luce im Auge hatte und gleichzeitig die Wirkung seiner Worte auf den Neuen beobachten konnte.

»Chance?« fragte er. »Ach, Schwesterchen, kommen Sie mir doch nicht damit! Was für eine Chance soll es sein, hier zu enden? Station X, dieser Gesundbrunnen, in dem Sie sich nun befinden, Sergeant Wilson, ist eine richtige Vorhölle. Milton hat die Vorhölle als das Paradies der Narren definiert, was bei uns aufs I-Tüpfelchen stimmt. Und daß wir diese Vorhölle durchlaufen, hat ungefähr so viel Sinn wie Titten bei einem Stier.«

Er hielt inne, um die Wirkung seines Vortrags auf Michael zu prüfen. Dieser stand bewegungslos neben

Schwester Langtry: ein gutaussehender junger Kerl in voller Tropenuniform, interessiert, aber unbeeindruckt. Gewöhnlich war Neil freundlicher und fungierte als Puffer zwischen einem Neuen und den anderen. Aber dieser Michael Wilson paßte nicht in die Stationsschablone. Er war nicht unsicher, nicht trübsinnig, nicht innerlich kaputt. Nichts von allem. Im Gegenteil, Michael Wilson sah aus wie ein strammer, tüchtiger, junger Mann, ein erfahrener Soldat im Vollbesitz seiner geistigen Kräfte. Die Fürsorge, die ihm Schwester Langtry offensichtlich angedeihen lassen wollte, schien er absolut nicht nötig zu haben.

Seit vor einigen Tagen die Nachricht von der Einstellung der Feindseligkeiten mit Japan eingetroffen war, quälte Neil Parkinson das Gefühl, die Zeit laufe ihm davon, Entschlüsse seien nicht in zufriedenstellender Weise gefaßt, wiedererlangte Stärke noch nicht genügend erprobt worden. Die Zeit, die Stützpunkt 15 und damit Station X noch verblieb, brauchte er. Jede Sekunde. Und was er nicht brauchen konnte, das war die Störung, die ein Neuer bedeutete.

»Sie sehen mir aber nicht nach troppo aus«, sagte er zu Michael.

»Mir auch nicht«, sagte Luce mit einem Kichern, beugte sich zum Blinden und stieß ihn hart in die Rippen. »Sieht er dir nach troppo aus, Matt?« fragte er.

»Laß das!« bellte Neil, von Michael abgelenkt.

Luces Kichern wurde zum Gelächter. Er warf den Kopf in den Nacken und brüllte los, nur um des Lärms willen, ohne eine Spur von Heiterkeit.

»Jetzt ist es aber genug!« sagte Schwester Langtry scharf. Sie sah auf Luce nieder, fand da keine Unterstützung und ließ dann den Blick von einem zum anderen wandern. Aber die Widerspenstigkeit war auf dem Höhepunkt angelangt, sie waren offensichtlich entschlossen, sich gegenüber dem Neuen so streitsüchtig und unleidlich wie möglich zu verhalten. In solchen Situationen fand Honour ihre Machtlosigkeit quälend. Doch die Erfahrung hatte sie gelehrt, die Männer nie allzu hart anzufassen. Solche Stimmungen dauerten nie an, und je schlimmer sie sich gaben, desto stärker schwang das Pendel später in die entgegengesetzte Richtung.

Sie beendete ihre Musterung und entdeckte, daß Michael sie aufmerksam betrachtete. Es war ein wenig beunruhigend, denn anders als bei den meisten Patienten war in seinen Augen nichts, was darauf hinwies, daß er etwas verbergen wollte oder um Hilfe flehte. Er sah sie einfach an, wie ein Mann irgendeine reizende Kleinigkeit betrachtet, einen kleinen Hund etwa oder sonst einen Gegenstand von bestrickendem Aussehen, aber ohne jeden praktischen Wert.

»Setzen Sie sich doch«, sagte sie zu ihm und versuchte mit einem Lächeln die Enttäuschung zu verbergen, die sie darüber empfand, daß er sie zurückwies. »Sie müssen sich inzwischen doch ganz schwach fühlen.«

Wie sie überrascht feststellte, begriff er sofort, daß ihre Bemerkung, er müsse sich schwach fühlen, eher als Verweis den anderen gegenüber denn als Sympathiebeweis zu verstehen war. Immerhin brachte sie ihn dazu, sich auf einen Stuhl zwischen Neil und Luce zu setzen, und nahm dann selbst Platz, so daß sie Neil und Luce und Benedict im Auge behalten konnte. Sie beugte sich vor und glättete unbewußt mit den Händen ihr Schwesternkleid.

Daran gewöhnt, ihre Aufmerksamkeit stets auf jene zu lenken, die es nötig hatten, registrierte sie sofort, daß Ben unruhig wurde. Matt und Nugget hatten die glückliche Gabe, die ständigen Streitereien zwischen Neil und Luce übersehen zu können. Ben hingegen litt unter jedem Mißton, und wenn nicht rasch der Frieden wiederhergestellt wurde, machte es ihn krank.

Luce sah sie mit halb geschlossenen Augen an, mit jener Vertraulichkeit sexuellen Einverständnisses, die sie abstieß, weil sie ihrem ganzen Wesen und ihrer Herkunft und Erziehung widersprach. Dabei hatte sie auf Station X gelernt, jeden Abscheu zu unterdrücken, sich vielmehr dafür zu interessieren, warum ein Mann sie anstarrte. Aber Luce war ein spezieller Fall. Im Umgang mit ihm machte sie nie irgendwelche Fortschritte und hatte manchmal ein schlechtes Gewisen, weil sie sich nicht mehr um ihn bemühte. Und daß sie sich nicht mehr um ihn bemühte, war, wie sie gern zugab, die Folge davon, daß sie ihm während seiner ersten Woche auf Station X grandios auf den Leim gegangen war. Daß sie, ohne Schaden für sich oder ihn, rasch zur Vernunft gekommen war, machte das anfängliche Aussetzen ihres Urteilsvermögens nicht besser. Luce strahlte Stärke aus und machte einem Angst, was sie haßte, jedoch notgedrungen ertragen mußte.

Honour zwang sich, von Luce wegzusehen, und wendete sich wieder Ben zu. Auf seinem verzerrten Gesicht lag ein Ausdruck, der sie veranlaßte, so zu tun, als blickte sie zufällig auf die Uhr, die sie vorn an ihrem Kleid stekken hatte. »Ben, würden Sie so gut sein und nachsehen, was aus unserem Küchengehilfen geworden ist?« fragte sie. »Höchste Zeit fürs Abendessen.«

Mit einem Ruck war er auf den Beinen, nickte ernst und stelzte hinaus.

Luce richtete sich auf, als ob diese Bewegung auch in seinem Hirn etwas in Bewegung gesetzt hätte, öffnete die Augen ganz und ließ den Blick zu Michael wandern. Von Michael zu Neil, dann zurück zu Schwester Langtry, wo er haftenblieb, diesmal ohne sexuelle Vertraulichkeit.

Schwester Langtry räusperte sich. »Sie tragen eine Menge Lametta an Ihrer Uniform, Michael. Seit wann sind Sie denn schon dabei?« fragte sie.

Sein kurzgeschorenes Haar glänzte metallen. Sein Kopf war wohlgeformt, im Gesicht war er sehr mager, dennoch hatte sein Kopf nichts Totenschädelartiges an sich wie der von Benedict.

Kleine Fältchen zogen sich um die Augen, und zwei tiefe Furchen liefen zwischen Wangen und Nase. Er war zwar ein Mann, kein Knabe mehr, aber er hatte doch Falten, die nicht seinem Alter entsprachen.

Einer von den zielstrebigen Burschen wahrscheinlich. Seine Augen waren grau, nicht veränderlich und trügerisch wie die von Luce, die im nächsten Augenblick grün oder gelb werden konnten, sondern von einem alterslosen, unbarmherzigen Grau. Sehr ruhige, sehr kluge Augen. Das alles ging Schwester Langtry im Bruchteil einer Sekunde durch den Kopf, während er Atem holte, um zu antworten, und sie merkte gar nicht, daß aller Augen auf sie und den Neuen gerichtet waren, selbst die des blinden Matt.

»Ich war gleich beim ersten Schub dabei«, sagte Michael.

Nugget legte das zerlesene Gesundheitslexikon weg, in dem er vorgegeben hatte zu lesen, und drehte sich, um Michael anzustarren. Neil hob die Brauen.

»Ein langer Krieg für Sie«, sagte Schwester Langtry. »Sechs Jahre. Wie denken Sie jetzt darüber?«

»Ich bin froh, daß ich rauskomme«, sagte er, wie um eine Tatsache zu bestätigen.

»Aber am Anfang konnten Sie nicht schnell genug hineinkommen.«

»Ja.«

»Und wann haben Sie Ihre Meinung geändert?«

Er sah sie an, als ob er ihre Frage für etwas sehr naiv hielte, und zuckte mit den Achseln, gab aber einigermaßen höflich Antwort. »Man erfüllt eben seine Pflicht, nicht wahr?«

»Ah, Pflicht!« spöttelte Neil. »Diese wildeste aller Leidenschaften! Unwissenheit trieb uns hinein, Pflicht hielt uns fest. Ich wünsche mir eine Welt, in der die Kinder dazu erzogen werden, als höchste Pflicht diejenige sich selbst gegenüber anzusehen.«

»Verdammt will ich sein, wenn ich meine Kinder so erziehe!« sagte Michael scharf.

»Ich predige hier weder Hedonismus noch befürworte ich totale Abstinenz von jeder ethischen Einstellung!« sagte Neil unwirsch. »Mir wäre nur eine Welt lieber, die weniger geneigt ist, die Blüte ihrer männlichen Jugend abzuschlachten, das ist alles.«

»Einverstanden. Da haben Sie recht«, sagte Michael, merklich ruhiger werdend. »Es tut mir leid, ich habe Sie mißverstanden.«

»Mich wundert das gar nicht«, sagte Luce, der keine Gelegenheit ausließ, Neil zu ärgern. »Worte, nichts als Worte! Vermutlich hast du wohl im Krieg die Japsen gekillt, indem du sie zu Tode geredet hast, was Neil?«

»Was weißt du vom Töten, du Leinwandmonster? Wir reden nicht von einer Entenjagd. Dich mußten sie wie ein quiekendes Schwein in die Armee schleifen, und dann hast du dich in einem kuscheligen Nest weit hinter der Front vergraben, oder nicht? Du kotzt mich an!«

»Und du mich vielleicht nicht, du hochnäsiges Schwein?« knurrte Luce. »Nächstens hol' ich mir deine Eier zum Frühstück!«

Wie durch Zauberei änderte sich Neils Stimmung. Aller Zorn fiel von ihm ab, und er bekam richtige Kulleraugen. Gedehnt sagte er: »Mein lieber alter Freund, es wäre nicht der Mühe wert. Weißt du, sie sind nämlich nur sooo klein.«

Nugget kicherte los, Matt johlte, Michael lachte laut, und Schwester Langtry senkte plötzlich den Kopf und starrte verzweifelt auf ihren Schoß.

Sie gewann jedoch rasch die Fassung zurück und beendete das Wortgefecht. »Gentlemen, Ihre Ausdrucksweise heute abend ist höchst unpassend«, sagte sie mit kalter Schärfe. »Fünf Jahre in der Armee sind zwar auch an mir nicht spurlos vorübergegangen, aber mein Sinn für Manieren hat sich nicht geändert. Seien Sie so gut und verzichten Sie auf derartige Formulierungen, wenn ich in Hörweite bin.« Sie wandte sich Michael zu und sah ihn streng an. »Das gilt auch für Sie, Sergeant.«

Michael sah sie an, nicht im mindesten eingeschüchtert. »Ja, Schwester«, sagte er gehorsam und grinste.

Und dieses Grinsen war so ansteckend und liebenswert, so – *gesund,* daß sie eine heiße Welle in sich hochsteigen fühlte.

Luce erhob sich mit einer Bewegung voll natürlicher Grazie, schlüpfte zwischen Neil und dem leeren Stuhl, auf dem Benedict gesessen hatte, durch, beugte sich vor, fuhr Michael durchs Haar und zerwühlte es. Michael machte keine Bewegung, noch zeigte er Ärger, doch schien er plötzlich im Zustand höchster Wachsamkeit, bereit zu schneller Abwehr – wohl ein Hinweis, daß er nicht mit sich spielen ließ. Schwester Langtry verfolgte fasziniert diese Veränderung.

»Ah, du wirst es noch zu was bringen!« sagte Luce und drehte sich mit gekräuselten Lippen zu Neil um. »Ich glaube, da wartet Konkurrenz auf dich, Captain Oxford

University! Sehr gut! Er ist zwar kein Schnellstarter, aber das Ziel ist auch noch lange nicht in Sicht, oder?«

»Hau ab!« sagte Neil heftig und ballte die Fäuste. »Na, wird's schon, verdammt, scher dich weg!«

Mit einer weichen Drehung seitwärts wand sich Luce zwischen Michael und Schwester Langtry durch und ging auf die Tür zu, wo er mit Benedict zusammenstieß und mit einem rauhen Atemzug, so als hätte er sich verbrannt, einen Schritt zurück machte. Er erholte sich schnell, schürzte verächtlich die Lippen und trat mit einer schwunghaften Verbeugung zur Seite.

»Wie fühlt man sich als Mörder alter Männer und kleiner Kinder, Ben?« fragte er und verschwand durch die Tür.

Benedict stand da, alleingelassen und hilflos, ein menschliches Wrack. Zum erstenmal, seit er Station X betreten hatte, fühlte Michael Mitleid. Der Blick dieser leblosen Augen bewegte ihn zutiefst. Der arme Kerl sah aus, als ob man ihm alle Lichter abgedreht hätte.

Während Benedict in Mönchshaltung, die Hände vor dem Bauch gefaltet, zum Tisch schlurfte, sah Michael ihm aufmerksam in das dunkle Gesicht. Es wirkte so ausgezehrt und von innen her ausgedörrt, so erbarmungswürdig. Obwohl sie sich nicht ähnlich waren, erinnerte er Michael plötzlich an Colin. In dem Wunsch, ihm zu helfen, zwang er den Blick dieser nach innen schauenden Augen herbei und lächelte Ben zu.

»Laß dich von Luce nicht aufhetzen, Ben«, sagte Neil. »Der ist nicht mal Fliegengewicht.«

»Er ist *böse*«, sagte Ben und würgte das Wort hervor, als bekäme es erst dadurch seine Bedeutung.

»Das sind wir alle, hängt ganz davon ab, aus welchem Blickwinkel du uns siehst«, sagte Neil ruhig.

Schwester Langtry erhob sich. Neil konnte gut umgehen mit Matt und Nugget, aber bei Ben gelang es ihm irgendwie nie, ganz den richtigen Ton zu treffen. »Hast du erfahren, was mit unserem Essen los ist, Ben?« fragte sie.

Für einen Augenblick wurde aus dem Mönch ein Junge. Benedicts Augen nahmen eine warme Tönung an, weiteten sich und blickten mit unverhüllter Zuneigung auf

Schwester Langtry. »Es kommt, Schwester, es kommt!« sagte er und grinste, immer noch dankbar dafür, daß sie ihn vorhin hinausgeschickt hatte.

Sie sah ihn sanft an und drehte sich dann um. »Ich helfe Ihnen, Ihren Kram zu verstauen«, sagte sie zu Michael und wandte sich dem Haus zu. Doch sie war noch nicht fertig mit der Gruppe. »Gentlemen, das Abendessen kommt diesmal später, ich glaube daher, Sie sollten es besser drinnen einnehmen, im Hemd und mit heruntergerollten Ärmeln, sonst werden Sie ein Opfer der Moskitos.«

Er wäre gerne noch auf der Veranda geblieben, um zu sehen, wie sie sich verhielten, wenn Schwester Langtry nicht da war, aber er verstand ihr Angebot als Befehl und folgte ihr in den Saal.

Der Seesack lag auf dem Bett. Mit verschränkten Armen stand Schwester Langtry da und sah ihm zu. Er ging ruhig und methodisch vor. Zuerst holte er den Brotbeutel hervor und entnahm ihm eine Zahnbürste, ein Stückchen Seife, Tabak, Rasierzeug und verstaute es säuberlich in der Lade seiner Kommode.

»Haben Sie geahnt, in was Sie da geraten würden?« fragte sie.

»Nun, Spinner sind mir genug untergekommen, aber das war nicht dasselbe. Ist das hier eine Art Klapsmühle?«

»Ja«, sagte sie weich.

Dann entrollte er seine Decke und sein Leintuch und begann Socken, Unterwäsche, ein Handtuch, reine Hemden, Hosen und Shorts aus dem Sack zu holen. Währenddessen sagte er: »Komisch, in der Wüste schnappten nicht ein Zehntel soviel Männer über wie im Dschungel. Klarer Fall. Die Wüste sperrt einen nicht so ein, es ist leichter auszuhalten.«

»Darum nennt man es troppo ... tropisch ... Dschungel.« Sie sah ihm weiter zu. »Räumen Sie in die Kommode alles, was Sie ständig brauchen. Den Rest können Sie in den Kasten dort tun. Ich hab' den Schlüssel, wenn Sie etwas daraus haben wollen, melden Sie sich nur ... Die anderen sind nicht so schlimm, wie es aussieht.«

»Sie sind ganz in Ordnung.« Er zog leicht den Mundwinkel nach oben. »Ich war an weit verrückteren Orten und in weit mißlicheren Situationen.«

»Das hier irritiert Sie nicht?«

Er richtete sich auf, ein Paar Ersatzschuhe in den Händen, und sah sie direkt an. »Der Krieg ist zu Ende, Schwester. Ich gehe so und so bald nach Hause, und im Moment habe ich alles so über, daß es mir egal ist, wo ich den Rest der Zeit abwarte.« Er blickte sich im Saal um. »Hier wohnt man um einiges komfortabler als im Lager, und das Klima ist besser als auf Borneo. Ich habe seit Jahrmillionen nicht mehr in einem anständigen Bett geschlafen.« Er griff nach oben und fuhr mit der Hand über die Falten des Moskitonetzes. »Aller Komfort der Heimat, dazu eine Hausmutter! Nein, es stört mich nicht.«

Den Vergleich mit einer Hausmutter empfand sie als Stich. Wie kam er nur dazu! Nun, mit der Zeit würde er seine Meinung wohl ändern müssen. Honour sondierte weiter. »Warum stört es Sie nicht? Eigentlich müßte es das, denn ich könnte schwören, Sie sind nicht troppo!«

Er zuckte mit den Achseln und wandte sich wieder seinem Seesack zu, der ebenso viele Bücher zu enthalten schien wie Kleidung und Wäsche. Er verstand, soviel stand fest, äußerst geschickt zu packen. »Ich nehme an, ich habe lange genug sinnlose Befehle ausführen müssen, Schwester. Glauben Sie mir, hierhergeschickt zu werden ist bei weitem nicht so sinnlos, wie anderes, was mir schon befohlen wurde.«

»Halten *Sie* sich für geisteskrank?«

Er lachte gezwungen. »Nein! Mir fehlt nichts im Kopf.«

Sie wußte zum erstenmal in ihrer Laufbahn nicht, was sie als nächstes sagen sollte. Seine letzte Bemerkung hatte sie aus der Fassung gebracht. Als er wieder in seinen Seesack faßte, fiel ihr eine logische Fortsetzung des Gesprächs ein. »Ah, das ist schön, Sie haben ein gutes Paar Segeltuchschuhe! Ich kann das Tappen von Ledersohlen auf dem Bretterboden nicht ausstehen.« Sie streckte die Hand aus und nahm einige der Bücher, die auf dem Bett lagen, in die Hand. Es waren zumeist moderne amerikanische Schriftsteller: Steinbeck, Faulkner, Hemingway. »Sie lesen keine englischen Autoren?« fragte sie.

»Ich finde keinen Zugang zu ihnen«, sagte er, indem er alle Bücher einsammelte, um sie aufzuräumen.

Wieder eine leichte Zurechtweisung. Sie unterdrückte das Gefühl der Verärgerung. »Warum?« fragte sie.

»Es ist eine Welt, die ich nicht kenne. Außerdem habe ich seit meiner Zeit im Nahen Osten keine Engländer mehr getroffen, mit denen ich hätte Bücher tauschen können. Wir Australier hatten mehr mit Yankees zu tun.«

Da sie selbst hauptsächlich englische, kaum amerikanische Werke gelesen hatte, ließ sie das Thema fallen und kehrte zum Hauptthema zurück. »Sie haben gesagt, Sie hätten alles über, so daß es Ihnen egal wäre, wo Sie warten müßten. Was haben Sie über?«

Er verschnürte den Seesack und nahm ihn vom Bett hoch. »Alles«, sagte er. »Es ist kein anständiges Leben.«

Sie verschränkte die Arme. »Sie haben keine Angst davor, nach Hause zu gehen?« fragte sie und ging ihm voran zum Kasten.

»Warum sollte ich?«

Sie sperrte den Kasten auf und trat zur Seite, um ihn seine Sachen hineinlegen zu lassen. »Was mir in den letzten paar Monaten immer stärker aufgefallen ist bei meinen Männern – aber auch bei meinen Kolleginnen –, das ist ihre Angst vor zu Hause. Als ob ihnen schon lange jedes Familien- und Zugehörigkeitsgefühl abhanden gekommen sei.«

Er war fertig und richtete sich auf. »Hier geht es einem wahrscheinlich so. Dieser Platz hat's in sich, ihm haftet etwas Bleibendes, Dauerndes an. Haben Sie auch Angst davor, heimzugehen?«

Sie senkte den Blick. »Ich glaube nicht«, sagte sie langsam und lächelte. »Sie sind mir ein komischer Vogel.«

Jetzt lächelte er über das ganze Gesicht. »Das haben mir schon andere gesagt.«

»Sagen Sie mir, wenn Sie etwas brauchen. Ich habe in ein paar Minuten dienstfrei, aber so um sieben bin ich wieder da.«

»Danke, Schwester, ich habe alles, mir geht's bestens.«

Sie sah ihn forschend an und nickte dann. »Das glaube ich auch«, sagte sie.

2

DIE KÜCHENORDONNANZ ERSCHIEN mit dem Essen und entfaltete im Tagesraum eine fieberhafte Tätigkeit. Statt gleich in ihr Büro zu gehen, betrat Schwester Langtry den Tagesraum und nickte dem Mann zu.

»Was gibt's heute abend?« fragte sie und nahm die Teller aus dem Küchenschrank.

Er seufzte. »Es soll wohl Rindfleisch-Eintopf sein.«

»Vermutlich mehr Eintopf als Rindfleisch, wie?«

»Weder das eine noch das andere, würde ich sagen. Aber der Nachtisch ist nicht schlecht, so 'ne Art Knödel in Sirup.«

»Jeder Nachtisch ist besser als keiner, Soldat. Es ist doch bemerkenswert, wie sehr sich die Rationen in den letzten sechs Monaten gebessert haben.«

»Das ist wahr, Schwester!« pflichtete er ihr bei.

Als sie sich eben dem Primus-Öfchen zuwandte, auf welchem sie die Speisen vor dem Servieren aufzuwärmen pflegte, glaubte sie in ihrem Büro eine Bewegung wahrgenommen zu haben. Sie stellte die Teller nieder und schritt geräuschlos quer über den Korridor.

Luce stand über ihren Schreibtisch gebeugt und hielt das unverschlossene Kuvert mit Michaels Papieren in der Hand.

»Legen Sie das sofort zurück!«

Lässig kam er der Aufforderung nach, so, als ob er das Kuvert nur aufgenommen hätte, um es an sie weiterzureichen. Womöglich hatte er die Papiere bereits gelesen. Sie konnte sehen, daß die Blätter wohlverwahrt im Kuvert steckten. Aber als sie Luce prüfend ansah, wurde sie unsicher. Das war die Schwierigkeit mit Luce: Seine Existenz umfaßte so viele Ebenen, daß es ihm selbst oft schwerfiel, sich darüber klarzuwerden, auf welcher Ebene er gerade agierte; was bedeutete, daß er sich jederzeit einreden konnte, nichts Unrechtes getan zu haben. Wenn man ihn ansah, so schien er den Inbegriff eines Mannes zu verkörpern, der es weder nötig hatte zu spionieren, noch zur

Heimtücke Zuflucht zu nehmen. Doch wenn man in seine Akten sah, wurde man eines Besseren belehrt.

»Was wollen Sie hier, Luce?«

»Einen Ausgangsschein für abends«, sagte er prompt.

»Tut mir leid, Sergeant, Sie haben in diesem Monat schon Ihr Quantum an Ausgängen gehabt«, sagte sie kalt. »Haben Sie diese Papiere gelesen?«

»Schwester Langtry! Als ob ich so etwas je tun würde!«

»Eines Tages werden Sie einen Fehler machen, und ich werde dasein und Sie erwischen«, sagte sie. »Jetzt aber, wenn Sie schon hier sind, können Sie mir beim Aufdecken helfen.«

Bevor sie das Büro verließ, nahm sie Michaels Papiere und verschloß sie in der obersten Lade. Sie verfluchte ihre Nachlässigkeit, eine Nachlässigkeit, wie sie sie sich als Krankenschwester noch nie hatte zuschulden kommen lassen. Sie hätte die Papiere verwahren müssen, bevor sie Michael in den Saal führte. Vielleicht war was dran an dem, was Michael gesagt hatte: der Krieg hatte schon zu lange gedauert.

3

»HERR, MACH UNS DANKBAR für Speise und Trank, die du uns gegeben hast«, sagte Benedict in die Stille und hob den Kopf.

Nur Luce hatte das Tischgebet nicht beachtet und zu essen begonnen, als sei er taub.

Die anderen warteten, bis Benedict geendet hatte, und nahmen dann erst Messer und Gabeln auf, um die dubiose Masse auf ihren Tellern zu zerteilen. Weder hatte Benedicts Gebet sie verlegen gemacht, noch hatte sie Luces mangelnder Respekt aus dem Gleichgewicht gebracht. Michael schloß daraus, daß ihnen dieser Vorgang schon lange vertraut war. Er genoß den Gaumenkitzel, den die

Speise eines unbekannten Kochs ihm verschaffte, auch wenn es sich um Heeresküche handelte. Zudem war das Mahl luxuriös. Mit Nachtisch!

Es war Routinearbeit, um nicht zu sagen, eine Frage des Überlebens, sich immer wieder über eine neue Gruppe von Männern Gedanken zu machen und seine Schlüsse zu ziehen – und es war auch ein Spiel. Er wettete riesige Summen darauf, daß seine Schlüsse zutreffend waren, und das war immer noch besser, als sich eingestehen zu müssen, daß sein einziger Wetteinsatz in den vergangenen sechs Jahren sein eigenes Leben gewesen war.

Die Männer von Station X waren ein ulkiger Verein, zugegeben, aber nicht ulkiger als andere, die er kennengelernt hatte. Das hier waren eben auch Leute, die miteinander auszukommen suchten und denen es irgendwie gelang. Und wenn sie so dachten und fühlten wie er, dann waren sie des Krieges bis zur Unerträglichkeit müde, und müde der Männer, Männer, Männer.

»Warum in aller Welt bist du hier auf X, Mike?« fragte Benedict plötzlich.

Michael legte den Löffel weg, denn er war mit seinem Nachtisch fertig, und zog die Tabaksdose hervor. »Ich hätte fast einen Kerl umgebracht«, sagte er und nahm Zigarettenpapier aus der Packung. »Und ich hätte ihn auch wirklich getötet, wenn da nicht ein paar andere in der Nähe gewesen wären, die mich daran hinderten.«

»Kein Feind also, nehme ich an?« fragte Neil.

»Nein. Der Regiments-Hauptfeldwebel meiner eigenen Kompanie.«

»Und das ist *alles*?« fragte Nugget und verzog höchst eigenartig das Gesicht, als er einen Bissen runterschluckte.

Michael sah ihn besorgt an. »Hast du was?«

»Nur mein Blinddarm«, sagte Nugget im Ton der Ergebenheit. »Macht sich bei jedem Schluck bemerkbar.«

Das brachte er mit großem Ernst und mit derselben Hingabe vor, mit der Benedict sein kleines Gebet aufgesagt hatte. Michael sah, daß die anderen, Luce inbegriffen, grinsten. Also hatten sie den Burschen mit dem Frettchengesicht gern.

Nachdem er die Zigarette gerollt und angezündet hatte,

lehnte Michael sich zurück, verschränkte die Hände, da die Bank keine Lehne hatte, im Nacken und überlegte, was für Typen das hier wohl waren. Es hatte ihm immer Spaß gemacht, an fremden Orten und von fremden Menschen umgeben zu sein. Sechs Jahre im selben Bataillon, und du erkennst am Geruch, wer den Furz gelassen hat.

Der Blinde, der etwa in den Dreißigern war, redete nicht viel und verlangte nicht viel. Ganz das Gegenteil von Nugget, der ihr Maskottchen war, entschied Michael. Jede Kompanie hatte schließlich ihren Glücksbringer. Warum sollte es auf Station X anders sein?

Luce würde ihm wohl nicht ans Herz wachsen. Aber vermutlich wuchs der nie jemandem ans Herz. Was Nugget betraf, so deutete nichts darauf hin, daß er jemals eine direkte Kriegshandlung miterlebt hatte. Michael wünschte das niemandem, den Krieg am eigenen Leib zu erfahren, aber alle, die an der Front gewesen waren, hatten etwas Besonderes. Das betraf nicht Mut, Entschlossenheit und Stärke. Der Krieg konnte diese Eigenschaften nicht erzeugen, wenn sie nicht vorhanden waren, konnte sie aber auch nicht zerstören, wenn jemand sie besaß. Der Schrecken des Krieges fraß sich tiefer hinein, war eine weit komplexere Sache. Es gab dem Leben mehr Bedeutung, dem Tod ins Auge gesehen zu haben. Dadurch wurde dem Soldaten klar, daß sein eigener Tod dem Zufall überlassen blieb. Er erkannte, wie selbstsüchtig er war, wenn er dem Himmel dafür dankte, daß die Kugel den anderen getroffen und ihn verschont hatte. Er war dem Aberglauben ausgeliefert. Und nach jedem Gefecht peinigender Selbstanklage, weil er zum Tier geworden war, zum Manipulationsobjekt für diejenigen, die das militärische Geschick lenkten . . .

Neil sprach gerade. Michael zwang sich zuzuhören, denn Neil war jemand, der Beachtung verdiente. Er war von Anfang an dabeigewesen. Er trug Wüstenmontur und benahm sich wie ein Soldat.

». . . soweit ich es sehe, haben wir noch acht Wochen«, sagte Neil. Er meinte offenbar die voraussichtliche Lebensdauer von Station X.

Es war den Männern deutlich anzusehen, daß die Aussicht baldiger Heimkehr sie bedrückte. Matt, der Blinde, schien förmlich zu zittern. Sie fürchteten sich tatsächlich davor, nach Hause zu gehen, ganz wie Schwester Langtry gesagt hatte.

Schwester Langtry ... Es war so lange her, daß er mit Frauen zu tun gehabt hatte, daß er, was sie betraf, sich sehr unsicher fühlte. Der Krieg hatte alles total umgedreht. Eine Frau als Autoritätsperson, als Mensch mit eigener Meinung, war ihm vor dem Krieg nicht untergekommen und auch nur schwer vorstellbar gewesen. Sie war nett, freundlich, aber dennoch der Boß, und es war ihr nicht unangenehm, Autorität Männern gegenüber auszuüben. Sie fand aber auch – und das mußte man ihr zugute halten – nicht besonders Geschmack daran. Es war ihm peinlich, mit einer Frau Umgang zu haben, die von vornherein annahm, daß sie beide dieselbe Sprache sprachen, dieselben Gedanken hatten. Dabei war er sich nicht sicher, ob sie nicht mehr vom Krieg gesehen hatte als er, ja, es war anzunehmen, daß sie beträchtliche Zeit im Feindfeuer verbracht hatte. Sie trug die Silbersterne eines Captains des weiblichen Sanitätskorps, wahrlich ein sehr hoher Rang.

Die Männer auf Station X beteten sie an. Als sie ihn auf die Veranda hinausgeführt hatte, war ihm der Unmut sofort aufgefallen. Diese wachsame taxierende Haltung brachten alte Geschäftspartner einem potentiellen neuen Teilhaber entgegen. Das war auch der Grund für die wunderliche Narrenshow gewesen. Nun, sie brauchte sich nicht zu sorgen. Wenn Neil recht hatte, dann würde keiner von ihnen hier noch lange genug sein, um die alte Hackordnung wiederherstellen zu wollen. Alles, was er sich wünschte, war, den Krieg, die Armee und die abgelaufenen sechs Jahre endlich vergessen zu können.

Wenn er seine Versetzung auf Stützpunkt 15 auch begrüßt hatte, so erschien es ihm doch keineswegs verlockend, die nächsten zwei Monate müßig in einem Krankensaal herumzulungern. Das bedeutete zuviel Zeit zum Nachdenken und zuviel Zeit, sich des Vergangenen zu erinnern.

Er war gesund und im Vollbesitz seiner geistigen Kräfte, und das waren die Kerle, die ihn hierhergeschickt hatten, auch. Die armen Schweine auf Station X hingegen litten; man konnte es von ihren Gesichtern ablesen und an ihren Stimmen hören. Mit der Zeit würde er erfahren, worunter sie litten. Inzwischen genügte es, zu wissen, daß sie troppo waren – oder es gewesen waren. Das mindeste, was er tun konnte, war, sich hier irgendwie nützlich zu machen.

Und als der letzte mit seinem Nachtisch fertig war, stand Michael auf und sammelte die Emailteller ein. Dann ging er, um sich mit den Verhältnissen im Tagesraum vertraut zu machen.

4

MINDESTENS SECHSMAL TÄGLICH durchquerte Schwester Langtry das Gelände zwischen der Schwesternunterkunft und Station X. Tagsüber machte es ihr nichts aus, doch im Finstern war ihr der Gang nie ganz geheuer. Als Kind hatte sie die Dunkelheit stets gefürchtet und nie in einem Raum ohne Licht schlafen wollen. Seither hatte sie genügend Selbstdisziplin entwickelt, um mit dieser idiotischen, jeder Grundlage entbehrenden Furcht fertigzuwerden. Dennoch nahm sie immer, wenn sie den Weg im Dunkeln zurücklegte, eine Taschenlampe mit und bemühte sich gleichzeitig, ihre Gedanken mit etwas Konkretem zu beschäftigen, damit die Finsternis etwas von ihrer Bedrohlichkeit verlor.

Am Tag von Michael Wilsons Aufnahme hatte sie die Station verlassen, als die Männer sich zum Abendessen niedersetzten, um im Kasino selbst ihr Abendessen einzunehmen. Jetzt folgte sie dem Lichtkegel, den die Taschenlampe auf den Weg warf. Der nun vor ihr liegende Dienst in Station X, in der Zeit zwischen dem Abendessen und dem Beginn der allgemeinen Bettruhe, war ihr die liebste

Pflicht des Tages. Und heute freute sie sich besonders darauf, denn ein neuer Patient verhieß neues Interesse, neue geistige Anregungen.

Sie dachte an den Schmerz und seine vielen Erscheinungsformen. Wie lange war es her, daß sie die Oberschwester verfluchte, weil diese sie auf Station X versetzte? Wütend hatte sie bei der unbeugsamen Dame Protest gegen diese Versetzung eingelegt, mit dem Hinweis, sie habe keinerlei Erfahrung im Umgang mit Geisteskranken, ja fühle Abneigung gegen sie. Damals hatte sie es als eine Bestrafung empfunden, als einen Schlag ins Gesicht. Das also war der Dank der Armee für jahrelange Dienste in Feldlazaretten. War das ein Leben gewesen – Zelte als Behausung, die nackte Erde als Fußboden, Staub in der Dürreperiode, Schlamm in der Regenzeit, der ständige Kampf, für den Krankendienst körperlich gesund und fit zu bleiben, wenn Klima und sonstige Bedingungen einen aufzureiben drohten. Wie mit Rammstößen waren Schmerz und Schrecken über sie hereingebrochen und hatten schließlich Wochen angedauert und sich über Jahre erstreckt. Ein anderer Schmerz war das allerdings gewesen. Komisch, man weinte sich wegen eines Menschen, der den Arm verloren hatte, die Seele aus dem Leib, war entsetzt über die eklige Masse Gedärme, die aus einer klaffenden Bauchwunde quollen, oder über einen Körper, der plötzlich kalt und steif dalag, ein Stück Fleisch. Doch dann war es eben vorüber. Man flickte sie zusammen, so gut es ging, trauerte, wenn man nicht helfen konnte, und versuchte im übrigen zu vergessen, weil das Leben weiterging.

Der Station-X-Schmerz war etwas anderes, ein Leiden der Seele und des Geistes, oft belacht oder als nicht existent abgetan. Sie selbst hatte ihre Versetzung als eine Beleidigung ihrer beruflichen Qualitäten empfunden, als einen Hohn auf die Jahre treuer Pflichterfüllung. Heute wußte sie, warum sie so gekränkt gewesen war. Körperlicher Schmerz, physische Verstümmelung, die man in Ausübung soldatischen Dienstes erlitt, aktivierten die wertvollsten Kräfte im Menschen. Heroismus und Edelmut waren es gewesen, die in den Feldlazaretten dem Pflegepersonal so zusetzten. Was war schon Edles an einem Nervenzusammenbruch? Ein Defekt war es, Beweis für eine Schwäche des Charakters.

In solcher Gemütsverfassung trat sie mit zusammengebissenen Zähnen den Dienst auf X an und hatte nur den einen Wunsch: ihre Patienten hassen zu können. Nur Berufsethos und blinder Gehorsam hielten sie davon ab, starr auf ihrer ablehnenden Haltung zu beharren. Ein Patient war wie der andere, und eine Seele in Not ebenso eine Realität wie ein Körper in Not. Fest entschlossen, sich nie Pflichtvergessenheit vorwerfen lassen zu müssen, hielt sie die ersten Tage auf Station X durch.

Was Schwester Langtry aus einer bloßen Hüterin ihrer Schützlinge zu jemandem machte, der sich hütete, seine Tätigkeit auf die Hüterrolle zu beschränken, war die Entdeckung, daß auf Stützpunkt 15 niemand Interesse für die Männer von Station X zeigte. Es gab auf Stützpunkt 15 nie viele X-Patienten. Denn als Stützpunkt 15 entstand, war die Front zu nahe gewesen, als daß man für troppo-Fälle Zeit und Muße gehabt hätte. Die meisten, die auf Station X landeten, waren von anderen Stationen des Stützpunktes 15 dorthin überstellt worden. Beispielsweise auch Nugget, Matt und Benedict. Leute mit schweren psychischen Störungen schickte man schnurstracks nach Australien zurück; auf X lagen leichtere Fälle mit weniger ausgeprägten Symptomen. Psychiater gab es nicht viele in der Armee, auf Stützpunkt 15 keinen, zumindest nicht, seit Schwester Langtry hier tätig war.

Da es für wirkliche Krankenpflege so gut wie keine Gelegenheit gab, begann sie, all ihre Intelligenz und Energie auf den X-Schmerz, wie sie ihn nannte, zu konzentrieren. Für sie als Krankenschwester eine völlig neue Erfahrung.

Beim X-Schmerz handelte es sich um ein Leiden des Geistes, im Gehirn nicht lokalisierbar, gestaltlos, heimtückisch, vielfach der Theorie anheimgegeben, nichtsdestoweniger real, den ansonsten gesunden Organismus zerstörend wie jedes physische Leiden. Er brachte Sinnlosigkeit, Bedrohung, Unbehagen und Leere mit sich, und war in seiner Wirkung weit nachhaltiger als physischer

Schmerz. Und man wußte so wenig darüber wie über kaum ein anderes Gebiet der Medizin.

Sie entdeckte in sich ein leidenschaftliches, blindwütiges Interesse für die Patienten auf Station X, war fasziniert von der Vielfalt der Krankheitserscheinungen – und stellte auch fest, daß sie selbst die Fähigkeit hatte, diesen Menschen in ihrem Schmerz beistehen zu können. Natürlich gab es Mißerfolge. Als gute Krankenschwester hatte man das zu akzeptieren, vorausgesetzt, man hatte alles Denkbare versucht. Doch so ungeschult und unwissend sie war, fühlte sie doch, daß ihre Gegenwart das Befinden der meisten Patienten günstig beeinflußte.

Nervliche Energie zu verbrauchen, laugte einen mehr aus als die schwerste körperliche Arbeit. Das hatte sie bald erkennen müssen, und sie hatte gelernt, ihre Energie gezielt einzusetzen, um vor allem noch genügend Geduld und Verständnis aufbringen zu können. Denn selbst nachdem sie ihr Vorurteil von der »Charakterschwäche« über Bord geworfen hatte, machte ihr die totale Ichbezogenheit der Patienten schwer zu schaffen. Für jemanden wie sie, der sein Leben einer altruistischen und selbstlosen Tätigkeit gewidmet hatte, war es schwer zu verstehen, daß die augenscheinliche Ichbezogenheit dieser Kranken nur ein Beweis dafür war, daß mit ihnen etwas nicht stimmte.

Honour war ganz auf ihre Erfahrung angewiesen, es gab niemanden, der sie unterwiesen hätte, und so gut wie keine Bücher, aus denen sie Informationen beziehen konnte. Um so hartnäckiger kämpfte sie sich durch, ließ nicht locker und gewann ihre neue Tätigkeit lieb.

Allzuoft fehlte jeder Beweis, daß sie einen Patienten erreicht hatte. Und wenn ein Durchbruch gelang, dann mußte sie sich häufig fragen, ob das ihrem Wirken zu verdanken war. Aber sie wußte eines: sie konnte helfen. Wäre sie darüber nur einen Augenblick im Zweifel gewesen, würde sie schon vor Monaten ihre Versetzung bewerkstelligt haben.

X ist eine Falle, dachte sie. Und ich sitze darin gefangen. Aber was tut's? Langsam beginnt's mir Spaß zu machen.

Als der Strahl der Taschenlampe die hölzerne Rampe traf, schaltete sie die Lampe aus und ging so leise, wie es mit Schuhen möglich war, zum Eingang hinauf.

Ihr Büro befand sich gleich zu Beginn des Korridors auf der linken Seite, ein Kämmerchen, zwei mal zwei Meter groß, dem einzig die an zwei Wänden befindlichen Lüftungsschlitze etwas von seinem Sargcharakter nahmen. Der winzige Verschlag bot kaum Raum genug für den kleinen Tisch, den sie als Schreibtisch benutzte, den Stuhl auf der einen, einen Besuchersessel auf der anderen Tischseite, ein Bretterregal in der Ecke sowie ein Kästchen mit zwei verschließbaren Laden als Aktenschrank. In der oberen Lade ruhten die Unterlagen für alle Männer, die je auf Station X gewesen waren, alles in allem nicht sehr viele Ordner. Von bereits Entlassenen bewahrte Schwester Langtry nur die Durchschläge ihrer Krankengeschichten auf. In der zweiten Lade befanden sich die wenigen Medikamente, die die Oberschwester und Oberst »Kinnbacke« für unumgänglich nötig befanden: Paraldehyd, oral und in Ampullen, Luminal, Morphium, Magnesiamilch, Mixtura creta, Mixtura APC und Mixtura opil, Rhizinusöl, Chloralhydrat, keimfreies Wasser, Placebos und eine große Flasche Chateau Tanunda Drei-Sterne-Medizinalbranntwein.

Schwester Langtry nahm ihren Schlapphut ab, entfernte die Gamaschen, zog ihre Armeestiefel aus und stellte sie ordentlich hinter der Tür ab. Den kleinen Korb mit den wenigen persönlichen Utensilien, die sie während des Dienstes benötigte, verstaute sie unter dem Tisch. Dann schlüpfte sie in ihre Segeltuchschuhe. Da Stützpunkt 15 offiziell zur Malariazone erklärt worden war, mußte das gesamte Personal nach Einbruch der Dunkelheit Kleidung tragen, die Nacken, Arme und Beine bedeckte, was das Leben in diesem Klima nicht angenehmer machte. In Wahrheit war durch intensives Versprühen von DDT die Anopheles-Gefahr fast völlig beseitigt, doch die Vorschrift hatte weiter Geltung. Emanzipiertere Schwestern trugen die grauen Buschjacken und langen Hosen auch bei Tag, mit dem Hinweis, Röcke wären lang nicht so bequem. Aber jene, die die meiste Zeit des Krieges in Feldlazaretten verbracht hatten, wo das Tragen von Hosen obligatorisch gewesen war, zogen im relativen Luxus von Stützpunkt 15 Frauenkleidung an, sofern diese erlaubt war.

Zudem hatte Schwester Langtry die Theorie entwickelt, daß es ihren Patienten guttat, eine Frau in Frauenkleidern und nicht in Männeruniform zu sehen. Eine weitere ihrer Theorien betraf den Lärm, und sie zog daher nach Betreten der Station die Schuhe aus und untersagte den Männern das Tragen von Schuhen im Inneren des Gebäudes.

Hinter dem Besuchersessel hing an der Wand eine Kollektion von Bleistiftzeichnungen, fünfzehn insgesamt: die von Neil angefertigten Porträts aller Männer, die zu seiner Zeit Station X durchlaufen hatten oder noch da waren. Immer, wenn sie von ihrer Arbeit aufblickte, hatte sie diesen äußerst aussagekräftigen Bildkatalog vor Augen. Wurde ein Mann anderswohin verlegt, wanderte sein Porträt von der mittleren Reihe nach außen. Gegenwärtig hingen fünf Bilder in der Mittelreihe, doch für ein sechstes war noch Platz vorhanden. Der Jammer war nur, daß sie mit dem Auftauchen eines sechsten nicht mehr gerechnet hatte, jetzt, da Stützpunkt 15 rapide kleiner wurde und der Krieg vorüber war und die Geschütze schwiegen. Dennoch war Michael gekommen, ein neues Objekt für Neils scharfes Auge. Wie würde er ihn sehen? Hoffentlich würde das Ergebnis dieser Beobachtungen bald an der Wand hängen.

Sie setzte sich und betrachtete die fünf Bilder der mittleren Reihe.

Sie gehören mir, stahl es sich selbstgefällig in ihre Gedanken. Weg mit solch gefährlichen Ansichten! Das eigene Ich war auf X ein unwillkommener Eindringling und von keinerlei Nutzen für die Patienten. Immerhin, sie war, wenn schon nicht Lenker ihres Schicksals, so doch eine Art Schwerpunkt für sie. Auch darin lag Macht, denn das Gleichgewicht auf X war eine äußerst labile Angelegenheit, und sie war diejenige, die stets bereit sein mußte, ihr Gewicht zu verlagern, wenn das Schifflein in Schräglage geriet. War das nicht gefährlich? Nicht für eine gute Krankenschwester, die nicht von Missionseifer getrieben war und sich auch nicht einbildete, daß sie direkt die Ursache für die Gesundung ihrer Patienten war. Gesundung, ob geistige oder körperliche, kam hauptsächlich vom Patienten selbst.

Was sie brauchte, war Ablenkung. Sie stand auf, zog aus der Hosentasche das Band, an dem ihre Schlüssel hingen, und wählte den Schlüssel für die obere Lade aus. Sie schloß auf und entnahm der Lade Michaels Einweisungspapiere.

5

ALS NEIL PARKINSON FAST gleichzeitig mit seinem Anklopfen eintrat, lehnte sie sich in ihren Stuhl zurück. Die Papiere lagen immer noch ungeöffnet vor ihr auf dem Tisch. Er setzte sich in den Besuchersessel und blickte sie mit feierlichem Ernst an. Sie kannte diesen Blick. Sie lächelte und wartete.

Jedesmal schien dieser Blick sie zuerst einmal auseinanderzunehmen und dann wieder zusammenzusetzen, doch lag darin keine Lüsternheit, sondern eher die Neugier des kleinen Jungen, der sein liebstes Spielzeug zerlegt, um dessen Geheimnis zu ergründen. Dieses Spielchen, sie ergründen zu wollen, fesselte ihn immer wieder, und so widmete er sich ihm jeden Abend, wenn er sie in ihrem Büro aufsuchte, mit erneutem Eifer.

Dabei war sie weder eine Schönheit, noch ersetzte sie das, was ihr hierin fehlte, durch Sinnlichkeit. Sie war jung und hatte eine besonders schöne, wenn auch jetzt leicht gelblich getönte Haut, durch die die Adern hindurchschimmerten. An ihren regelmäßigen Gesichtszügen war nichts auffallend, mit Ausnahme der sehr großen und ruhigen Augen, die vom selben Braun waren wie die Haare, wenn sie nicht gerade im Zorn Blitze schossen. Ihre Figur war die typische Schwesternfigur, wohlgeformt, wenn auch leider flachbrüstig, mit langen, schlanken, aber muskulösen Beinen, kleinen Füßen und zarten Knöcheln: alles das Ergebnis von viel Bewegung und harter Arbeit. Bei Tag bildete der Schwesternschleier eine hübsche, passende Umrahmung ihres Gesichts. Am Abend, in Hosen, trug sie auf dem Gelände einen Schlapphut, nahm diesen aber ab, sobald sie ein Gebäude betrat. Das Haar trug sie gewellt und kurz. Das brachte sie zuwege, indem sie einen Teil ihrer reichlichen Alkoholzuteilung in der Quartiermeisterei bei einem Korporal, der im Zivilleben Friseur gewesen war und den Schwestern auf Abruf zur Verfügung stand, gegen eine Haarwäsche, einen Haarschnitt und nachfolgende Ondulation eintauschte.

Das war das Äußere. Darunter war sie von stählerner Härte, intelligent, belesen wie alle jungen Damen, die eine der Nobelschulen für Mädchen besucht hatten, und nicht leicht reinzulegen. Sie hatte Entschlußkraft, verfügte über Schlagfertigkeit und war bei allem Verständnis und aller Freundlichkeit immer etwas distanziert. Sie gehörte ihnen, sie hatte sich diesen, ihren Patienten verschrieben, doch innerlich hielt sie Abstand. Und darin lag wohl das Geheimnis ihrer Anziehungskraft auf Neil.

Leicht war es nicht, im Umgang mit Soldaten, für die sie ein Exemplar der fast in Vergessenheit geratenen Menschenkategorie Frau darstellte, den passenden leichten Ton zu finden. Doch sie hatte es wunderbar geschafft, ohne jemals einem von ihnen auch nur den kleinsten Grund zur Annahme zu geben, sexuelles oder romantisches Interesse, man nenne es, wie man wolle, sei mit im Spiel. Ihr Titel war »Schwester«. So nannten sie sie auch, und so gab sie sich ihnen gegenüber: eine Schwester, jemand, der sie mochte, aber nicht bereit war, das ganze Privatleben mit ihnen zu teilen.

Zwischen Neil Parkinson und Schwester Langtry aber existierte eine Art von Einverständnis. Wiewohl nie besprochen, auch nicht offen erwähnt, stand für beide fest, daß er, wenn sie wieder im Zivilleben waren, die Beziehung zu ihr fortsetzen würde und daß sie das durchaus billigen würde.

Sie waren beide aus gutem Hause und dazu erzogen worden, die feinen Nuancen, die durch unterschiedliche

Positionen entstanden, zu respektieren. Beiden erschien es undenkbar, daß persönlichen Angelegenheiten der Vorrang gegeben werden könnte, gegenüber dem, was man für seine Pflicht hielt. Als sie einander kennenlernten, hatte der Krieg ihnen eine rein berufliche Beziehung auferlegt, deren Grenzen sie genau beachteten. Nach dem Krieg konnte man diese Rücksichtnahme fallenlassen.

An diese Ansicht klammerte sich Neil, sah ihr eher schmerzlich als mit Ungeduld entgegen. Im Grunde träumte er davon, sein Leben zu vervollständigen, denn er liebte sie sehr. Er hielt sich für nicht so stark wie sie – was vielleicht nur daran lag, daß seine Zuneigung leidenschaftlicher war als ihre, daß es ihm schwerfiel, ihre Beziehung innerhalb der gesteckten Grenzen zu halten. Kleine Übertretungen in Form von Blicken oder Bemerkungen gestattete er sich wohl, doch schon der Gedanke, sie zu berühren oder zu küssen, erschreckte ihn, denn er wußte, wenn er es täte, würde sie ihn auf der Stelle auffordern, seine Koffer zu packen. Dabei spielte keine Rolle, ob er nun Patient war oder nicht. Denn man hatte nur widerstrebend Frauen an die Front geschickt, zumeist nur Krankenschwestern. Die Stellung von Schwester Langtry beruhte auf dem Vertrauen, das man in sie setzte, und erlaubte keine Verausgabung von Gefühlen in der Beziehung zu einem Mann, sei er nun Patient oder Soldat.

Dennoch zweifelte er nicht an dem zwischen ihnen herrschenden unausgesprochenen Einverständnis. Wenn es auf ihrer Seite nicht bestanden hätte, würde sie es ihm sofort gesagt haben.

Als einziges Kind wohlhabender Eltern, die zur guten Gesellschaft von Melbourne gehörten, hatte Neil Longland Parkinson die für jene Zeit in Australien typische eigenartige Entwicklung durchgemacht: man hatte ihn zu einem jungen Mann geformt, der englischer war als die Engländer. Sein Akzent verriet nichts von seiner australischen Herkunft, er war ebenso vornehm und elitär wie der irgendeines englischen Adeligen zu irgendeiner Zeit. Von der Geelong Grammar School war er direkt nach Oxford gegangen, hatte dort in Geschichte mit Auszeichnung abgeschlossen und verbrachte seitdem nur gelegentlich einige Monate im Land seiner Geburt. Er wollte Maler werden, und so zog es ihn von Oxford nach Paris und von da nach der griechischen Peloponnes, wo er ein angenehmes, aber ereignisloses Leben führte, in das nur dann etwas Unruhe, Wellengang kam, wenn die italienische Schauspielerin ihn besuchte, die seine Geliebte war, lieber aber seine Frau gewesen wäre. Zwischen diesen Episoden gefühlsmäßigen Engagements lernte er die griechische Sprache ebenso fließend zu sprechen wie Englisch, Italienisch und Französisch, malte, was das Zeug hielt, und sah sich mehr als im Ausland lebenden Engländer an denn als Australier.

Heirat hatte er nicht im Sinn, wenn ihm auch klar war, daß er früher oder später daran denken mußte. Ebenso war ihm klar, daß er überhaupt alle Pläne, die zukünftige Gestaltung seines Lebens betreffend, vor sich herschob. Für einen jungen Mann unter dreißig war Zeit etwas, von dem man einen genügend großen Vorrat hatte.

Und dann änderte sich plötzlich alles katastrophal. Sogar bis zur Peloponnes drangen die Gerüchte von einem bevorstehenden Krieg. Gleichzeitig traf ein steifer, liebloser Brief von seinem Vater ein, des Inhalts, die Zeit, wilden Hafer zu säen, sei vorüber, er schulde es seiner Familie und seiner Stellung in der Gesellschaft, sofort heimzukehren, solange er das noch könne.

Also war er Ende 1938 nach Australien gedampft, kam in ein Land, das er kaum kannte, um Eltern in die Arme zu schließen, die so distanziert und bar jeder Liebe für ihn waren wie alle viktorianischen Adeligen – denn das waren sie, wenn sich auch »viktorianisch« in ihrem Fall nicht auf die Königin Viktoria, sondern auf den australischen Staat gleichen Namens bezog.

Seine Rückkehr nach Australien fiel zusammen mit seinem dreißigsten Geburtstag, und diese beiden Meilensteine seines Lebens konnte er sich nicht ins Gedächtnis rufen, ohne daß nicht auch jene schrecklichen Ängste, die ihn seit vergangenem Mai heimsuchten, neuerlich in ihm aufstiegen. *Sein Vater!* Dieser harte, dabei charmante, gewievte, unglaublich tatkräftige alte Mann! Warum hatte er nicht eine Schar von Söhnen gezeugt? Kaum zu glauben, daß er nur einen hervorgebracht hatte, noch dazu einen Spätling. Die Bürde, Longland Parkinsons einziger Sohn zu sein! Der Wunsch, es Longland Parkinson gleichzutun, ja ihn zu übertreffen!

Natürlich war das nicht möglich. Hätte der Mann doch nur erkannt, daß er selbst die Ursache dafür war, daß Neil nicht mit ihm gleichzuziehen vermochte. Nicht wie der Vater im Arbeitermilieu mit seinen Bitternissen und Herausforderungen aufgewachsen, dafür geprägt von einer kultivierten und kapriziösen Mutter, wußte Neil sich auf der Verliererseite, kaum daß er anfing, sich eigene Gedanken über den Lauf der Welt zu machen.

Erst als Teenager entdeckte er, daß er für seinen Vater weitaus mehr übrighatte als für seine Mutter. Und das trotz des Vaters Indifferenz ihm gegenüber und der hirnlosen, widerlichen Gluckenhaftigkeit der Mutter.

Die Internatszeit schaffte Erleichterung und setzte Maßstäbe, nach denen er sich vom ersten Semester in der Geelong Grammar School bis zum Tage seines dreißigsten Geburtstages richtete. Warum um etwas kämpfen, das so offensichtlich unerreichbar war? Besser ihm aus dem Wege gehen und es nicht beachten. Das Geld seiner Mutter war ihm überschrieben worden, als er volljährig wurde, und reichte für seine Bedürfnisse bei weitem. Er wollte sein eigenes Leben leben, weit weg von seinen Eltern und von Melbourne, und sich seine eigene Nische zimmern.

Aber der drohende Krieg hatte nun alle Pläne zunichte gemacht. Manchen Dingen konnte man nicht aus dem Wege gehen.

Sein Geburtstagsdinner war eine aufwendige Angelegenheit gewesen, sehr formell, unter die Eingeladenen hatte man großzügig junge Damen gemischt, die seine Mutter als akzeptable Bewerberinnen um die Gunst ihres Sohnes ansah. An der Tafel saßen zwei Erzbischöfe, der eine römisch-katholisch, der andere von der Kirche von England, ein Minister des Regierungskabinetts, einer von der Regierung des Bundesstaates, ein bekannter Modearzt, der britische Hochkommissar und der französische

Gesandte. Natürlich war seine Mutter für die Zusammenstellung der Gästeliste verantwortlich.

Während der Mahlzeit achtete er kaum auf die anwesenden jungen Damen und die bedeutenden Persönlichkeiten, ja, er nahm nicht einmal Notiz von seiner Mutter. Seine ganze Aufmerksamkeit richtete sich auf den Mann, der am anderen Ende der Tafel saß und mit seinen bösen, stahlblauen Augen die Anwesenden musterte und respektlos seine Schlüsse über sie zog: seinen Vater. Er sehnte sich nach einer Gelegenheit, um mit dem kleinen alten Mann, der zur äußeren Erscheinung seines Sohnes nichts beigetragen hatte außer der Farbe und Form seiner Augen, ein Gespräch von Mann zu Mann zu führen.

Nur zu sehr war ihm seine Unreife bewußt, die bei seinem Alter um so mehr ins Gewicht fiel. Und als sein Vater sich bei ihm einhakte, während die Herren sich erhoben, um den Damen in den Salon nachzufolgen, erfaßte ihn eine alberne Freude über diese Geste.

»Die können auch ohne uns auskommen«, sagte der alte Mann und schnaubte geringschätzig. »Deine Mutter hat dann über etwas zu klagen, wenn wir jetzt verschwinden.«

In der Bibliothek, deren in Leder gebundenen Bände er nie in die Hand genommen, geschweige denn gelesen hatte, ließ sich Longland Parkinson in einen Fauteuil fallen, während sein Sohn sich ihm zu Füßen auf einer Ottomane niederließ. Der Raum war düster, doch konnte man das gefurchte, vom Kampf gezeichnete Gesicht des Alten erkennen und ebenso den harten, raubtierartigen Blick dieser Augen, hinter denen Klugheit und Wachsamkeit lauerten, ohne jede Rücksichtnahme, jede Schwäche des Gefühls und jeden moralischen Skrupel. Warum liebe ich diesen Menschen? fragte sich Neil. Ihn, der so anders ist? Warum jemanden lieben, der keiner Liebe bedarf?

»Als Sohn bist du nicht gerade oft in Erscheinung getreten«, sagte der Alte ohne Groll.

»Ich weiß.«

»Wenn ich gewußt hätte, daß ein Brief genügen würde, dich zur Heimreise zu bewegen, hätte ich ihn schon längst geschrieben.«

Neil spreizte die Finger und betrachtete sie: lange,

dünne Finger, zart, fast kindhaft. »Es war nicht der Brief, dessentwegen ich heimfuhr«, sagte er langsam.

»Was denn? Der Krieg?«

Der Wandleuchter hinter dem Kopf seines Vaters warf sein Licht auf das kahle Haupt, so daß das Gesicht ganz im Schatten lag und man nur die brennenden Augen und den harten Einschnitt des Mundes sah, der jetzt fest geschlossen war.

»Ich bin nicht gut«, sagte Neil.

»Nicht gut in was?« Typisch für seinen Vater, die Worte als Beurteilung der Leistung und nicht als moralische Wertung zu verstehen.

»Ich bin ein miserabler Maler.«

»Wieso weißt du das?«

»Man hat es mir gesagt, jemand, der es wissen muß.« Allmählich kamen ihm die Worte leichter über die Lippen. »Ich hatte genügend Arbeiten für eine große Ausstellung beisammen – irgendwie wünschte ich mir immer, mit einem Paukenschlag anzufangen, nicht mit einem Bild, das an einem Platz hängt, und mit zwei anderen anderswo. Ich schrieb jedenfalls an einen Freund in Paris, dem eine Galerie gehört, in der ich mein Debüt feiern wollte, und da es ihn in Griechenland reizte Urlaub zu machen, kam er herunter, um sich meine Sachen anzusehen. Und er war nicht beeindruckt, das war alles. Sehr hübsch, meinte er. Recht ansprechend, wirklich. Aber keine Originalität, keine Stärke, kein instinktives Gefühl für das Medium. Dann riet er mir, meine Begabung der Gebrauchsgraphik zuzuwenden.«

Wenn den alten Mann der schmerzliche Bericht seines Sohnes bewegte, dann zeigte er es nicht. Er saß nur da und hörte aufmerksam zu.

»Die Armee«, sagte er schließlich, »wird dir mehr als guttun.«

»Du meinst, sie wird einen Mann aus mir machen.«

»Das müßte außen beginnen und nach innen wirken. Ich meine, daß das, was in dir ist, die Möglichkeit erhält, sich Bahn nach außen zu verschaffen.«

»Und was, wenn da nichts ist?«

Der alte Mann hatte die Schultern gehoben und die Lippen zu einem kleinen gleichgültigen Lächeln verzogen. »Ist es nicht besser, wenn man das weiß?« fragte er.

Kein Wort war darüber gefallen, daß er das Familiengeschäft erlernen sollte. Neil hatte immer gewußt, daß Diskussionen darüber überflüssig waren. Er fühlte, daß sich sein Vater im Hinblick auf das Geschäft keine Sorgen machte. Was damit geschah, wenn er selbst einmal das Steuer aus der Hand gab, schien ihn nicht zu interessieren. Longland Parkinson stand dem Gedanken, ein Familienimperium zu errichten, ebenso gleichgültig gegenüber wie Frau und Sohn. Er verlangte nicht, daß sein Sohn sich bewährte, hegte keinerlei Groll gegen einen Sohn, der ihm nicht gleichkam. Sein Ego brauchte keine Bestätigung durch einen Sohn, der das war, was er selbst war, oder das erreichte, was er selbst erreicht hatte. Ohne Zweifel hatte er gewußt, welchen Nachkommen die Frau, die er heiratete, ihm gebären würde, und sich nichts daraus gemacht. Indem er sie heiratete, stellte er den Fuß in eine Tür, die ihm den Zugang zu genau jenen Gesellschaftskreisen öffnete, in die er gelangen wollte. Hier wie anderswo handelte Longland Parkinson nach seinen eigenen Wünschen und im Sinne seiner Selbstverwirklichung.

Und doch entdeckte Neil, als er jetzt seinen Vater forschend anblickte, Zuneigung und schmerzlich empfundenes Mitleid. Der alte Mann wußte einfach, daß Neil es nicht in sich hatte. Er kannte die Menschen zu gut.

Also ging Neil zur Armee und wurde Offizier. Bei Kriegsausbruch war er in einem Bataillon der Australischen Imperial Forces und wurde nach Nordafrika verschifft, wo es ihm sehr gut behagte. Er fühlte sich dort mehr daheim als in der Heimat, erlernte das Arabische ungemein leicht und konnte sich dadurch allgemein nützlich machen. Er entwickelte soldatische Fähigkeiten, war gewissenhaft und tapfer, seine Männer mochten ihn, und zum erstenmal in seinem Leben mochte auch er sich. Ich habe also doch etwas von dem Alten in mir, frohlockte er und sah dem Ende des Krieges mit Ungeduld entgegen, denn dann würde er gereift heimkehren, durch die Kriegserfahrungen gestählt und zur Unbarmherzigkeit erzogen, die, wie er fühlte, sein Vater sofort erkennen und hochschätzen würde. Mehr als alles andere wünschte er sich, daß die Raubtieraugen des Alten ihn als Ebenbürtigen ansahen.

Dann kam Neuguinea, danach der Inselkrieg, eine Art der Kriegführung, die ihm weit weniger behagte als die in Nordafrika. Alles Bisherige war bloß ein Spiel gewesen, dessen wurde er sich bewußt, und damit war auch alle Hoffnung, sein Reifeprozeß sei abgeschlossen, wieder zerstört. Hatte die Wüste befreiend auf ihn gewirkt, so war der Dschungel ein seelischer Kerker, der ihn sämtlicher Freuden beraubte. Aber er erwarb sich Stärke und ein an Halsstarrigkeit grenzendes Durchhaltevermögen, das er vorher nie besessen hatte. Endlich hörte er auf, eine Rolle zu spielen und darauf zu achten, wie er wohl auf die anderen wirken mochte. Der Kampf ums eigene Überleben und ums Überleben seiner Männer zwang ihn, aus sich selbst die nötigen Kräfte zu schöpfen.

Mit einem sinnlosen und äußerst blutigen Gefecht Anfang 1945 war dann alles zu Ende. Er hatte einen Fehler gemacht, und seine Männer bezahlten dafür. All sein mühsam erworbenes Selbstvertrauen war mit einem Schlag dahin. Hätte man ihm diese Panne vorgehalten oder ihn deswegen getadelt, er würde es leichter ertragen haben, sagte er sich. Aber jeder der Überlebenden der Kompanie bis hinauf zu den Vorgesetzten *verzieh* ihm. Und je öfter sie ihm sagten, es sei nicht seine Schuld gewesen, niemand sei perfekt, jeder mache manchmal Quatsch, desto deprimierter wurde er. Weil es nichts gab, gegen das er ankämpfen konnte, strauchelte er und fiel.

Im Mai 1945 wurde er in Station X aufgenommen. Bei seiner Ankunft auf dem Stützpunkt heulte er; er war so verzweifelt, daß er weder wußte noch wissen wollte, wohin man ihn brachte. Mehrere Tage ließ man ihn gewähren, und alles, was er wollte, war, sich in sich selbst zu verkriechen, zu weinen, sich zu grämen.

Dann begann jene Person, die die ganze Zeit über nur als blasser Schemen im Hintergrund gewartet hatte, sich in sein Leid zu drängen, ihm lästig zu fallen. Sie biß sich an ihm fest, trieb und drängelte, ja zwang ihn sogar zum Essen, wollte nichts davon hören, daß sein Fall anders oder besonders gelagert sei, brachte ihn dazu, sich zu den anderen zu setzen, wenn er es eigentlich vorgezogen hätte, sich in seiner Kammer einzuschließen, erteilte ihm Aufträge, knuffte und stichelte so lange, bis er den Mund aufmachte und redete, zuerst über irgendein Thema, dann, was er bei weitem vorzog, über sich.

Nach und nach kam sein Bewußtsein in Gang, er wurde mehr und mehr lebendig. Dinge, die ihn nicht direkt betrafen, begann er zu registrieren, er fing an, seine Mitpatienten und seine Umgebung genauer zu sehen – und sich für dieses Phänomen, das Station X darstellte, und für Schwester Langtry zu interessieren.

Sie wurde ein Name für ihn. Nicht daß er sie anfangs besonders gemocht hätte; dazu war sie zu sehr Tatsache und zudem von *seinem* Fall nicht beeindruckt. Aber als er bereits zu dem Schluß gekommen war, sie sei als typische Lazarettschwester einzustufen, begann sie plötzlich weichere, zartere Konturen anzunehmen. Das war so ungewohnt nach den Erfahrungen der letzten Jahre, daß er sich in diese Weichheit und Zärtlichkeit hätte sinken lassen mögen, wenn sie es zugelassen hätte. Doch sie ließ es nie zu. Erst als er sich als geheilt betrachten durfte, begann er, sie zu verstehen, mit welcher Gerissenheit sie ihn allerlei Schikanen unterworfen hatte.

Man mußte ihn nicht zu weiterer Behandlung nach Australien verschiffen. Aber man schickte ihn auch nicht zu seiner Einheit zurück. Offenbar zog sein Vorgesetzter es vor, daß er blieb, wo er war. Die Division lag im Augenblick in Ruhestellung, also wurde er nicht gebraucht.

In mancher Hinsicht freute ihn der erzwungene Aufenthalt in Station X, schon allein deshalb, weil er Schwester Langtry nahe sein konnte, die ihn jetzt als Kollegen und nicht mehr als Patienten behandelte, und weil sich zwischen ihnen eine persönliche Beziehung entwickelte, die mit Station X nichts zu tun hatte. Mit dem Gefühl, wieder gesund zu sein, und seinen Posten wieder ausfüllen zu können, begannen ihn erneut Zweifel zu quälen. Warum wollten sie ihn nicht zurückhaben? Er gab sich die Antwort selbst: Weil man ihm nicht mehr vertrauen konnte, weil, falls der Krieg aus irgendeinem Grund neuerlich ausbrach, er nicht mehr fähig sein würde, Befehlsträger zu sein. Weil weitere Männer seinetwegen sterben würden.

Obwohl jeder es ableugnete, wußte Neil, daß das der wirkliche Grund dafür war, daß er immer noch in Station X festsaß, nach fast fünf Monaten. Er konnte nicht begreifen, warum er diese Neurose, die sich im wesentlichen in extremen Selbstzweifeln äußerte, nicht loswurde. Wäre der Krieg wiederaufgeflammt und hätte man ihn probeweise an die Front geschickt, würde er sich wahrscheinlich gut gehalten haben. Neils Tragödie war, daß der Krieg endgültig aus war und damit auch der aktive Dienst.

Er beugte sich vor, um den Namen auf den Papieren zu entziffern, die auf Schwester Langtrys Schreibtisch lagen, und zog eine Grimasse. »Ein Schlag ins Gesicht, diese Neuaufnahme zu so später Stunde, oder?«

»Ein kleiner Schock, ja. Ob ein Schlag ins Gesicht, wird man sehen. Er sieht nicht wie ein Quälgeist aus.«

»Da sind wir einer Meinung. Sanfter Typ. Erinnert mich ein wenig an einen abgerichteten Papagei.«

Völlig überrascht wandte sie sich vom Fenster ab und sah ihn an. Gewöhnlich tat Neil bei Männern nicht so gleichgültig und war auch nicht so kritisch.

»Er ist ein sehr männlicher Typ, glaube ich«, sagte sie.

Ganz unerwartet und unerklärlich stieg Ärger in ihm hoch und verebbte wieder. Er war darüber ebenso überrascht wie sie. »Oho, Schwester Langtry!« rief er. »Wirkt er auf Sie? Ich würde nicht meinen, daß er überhaupt Ihr Typ ist!« Ihre Stirnfurchen glätteten sich, sie mußte lachen. »Kommen Sie mir nicht so, Neil! Das ist Ihrer nicht würdig, mein Freund. Sie reden wie Luce, und das ist nicht schmeichelhaft für Sie. Warum so hart zu dem armen Kerl?«

»Bloße Eifersucht«, sagte er leichthin und zog seine Zigarettendose aus der Tasche. Sie war aus schwerem Gold, sah teuer aus und trug seine Initialen. Niemand sonst rauchte andere Zigaretten als selbstgedrehte, im Augenblick war er auch der einzige Offizier auf der Station.

Er ließ die Dose aufschnappen, hielt sie Honour hin, während er mit der anderen Hand das Feuerzeug zückte.

Sie seufzte, aber nahm sich eine und ließ sich Feuer geben. »Nie und nimmer hätte ich mich von Ihnen überreden lassen dürfen, heimlich im Dienst zu rauchen«, sagte sie. »Die Oberschwester würde mich hängen, rädern und vierteilen. Übrigens muß ich Sie gleich rausschmeißen. Ich muß Michaels Papiere durchsehen, bevor Oberst ›Kinnbacke‹ kommt.«

»O Gott! Sagen Sie mir nicht, wir müssen uns heute abend mit seiner Anwesenheit abfinden!«

Sie sah ihn amüsiert an. »Nun, eigentlich bin ich es, die sich damit abfinden muß, nicht Sie.«

»Und was führt unseren strammen Häuptling nach Einbruch der Dunkelheit so weit an die Peripherie des Geländes?«

»Michael natürlich. Ich rief ihn an und bat ihn zu kommen. Denn ich habe bezüglich Michael keinerlei Instruktionen erhalten. Ich weiß nicht, warum er auf Stützpunkt 15 ist oder warum man ihn auf X legt. Ich persönlich fühle mich an der Nase rumgeführt.« Sie seufzte plötzlich und richtete sich auf. »Irgendwie ist dieser Tag nicht sehr erfreulich.«

»Was mich betrifft, so ist kein Tag auf X jemals erfreulich«, sagte Neil düster, neigte sich vor und schnippte die Asche in die Muschel, die als Aschenbecher diente. »Seit fast fünf Monaten verrotte ich hier, Schwester. Andere kommen und gehen, ich aber sitze da wie die Lilie auf dem Misthaufen, ein festes Inventar des Hauses.«

Da war er wieder, der X-Schmerz, quälte ihn und quälte sie. Ärgerlich, zusehen zu müssen, wie sie litten, zu wissen, daß man die Ursache des Schmerzes nicht beseitigen konnte, da sie in der eigenen Unzulänglichkeit der Männer wurzelte. Sie hatte die leidvolle Erkenntnis gewonnen, daß das Gute, das sie ihnen während der akuten Phase ihrer Krankheit erweisen konnte, in den seltensten Fällen in der langen Periode des Genesens weiterwirkte.

»Sie haben einen nervlichen Zusammenbruch erlitten, wie Sie wissen«, sagte sie sanft, und dabei war ihr bewußt, daß das ein schwacher Trost für ihn war. Jetzt würde das Gespräch wieder in die alten ausgetretenen Gleise geraten, er würde sich wegen seiner Schwächen kasteien, sie würde versuchen – wie immer vergeblich –, darauf hinzuweisen, daß es sich nicht notwendigerweise um Schwächen handele.

Er schnaubte. »Meinen Zusammenbruch habe ich vor Jahrmillionen überwunden, und Sie wissen das.« Er streckte die Arme aus, ballte die Fäuste, daß die Sehnen hervortraten und die Muskeln sich zu Graten wuchteten, nicht ahnend, daß diese Zurschaustellung körperlicher Stärke in ihr eine Welle des Verlangens auslöste. Hätte er es gewußt, er würde vielleicht eine Annäherung gewagt und damit ihrer Beziehung eine endgültige Richtung gegeben haben. Er würde sie geküßt und mit ihr geschlafen haben. Doch Schwester Langtrys Gesicht verriet in solchen Fällen nie, was in ihr vorging.

»Als Soldat mag ich nichts mehr taugen«, sagte er, »aber es gibt bestimmt einiges Nützliche, das ich irgendwo tun könnte! Ach, Schwester, Station X geht mir so schrecklich auf die Nerven! Ich bin kein Geisteskranker!«

Der Verzweiflungsschrei rührte sie. Die Verzweiflungsschreie ihrer Patienten rührten sie immer, doch der dieses Mannes besonders. Sie mußte den Kopf senken. »Es kann nun auch nicht mehr allzulang dauern. Der Krieg ist vorbei, wir gehen bald nach Hause. Ich weiß, das Zuhause ist nicht die Lösung, die Sie sich wünschen, und ich kann auch verstehen, daß Sie sich eher davor fürchten. Aber glauben Sie mir, versuchen Sie es wenigstens: Sie stehen innerhalb von Sekunden auf beiden Beinen, sobald sich nur die Szenerie verändert und Sie alle Hände voll zu tun haben.«

»Kann ich denn nach Hause? Dort sind Witwen und Waisen, die es durch meine Schuld geworden sind! Wenn ich nun die Witwe eines dieser Männer treffe? Ich habe diese Männer getötet! Was soll ich der Frau sagen? Was soll ich tun?«

»Sie werden genau das Richtige tun und sagen. Kommen Sie, Neil! Sie schaffen sich selber die Phantome, die Sie quälen sollen, weil Sie auf Station X nichts mit Ihrer Zeit anzufangen wissen. Ich sag' es nicht gern: Aber hören Sie auf, sich zu bemitleiden!«

Er war nicht bereit zuzuhören, verharrte mit einer Art

perversen Vergnügens in seiner depressiven Stimmung. »Meine Unfähigkeit war direkte Ursache des Todes von zwanzig meiner Männer, Schwester Langtry! Ihre Witwen und Waisen sind keine Phantome«, sagte er steif.

Es war seit Wochen zum erstenmal, daß er sich wieder in seine Schuldgefühle verbohrte. Wahrscheinlich war es wegen Michaels Ankunft. Nur zu gut wußte sie, daß sein Verhalten nichts mit ihr zu tun hatte. Jeder Neue brachte die Alten durcheinander. Und Michael war noch dazu ein besonderer Fall – er war nicht lenkbar, war nicht der Typ, der sich Neils Herrschsucht beugte. Denn Neil neigte dazu, den Stationswauwau zu spielen.

»Sie müssen das ablegen, Neil«, sagte sie in knappem Ton. »Sie sind ein achtenswerter, guter Mensch, und Sie waren ein tadelloser Offizier. Fünf Jahre lang hat es keinen besseren Offizier in der Armee gegeben. Jetzt hören Sie mir zu! Es steht nicht einmal fest, ob Ihr Fehlverhalten zum Tode Ihrer Leute führte. Als Soldat müßten Sie wissen, wie kompliziert jede kriegerische Aktion ist. Außerdem: Es ist *vorbei*! Die Männer sind tot. Was soll es den Witwen und Waisen nützen, wenn Sie hier sitzen, lamentieren und anstatt für sie für sich selber Mitleid empfinden? Niemand garantiert uns, daß das Leben so verläuft, wie wir es wollen. Wir haben es einfach auf uns zu nehmen, gut oder schlecht. Das wissen Sie!«

Er wirkte sichtlich erleichtert, grinste, streckte die Hand aus, ergriff die ihre und drückte seine Wange darauf. »Nun gut, Schwester. Nachricht empfangen. Ich werde versuchen, wieder ein braver Junge zu sein. Ich weiß nicht, wie Sie es immer wieder hinkriegen, aber Sie nehmen einem den Schmerz. Wahrscheinlich ist es mehr Ihr Gesicht als das, was Sie sagen. Wenn Sie wüßten, wie sehr sich mein Aufenthalt auf Station X durch Sie geändert hat. Ohne Sie . . .« Er hob die Schultern. »Unvorstellbar, was Station X für mich gewesen wäre.«

Er sagte oft, sie nähme den Schmerz weg. Wie sie das bewerkstelligte, wußte sie selbst nicht.

Sie starrte ihn über den Schreibtisch hinweg an und fragte sich, ob es klug war, ihm auf diese Weise Mut zu machen. Man sollte das Persönliche vom Dienstlichen zu trennen wissen! Schadete sie Neil nicht, indem sie ihm diesen persönlichen Kontakt zu ihr gestattete? Wieviel von dem, was er hier aufführte, war reine Show, um ihre Aufmerksamkeit zu erregen? Wenn man sich für einen Menschen interessierte, fehlte einem der Blick für das, was ihn zum Patienten machte! Sie verlor sich in Gedanken an Zukünftiges, wo doch die Gegenwart ihr alle Energien abforderte. Zugegeben, es war nicht unangenehm, sich eine Liebesaffäre mit Neil in Friedenszeiten vorzustellen. So manche köstliche Möglichkeit lag darin, angefangen vom ersten Kuß bis zu dem Punkt, wo sie Überlegungen anzustellen begann, ob sie ihn tatsächlich heiraten solle. Aber jetzt solche Gedanken zu haben war falsch! Total falsch!

Als Mann fand sie ihn attraktiv, aufregend, interessant. Seine Welt entsprach der ihren, was die logische Basis für ihre Freundschaft lieferte. Sie mochte sein Aussehen, seine Manieren, seine Erziehung, seinen familiären Background. Und sie mochte ihn als Mann – bis auf die unglückliche Wahnidee, an der er litt. Wenn er weiterhin in Gedanken an jenem Gemetzel hing, als wollte er den Rest seines Lebens der Trauer widmen, dann hatte sie Zweifel an der Lebensfähigkeit einer Beziehung. Sie wollte ihre Gefühle nicht an einen Gefühlskrüppel hängen, gleichgültig, wie begreiflich diese Verkrüppelung war. Was sie wollte, ja brauchte, das war jemand, dem sie als gleichwertigem Partner begegnen konnte, und nicht jemand, der sie als Stütze brauchte und zugleich als Göttin anbetete.

»Dazu bin ich da, den Schmerz zu nehmen«, sagte sie leichthin und entzog ihm behutsam ihre Hand. Die andere Hand hatte sie noch immer auf Michaels Papieren liegen. Jetzt nahm sie sie auf. »Ich muß es leider kurz machen, Neil, denn es wartet Arbeit auf mich.«

Er stand auf, blickte sie bang an. »Aber Sie kommen uns nachher noch besuchen?«

Sie blickte überrascht auf. »Nichts kann mich davon abhalten! Haben Sie jemals erlebt, daß ich meine abendliche Tasse Tee auf der Station versäume?« Sie lächelte und beugte sich über die Papiere.

6

COLONEL WALLACE DONALDSON stolperte im schwachen
Licht einer Taschenlampe über das Gelände und fühlte
sich schlecht behandelt. Es war wirklich eine Schande!
Mitten im Frieden, ohne Verdunkelungsvorschriften, war
man nicht imstande, für etwas Außenbeleuchtung zu sorgen! In der Tat lag das Hauptgebäude des Hospitals in tiefer Finsternis, denn es war nicht bewohnt und lieferte daher nicht einmal den Widerschein der Innenlichter.

In den letzten sechs Monaten war der Personenstand
des Armeehospitals Stützpunkt 15 bedauernswert zusam-
mengeschmolzen, die flächenmäßige Ausdehnung des
Areals war aber gleichgeblieben. Als wäre ein fetter
Mensch nach einer Abmagerungskur dazu verurteilt, in
seinen alten Kleidern herumzulaufen. Vor etwas mehr als
zwölf Monaten hatten die Amerikaner es gebaut, waren
aber dann sofort weitergezogen und hatten es, unfertig
und nicht vollständig eingerichtet, den Australiern überlassen, die in Vorderindien in westlicher Richtung vor-
drangen.

In seiner Blütezeit hatte es fünfhundert Patienten aufgenommen, dazu das Pflegepersonal, bestehend aus dreißig
Armeeärzten und hundertfünfzig Schwestern, für die Freizeit ein Fremdwort war. Jetzt waren ganze sechs Stationen
belegt, und natürlich Station X, die am Rande des Palm-
wäldchens stand, das einst seinem holländischen Besitzer
durch seinen Kopraertrag ein kleines Vermögen einge-
bracht hatte. Von den dreißig Ärzten hielten nur noch fünf
Chirurgen, fünf Fachärzte beziehungsweise Ärzte für allgemeine Medizin und ein Nervenarzt die Stellung. Kaum
noch dreißig Schwestern schwirrten über die Korridore.

Dem Neurologen Colonel Donaldson war Station X zu-
gefallen, als Stützpunkt 15 in australische Hände über-
ging. Und damit erbte er auch die Handvoll Verhaltensge-
störter, die man abschöpfte, sobald sie an die Oberfläche
des Menschengebräus kamen, und nach Station X transfe-
rierte.

Vor dem Krieg war Colonel Donaldson damit beschäftigt gewesen, sich in der Macquarie Street eine Praxis einzurichten, und kämpfte um einen Platz in der Reihe der Etablierten in Sydneys angesehenstem und zugleich am meisten von den Launen des Glücks abhängigen Ärzteviertel. Eine erfolgreiche Aktienspekulation hatte es ihm 1937, als die Welt bemüht war, sich an den Haaren aus der Depression zu ziehen, ermöglicht, sich in eine Macquarie-Street-Adresse einzukaufen, und die an den großen Hospitälern frei werdenden üppigen Honorare begannen gerade in seine Richtung zu fließen, als Hitler Polen überfiel. Damit änderte sich alles. Manchmal fragte er sich, ob die Dinge jemals wieder so werden würden, wie sie vor 1939 gewesen waren. Wenn man dieses Höllenloch, genannt Stützpunkt 15, das letzte in einer langen Reihe von Höllenlöchern, als Ausgangspunkt ansah, dann erschien es einem unmöglich, daß etwas wieder sein sollte wie früher. Nicht einmal er selbst.

Sein gesellschaftlicher Hintergrund war ausgezeichnet, wenn auch die Depression die finanziellen Reserven der Familie in alarmierender Weise hatte schwinden lassen. Glücklicherweise hatte er einen Börsenmakler zum Bruder, der zum größten Teil für die finanzielle Wiedergenesung der Familie verantwortlich zeichnete. Wie Neil Parkinson sprach Colonel Donaldson ohne eine Spur von australischem Akzent; zur Schule war er in Newington gegangen, seine Universität war die von Sydney gewesen, doch sämtliche weiteren fachlichen Qualifikationen hatte er in England und Schottland erworben. Er sah sich lieber als Engländer denn als Australier. Nicht daß er sich geschämt hätte, Australier zu sein. Er fand es nur vorteilhafter, als Engländer zu gelten.

Wenn es ein Haßobjekt in seinem Leben gab, dann war dieses Haßobjekt die Frau, die er eben aufzusuchen im Begriffe war. Schwester Langtry. Ohne jedes Format, keine dreißig Jahre alt, Berufskrankenschwester, jedoch ohne Armeeausbildung, obwohl sie, soviel er wußte, seit Anfang 1940 in der Armee war. Diese Frau war ein Rätsel. Sie wußte sich gewählt auszudrücken, war offensichtlich gut erzogen und gebildet und hatte ihre Schwesternausbildung in einem der besten Krankenhäuser Australiens erhalten. Und doch fehlte ihr der Drill, der feine Blick für Autoritäten, das Bewußtsein, im Grunde zum Dienstpersonal zu gehören. Wenn er ehrlich zu sich war, dann mußte er sich eingestehen, daß er sich vor ihr fürchtete. Für jede Begegnung mit ihr mußte er sich im Geiste rüsten. Doch was nützte es ihm? Stets hatte sie ihn am Ende so sehr in der Zange, daß er Stunden brauchte, um wieder der Alte zu sein.

Sogar der Vorhang mit den Flaschenverschlüssen irritierte ihn. Nirgendwo, außer auf Station X, wüde man so etwas gestatten. Aber die Oberschwester, dieses widerliche, blöde Weibsbild, bewegte sich innerhalb der Station X nur noch mit äußerster Vorsicht. Gleich in den Anfangstagen war ein Patient es müde geworden, sich die salbungsvollen Worte, mit denen sie Schwester Langtry traktierte, anzuhören und war mit ihr in erstaunlich einfacher und effektiver Weise verfahren. Er trat hinzu und riß ihr die Uniform vom Kragen bis zum Saum entzwei. Ein verrückter Märzhase eben, den man unverzüglich nach Australien abschob. Doch nach diesem Vorfall achtete die Oberschwester darauf, nicht den Zorn eines der Männer auf Station X zu erregen.

Jetzt trat Colonel Donaldson in die Helle des Korridors. Er war ein hochgewachsener, wendiger Mann um die Fünfzig. Die roten Flecken auf seiner Gesichtshaut deuteten auf häufigen Alkoholgenuß hin. Mit Ausnahme des imposanten, sorgfältig gepflegten Schnurrbarts war er glattrasiert. Der Rand seiner Mütze hatte in seinem dünnen, glatten Haar eine Furche hinterlassen. Seine leicht hervortretenden Augen waren blaßblau. Die Spuren jugendlichen Aussehens waren noch nicht ganz verschwunden, er hatte immer noch Figur, seine Schultern waren breit und ausladend, sein Bauch fast ohne Speckansatz. Im tadellos geschneiderten Zivilanzug hätte er Eindruck gemacht; in seiner tadellos geschneiderten Uniform hatte er mehr von einem Generalfeldmarschall an sich als jeder echte Generalfeldmarschall.

Schwester Langtry kam ihm entgegen, führte ihn in ihr Büro und ließ ihn im Besucherstuhl Platz nehmen, während sie selbst stehenblieb – einer ihrer faulen Tricks, wie er ärgerlich feststellte. Die einzige Möglichkeit für sie, ihn zu überragen.

»Ich muß mich dafür entschuldigen, daß Sie den Weg hierher machen müssen, Sir, aber dieser Mann« – sie hob die Papiere, die sie hielt, einige Zentimeter in die Höhe – »ist heute angekommen, und da ich nichts von Ihnen gehört habe, mußte ich annehmen, Sie wüßten nichts von seiner Ankunft.«

»Setzen Sie sich endlich, Schwester, setzen Sie sich!« sagte er genau in dem Ton, den man einem ungehorsamen Hündchen gegenüber gebraucht hätte.

Sie ließ sich wortlos in ihren Stuhl fallen, ohne daß sich ihre Miene veränderte. Im Jackett und den grauen Hosen sah sie wie ein Kadett aus. Runde eins an Schwester Langtry. Sie hatte ihn dazu gebracht, zuerst die Fassung zu verlieren.

Sie hielt ihm die Papiere hin.

»Nein, ich habe keine Lust, mir das jetzt anzusehen!« sagte er gereizt. »Berichten Sie mir kurz, worum es geht.«

Schwester Langtry blickte ihn ohne sichtbare Verstimmung an. Nach seinem ersten Zusammentreffen mit dem Colonel hatte Luce einen Spitznamen für ihn erfunden – »Kinnbacke« –, und weil er so passend schien, war er ihm geblieben. Sie fragte sich, ob er wußte, daß sämtliche männlichen Insassen von Station X ihn jetzt »Kinnbacke« nannten, und bezweifelte das. Er würde über eine entwürdigende Bezeichnung nicht hinweggesehen haben.

»Sergeant Michael Edward Wilson«, begann sie deklamierend, »von jetzt an von mir kurz Michael genannt. Neunundzwanzig Jahre alt, in der Armee seit Kriegsbeginn, Nordafrika, Syrien, Neuguinea, die Inseln. Viel im Fronteinsatz, aber es gibt keinerlei Hinweis auf ein seelisches Trauma aufgrund eines Kriegserlebnisses. Er ist vielmehr ein hervorragender, tapferer Soldat, ausgezeichnet mit der Kriegsverdienstmedaille. Vor drei Monaten ist sein bester Freund bei einem ziemlich häßlichen Gefecht gefallen, und danach hat Michael sich von den anderen abgesondert.«

Der Colonel tat einen langen, leidvollen Seufzer. »Kommen Sie ans Ende, Schwester!«

Sie blieb ungerührt. »Michael sagt man geistige Verwirrung nach, seit es vor einer Woche im Lager einen üblen Zwischenfall gegeben hat. Zwischen ihm und einem Unteroffizier brach ein Streit aus, sie wurden handgreiflich. Wären nicht andere dabeigewesen, die Michael von seinem Gegner wegrissen, dann wäre dieser, es handelte sich um den Hauptfeldwebel, nicht mehr am Leben. So scheint es zumindest. Denn Michaels einziger Kommentar seither war, er habe den Mann töten wollen und hätte das auch getan. Er hat diese Äußerung immer wieder von sich gegeben, ohne sich näher darüber auszulassen.

Als der Kommandeur herausbekommen wollte, was dahintersteckte, verweigerte Michael jede Aussage. Der Hauptfeldwebel hingegen war um so gesprächiger. Michael habe sich ihm unsittlich genähert, behauptete er, und bestand auf einem Kriegsgerichtsprozeß. Anscheinend steht außer Zweifel, daß Michaels toter Freund homosexuelle Neigungen hatte, ob aber Michael involviert war, darüber gehen die Meinungen auseinander. Der Hauptfeldwebel und seine Anhängerschaft sagen, die zwei wären Liebhaber gewesen, doch die große Majorität der Einheit bleibt ebenso fest dabei, Michaels Rolle gegenüber seinem Freund sei bloß die des Beschützers und Freundes gewesen.

Der Bataillonskommandeur kannte alle drei sehr gut, da sie lange in der Einheit gewesen waren – Michael und der Gefallene von Anfang an, der Hauptfeldwebel seit Neuguinea. Und er vertrat die Meinung, Michael dürfe auf keinen Fall vor ein Gericht kommen. Eher neigte er dazu, bei Michael zeitweilige geistige Verwirrung anzunehmen, und schickte ihn zu den Ärzten, die bei ihm eine geistige Störung diagnostizierten, was immer das heißen mag.« Ihre Stimme wurde deutlich schärfer und trauriger. »Also setzten sie ihn in ein Flugzeug und schickten ihn hierher. Und der Offizier in der Aufnahme hat ihn automatisch in Schublade X gelegt.«

»Kinnbacke« kräuselte die Lippen und sah Schwester Langtry lange an. Sie ergriff schon wieder Partei, eine ihrer bedauernswerten Gewohnheiten. »Ich werde mir Sergeant Wilson morgen in meiner Ordonation ansehen. Sie können ihn mir selbst bringen, Schwester.« Er blickte zu der schwachen Glühbirne in der nackten Fassung empor. »Dabei werde ich auch seine Papiere durchsehen. Wie Sie bei diesem Licht lesen können, ist mir ein Rätsel. Ich könnte es nicht.« Der Stuhl wurde ihm hart und unbequem, er wetzte mit den Hinterbacken darauf herum, brummte etwas, legte die Stirn in Falten. »Ich hasse Fälle mit sexuellem Beigeschmack!« sagte er plötzlich.

Schwester Langtrys Hand, die träge einen Bleistift hielt, schloß sich mit einem konvulsivischen Zucken.

»Mir blutet das Herz für Sie, Sir«, sagte sie, ohne sich zu bemühen, ihren Sarkasmus zu verbergen. »Sergeant Wilson gehört nicht auf Station X – er gehört in überhaupt keine Station.« Ihre Stimme vibrierte, sie fuhr sich ungeduldig ins Haar und brachte etwas in Unordnung. »Ich finde es ziemlich traurig, wenn eine Rauferei und eine höchst fragwürdige Beschuldigung imstande sein können, das Leben eines jungen Mannes zu zerstören, der durch den Tod seines Freundes ohnedies schwer getroffen ist. Ich muß immer daran denken, was er in diesem Augenblick fühlen mag. Muß es ihm nicht ergehen wie einem, der sich im Nebel total verirrt hat? Ich habe mit ihm gesprochen, Sie noch nicht. Da ist absolut nichts Abnormes an ihm, weder in geistiger, noch in sexueller, noch in sonstiger Hinsicht, was Sie interessieren könnte. Der Armeearzt, der dafür verantwortlich ist, daß man den Mann hierhergeschickt hat, sollte vors Kriegsgericht kommen! Sergeant Wilson die Möglichkeit zu nehmen, sich reinzuwaschen, indem man ihn statt dessen an einen Ort wie Station X abschiebt, das ist eine Schande für die Armee!«

Wie immer fühlte sich der Colonel außerstande, gegen diese eisenharte Unverschämtheit das geeignete Mittel zu finden. In so hohen Positionen wie der seinen kam man normalerweise nicht in eine solche Lage. Verdammt, sie redete mit ihm, als wäre sie intellektuell und ausbildungsmäßig gleichrangig! Vielleicht lag es am Offiziersrang, daß etwas mit diesen Armeeschwestern nicht stimmte. Das und der hohe Grad an Unabhängigkeit, den sie an Orten wie Stützpunkt 15 genossen. Dazu die blöden Schleier! Nur Nonnen sollten Schleier tragen!

»Ach, kommen Sie, Schwester!« sagte er, seinen aufkommenden Zorn unterdrückend. »Ich gebe zu, die Umstände sind etwas ungewöhnlich. Aber der Krieg ist zu Ende. Der junge Mann wird aller Wahrscheinlichkeit nach nicht länger als ein paar Wochen hier bleiben. Und er könnte in einer böseren Lage sein als hier auf Station X, das wissen Sie.«

Der Bleistift sprang ihr aus der Hand, hüpfte auf der Schreibtischecke und kam mit einem hohlen Geräusch neben dem Colonel zur Ruhe, der sich fragte, ob sie gut oder schlecht gezielt habe. Eigentlich sollte man sie der Oberschwester zur Meldung bringen. Als Oberhaupt des Pflegepersonals war diese als einzige befugt, die Schwestern zu rügen. Doch der Haken dabei war, daß die Oberschwester seit jenem Zwischenfall mit der entzweigerissenen Uniform vor Schwester Langtry in Ehrfurcht erstarb. Gott, was für ein Theater würde es geben, wenn er sich beschwerte!

»Station X ist ein Gefängnis!« rief Schwester Langtry. Er hatte sie nie so wütend erlebt. Neugier begann sich bei ihm zu regen; Sergeant Wilsons Schicksal hatte sie außerordentlich beeindruckt. Es mochte interessant sein, sich diesen Mann morgen vorzunehmen.

Aber sie war noch nicht fertig, ihr Ärger stieg mit jedem ihrer Worte. »Station X ist ein Gefängnis! Patienten, mit denen keiner was anzufangen weiß, werden einfach auf die Liste X gesetzt und dann vergessen! Sie sind Neurologe. Ich bin eine gewöhnliche Krankenschwester. Kein Funke Erfahrung oder Qualifikation auf unserer Seite. Wissen *Sie*, was man mit diesen Leuten machen soll? Ich weiß es nicht, Sir. Ich tappe im Dunkeln. Ich tue mein Bestes, aber mir ist lausig zumute, weil das bei weitem nicht gut genug ist. Jeden Morgen trete ich meinen Dienst an und bete – bete, es möge mir gelingen, den Tag hinzubringen, ohne eines dieser schwachen, schwierigen Geschöpfe zu zerbrechen. Meine Männer auf Station X würden eine bessere Behandlung verdienen, als wir sie ihnen geben können, Sir.«

»Jetzt ist es aber genug, Schwester!« sagte er. Sein Gesicht nahm eine rote Tönung an.

»Ah, ich bin noch nicht zu Ende«, sagte sie, unbeeindruckt und ohne zu wanken. »Lassen wir doch einmal Sergeant Wilson aus dem Spiel, einverstanden? Sehen wir uns die andern fünf auf Station X an. Matt Sawyer kam von der Neurologie hierher, nachdem man keinen organischen Schaden feststellen konnte, der für seine Blindheit verantwortlich zu machen war. Diagnose: Hysterie. Sie haben das mit unterschrieben. Nuggett Jones wurde nach zwei Bauchhöhlen-Laparotomien hierhertransferiert, weil beide ›oB‹ waren und er mit seinen Klagen die ganze Abteilung zum Wahnsinn getrieben hatte. Diagnose: Hypochondrie. Neil – Captain Parkinson – hatte einen simplen Nervenzusammenbruch, den man besser als Ausbruch seines Kummers ansehen sollte. Aber sein Kommandeur glaubt ihn schützen zu müssen, also sitzt Neil hier einen Monat nach dem anderen. Diagnose: Depression. Benedict Maynard drehte durch, als seine Kompanie das Feuer auf ein Dorf eröffnete und sich danach herausstellte, daß dort keine Japaner saßen, sondern bloß eingeborene Frauen und Kinder. Weil er eine leichte Kopfwunde hatte, als er durchdrehte, schickte man ihn mit der Diagnose Gehirnerschütterung in die Neurologie, die ihn an uns weitergab. Diagnose: Dementia praecox. Dem stimme ich übrigens zu. Das heißt aber, daß er bei Fachärzten in Australien sein sollte, um entsprechend behandelt und betreut zu werden. Und Luce Daggett? Warum ist der hier? In seinen Papieren findet sich keinerlei Diagnose! Aber wir beide kennen den Grund. Er lebte wie Gott in Frankreich, erpreßte seinen Kommandeur, so daß er tun und lassen konnte, was ihm beliebte. Doch es fehlte an Beweisen. Da man nicht wußte, was man mit ihm anfangen sollte, schickte man ihn hierher, damit er hier bleibt, bis der Krieg zu Ende ist.«

Der Colonel rappelte sich hoch, tiefrot im Gesicht. »Sie sind impertinent, Schwester!«

»Bin ich das? Dann muß ich mich entschuldigen, Sir«, sagte sie, nun wieder mit jener unerschütterlichen Ruhe, die sie sonst auszeichnete.

Die Hand an der Türklinke, blieb »Kinnbacke« stehen und sah sie an. »Morgen zehn Uhr ist Sergeant Wilson bei mir in der Ordination. Und vergessen Sie nicht, ihn selbst vorzuführen.« Seine Augen glitzerten, er suchte nach einem verletzenden Wort, einer geistreichen Wendung, mit der er diese undurchdringliche Fassade durchstoßen könnte. »Ich finde es doch eigenartig, daß Sergeant Wilson, ein offensichtlich mustergültiger Soldat, hochdekoriert, sechs Jahre ununterbrochen an vorderster Front, es nicht weiter als bis zum Sergeant gebracht hat.«

Schwester Langtry lächelte süß. »Aber, aber, Sir. Wir können nicht *alle* große weiße Häuptlinge sein! Irgend jemand muß doch auch die Dreckarbeit machen.«

7

NACHDEM DER COLONEL GEGANGEN war, blieb Schwester Langtry bewegungslos an ihrem Schreibtisch sitzen, mit dem Gefühl leichter Übelkeit im Magen und einer dünnen Schicht kalten Schweißes auf Stirn und Oberlippe als Folge ihres Zorns. Wie dumm, den Mann derart zu attakkieren. Damit hatte sie ihm nur ihre Gefühle verraten, die sie ihm ja gerade verheimlichen wollte. Wo war ihre Selbstbeherrschung geblieben, die sie stets alle Auseinandersetzungen mit »Kinnbacke« siegreich durchstehen ließ? Reine Zeitverschwendung, dem Mann über Station X und ihre Opfer etwas vorzujammern. Sie konnte sich nicht erinnern, jemals in seiner Gegenwart so zornig gewesen zu sein. Die ergreifende Krankengeschichte war natürlich daran schuld. Wäre der Colonel doch etwas später gekommen! Das hätte ihr Zeit gegeben, ihre Gefühle unter Kontrolle zu bekommen, und sie wäre nicht so in Wut geraten. Doch er kam wenige Sekunden, nachdem sie Michaels Papiere zu Ende gelesen hatte.

Wer immer jener Armeearzt war, der den Fall Michael zu Papier gebracht hatte, er konnte schreiben. Bei der Lektüre des Textes hatten ihr die beteiligten Personen, insbesondere Michael, ganz deutlich vor Augen gestanden. Die kurze Begegnung auf der Station X hatte eine Menge Spekulationen in ihr ausgelöst, doch keine davon kam an Dramatik der echten Geschichte gleich. Wie schrecklich für den armen Kerl! Und vor allem wie unfair! Er mußte zutiefst unglücklich sein. Beim Lesen erfaßte sie solches Mitleid, daß ihr ein Knoten in der Kehle saß und es schmerzhaft in ihrer Brust zu hämmern begann. Und in diesem Augenblick trat »Kinnbacke« ein und kriegte die ganze Ladung breitseits.

Station X wächst mir über den Kopf, dachte sie. In den vergangenen fünf Minuten habe ich jede nur mögliche Sünde begangen, die eine Schwester begehen kann, angefangen von unangebrachtem Gefühlsengagement bis hin zu grober Insubordination.

Sie hatte Michaels Gesicht vor sich gesehen. Er konnte damit fertigwerden, er wurde mit allem fertig, selbst mit der Tatsache seiner Einweisung in Station X. Gewöhnlich betrafen ihre Sorgen die Unzulänglichkeiten ihrer Patienten. Doch hier war sie von dem traurigen Los eines Mannes aus dem Gleichgewicht geworfen, der ganz offenkundig ihrer Hilfe nicht bedurfte. Ihre sicherste Abwehr gegen persönliche Beziehungen zu Patienten bestand darin, sie als krank, depressiv und schwach zu sehen, und sie damit als männliche Wesen zu entwerten. Nicht daß sie Angst vor Männern oder vor persönlichen Beziehungen gehabt hätte. Aber um ihr Bestes geben zu können, mußte eine Schwester Abstand bewahren. Sie war dadurch zwar nicht gefeit gegen Gefühle, aber doch einigermaßen sicher vor einer richtigen Liebesaffäre. Schlimm genug, wenn so etwas in einem normalen Krankenhaus passierte, aber mit Geistesgestörten war es katastrophal. Neil hatte sie schon viel Nachdenken gekostet, und sie war immer noch nicht sicher, ob es richtig von ihr war, sich ihn als Heimgekehrten vorzustellen. Sie hatte sich selbst damit beruhigt, daß er inzwischen fast wieder in Ordnung war, daß Station X nur noch begrenzte Lebensdauer hatte und daß sie sich immer noch so weit in der Hand hatte, in Neil den Kranken, Depressiven und Schwachen zu sehen, falls es nötig wurde.

Ich bin auch nur ein Mensch, dachte sie.

Sie seufzte und schob die Gedanken an Neil und an Michael von sich fort. Noch war es zu früh, in den Saal zu gehen. Atmung und Gesichtsfarbe waren noch nicht wieder normal. Der Bleistift – wohin war er gefallen, als sie ihn auf den Colonel schleuderte? Wie unglaublich engstirnig dieser Mann doch sein konnte! Er hatte keine Ahnung, wie knapp er dem Beschuß mit einer drei Kilo schweren Muschel entgangen war, als er diese Bemerkung über Michaels niederen Rang machte. Ihre Kenntnis der Verhältnisse in der Armee war nur skizzenhaft, aber sie wußte, daß es in jeder Armee Männer mit besonderen Qualitäten, eine Menge mit Intelligenz, mit der Fähigkeit zu führen gab und mit all den anderen Voraussetzungen, die ein Offizier haben mußte, die aber dennoch standhaft jede Beförderung über den Rang des Sergeanten hinaus ablehnten. Eine Art von Klassenbewußtsein vielleicht, wenn auch nicht im negativen Sinn. Als ob sie wüßten, wo sie standen, und keinen Vorteil darin sähen, die Rangleiter emporzusteigen. Nach all den Erfahrungen, die sie im Umgang mit Soldaten gemacht hatte, müßte sie sich sehr täuschen, wenn Michael Wilson nicht ebenfalls zu dieser Gruppe gehörte.

Hatte der Colonel nie von solchen Männern gehört? War er imstande, solche Fälle selbst zu erkennen? Offenbar nicht. Es sei denn, er hatte mit seiner Bemerkung nach dem rettenden Strohhalm gegriffen, um noch schnell ein As gegen sie auszuspielen. Wenn er sprach, klang es womöglich noch englischer als bei Neil. Es war dumm, den Zorn an ihm auszulassen. Er war eher zu bemitleiden. Stützpunkt 15 war weit weg von der Macquarie Street, und er war schließlich noch lange kein Greis. Er sah nicht übel aus, und der Mann unter der gewichtigen Schale der Uniform litt offenbar unter denselben Sehnsüchten und Lockungen wie alle anderen Männer. Gerüchten zufolge hatte er seit Monaten eine Affäre mit Schwester Heather Conolly von der Chirurgie. Nun, die meisten Militärärzte hatten ihre kleinen Affären, und die einzig greifbaren Partner dafür waren die Schwestern. Mochte er es genießen.

Der Bleistift lag unter dem entfernten Tischende. Sie kroch auf dem Boden zu der Stelle hin, um ihn hervorzuholen, legte ihn auf seinen Platz und setzte sich wieder. Was Schwester Connolly wohl mit ihm redete? Anzunehmen, daß sie miteinander redeten. Niemand machte mit seinem Partner ausschließlich Liebe. Im Frieden hatte des Neurologen Wallace Donaldson besonderes Interesse einer geheimnisvollen Erkrankung des spinalen Bereichs gegolten, mit einem unaussprechlichen Namen, bestehend aus etlichen durch Bindestriche auseinandergekoppelten lateinischen Begriffen. Vielleicht redeten sie darüber und bedauerten, daß es diese geheimnisvolle Krankheit hier nicht gab, wo die Ursache von Rückenmarkleiden immer nur auf die gräßliche, zerstörerische Einwirkung eines Geschosses zurückzuführen war. Oder vielleicht redeten sie über seine Frau, die zu Hause in Vaucluse oder Bellevue Hill das Herdfeuer nicht ausgehen ließ. Männer pflegten ihren Freundinnen über ihre Ehefrauen zu erzählen, als ginge es darum, einem Freund die Vorzüge eines anderen Freundes zu preisen und gleichzeitig zu bdauern, daß man nicht die Gelegenheit habe, die beiden miteinander bekannt zu machen. Männer waren stets so überzeugt davon, die Ehefrau und die Geliebte würden sofort dicke Freunde werden, wenn die gesellschaftlichen Regeln dies nur erlaubten. Für einen Mann stand das außer Zweifel, und jede gegenteilige Ansicht hätte nachteilige Wirkung gehabt auf sein Urteil und seinen Geschmack, was Frauen betraf.

Bei ihrem Don war es nicht anders gewesen, erinnerte sie sich schmerzlich. Er redete unablässig von seiner Frau, bedauerte die Tatsache, daß die Konventionen es nicht zuließen, daß sie einander kennenlernten, war sicher, sie würden in gegenseitige Anbetung verfallen. Dabei hatte sie nach den ersten Sätzen seiner Beschreibung gewußt, sie würde die Frau nicht ausstehen können. Doch war sie natürlich viel zu klug gewesen, es auszusprechen.

Wie lange war das her! Zeit, die nicht mit dem Ticken

des Zeitmessers faßbar war, sondern die sich wie ein riesiges Insekt ruckweise aus den umgebenden Schalen befreite und mit jedem Ruck anders aussah und damit auch die umgebende Welt anders aussehen und erleben ließ.

Auch er war Facharzt gewesen. An ihrem ersten und einzigen Hospital in Sydney. Er gehörte zur noch ziemlich neuen Sparte der Hautärzte. Groß, dunkel, gutaussehend. Mitte der Dreißig. Und natürlich verheiratet. Wenn man sich einen Arzt nicht zu schnappen versuchte, solange er noch im Hospital wohnte, kriegte man nie einen. Auf die »Internen« hatte sie nie anziehend gewirkt, die wollten eine Hübschere, Lebhaftere, Spritzigere, Hirnlosere. Erst Mitte der Dreißig begannen sie sich mit der Auserwählten ihrer Zwanziger zu langweilen.

Schwester Langtry war eine ernste junge Dame gewesen und die Beste in ihrem Jahrgang. So gut, daß stets die Frage im Raum stand, warum sie sich nicht aufs Medizinstudium verlegt hatte, auch wenn das für eine Frau bekanntermaßen seine Härten mit sich brachte. Ihre Familie war wohlhabend, Landwirte, und sie hatte ihre Erziehung an einem der besten Mädcheninternate von Sydney erhalten. Die Wahrheit war, daß sie Krankenpflegerin werden wollte, weil sie Kranke pflegen wollte. Anfangs wußte sie nicht, warum sie das wollte, später wurde es ihr soweit klar, daß es ihr dabei um die gefühlsmäßige und körperliche Nähe zu anderen Menschen ging, die beim Pflegerinnenberuf zweifellos gegeben war. Da der Beruf der Krankenschwester bewundernswert und *ladylike* war, waren ihre Eltern von ihrer Berufswahl angetan und auch erleichtert, daß sie das Angebot, Medizin studieren zu dürfen, wenn sie das wirklich wollte, ablehnte.

Als Schwesternschülerin trug sie weder Brille noch war sie ungeschickt oder aggressiv aufgrund ihrer Intelligenz. Zu Hause wie im Internat hatte sie sich am gesellschaftlichen Leben beteiligt, ohne eine echte Bindung zu einem jungen Mann einzugehen, und sie hielt es in den vier Jahren ihrer Ausbildung nicht anders – ging zu Tanzveranstaltungen, war nie ein Mauerblümchen, traf sich mit Männern zum Kaffee bei »Repins« oder für einen Kinobesuch. Aber alles ohne echte innere Beteiligung. Die Krankenpflege faszinierte sie weit mehr.

Nach dem Diplom stellte man sie an in einer Frauenabteilung des P-A-Hospitals in Sydney, und dort traf sie dann auch ihren Hautarzt, der soeben die Oberarztstelle bekommen hatte. Sie vertrugen sich sofort, und er mochte die Art, mit der sie auf sein Werben reagierte. Das erkannte sie sofort. Viel länger brauchte sie, um zu erkennen, daß sie ihn als Frau anzog. Bis es soweit war, war sie bereits in ihn verliebt.

Von einem unverheirateten, befreundeten Anwalt lieh er sich die Schlüssel für dessen Wohnung, in einem der Hochhäuser am Ende der Elizabeth Street, und bat sie, sich dort mit ihm zu treffen. Sie hatte ja gesagt, genau wissend, worauf sie sich da einließ. Denn er hatte ihr mit bewundernswerter Offenheit mitgeteilt, Scheidung käme nicht in Frage, aber er liebe sie und habe den heftigen Wunsch, mit ihr ein Verhältnis zu haben.

Die unter so ehrenhaften Voraussetzungen begonnene Affäre endete etwa zwölf Monate später unter ähnlich ehrenhaften Umständen. Sie trafen sich, wann immer er eine passende Ausrede dafür zu erfinden wußte, was manchmal gar nicht leicht war. Hautärzte haben keine dringenden Fälle wie Chirurgen oder Geburtshelfer. Oder, wie er es einmal humorvoll ausdrückte: Wann habe jemand schon einmal von einem Hautspezialisten gehört, der um drei Uhr morgens aus dem Bett geholt worden sei, um einen akuten Fall von Akne zu behandeln? Auch sie hatte nicht immer Zeit. Als Jungschwester durfte man nicht auf bevorzugte Behandlung bei der Diensteinteilung hoffen. Immerhin gelang es ihnen, einmal die Woche zusammen zu sein, manchmal auch nur einmal in drei oder vier Wochen.

Es hatte Schwester Langtry gereizt, sich als Geliebte, nicht als Ehefrau, zu sehen. Der Ehefrauenstatus war eine wenig aufregende, sichere Sache; den Status der Geliebten umgab die Aura des Geheimnisses und des Zaubers. Die Realität sah anders aus. Sie trafen sich heimlich und verstohlen, blieben nie lange zusammen. Es war frustrierend, erleben zu müssen, daß man diese kurze Zeit nur im Bett verbrachte und nichts für eine intelligentere Form des Zusammenseins übrigblieb. Nicht, daß sie die körperliche Liebe verabscheute oder als unter ihrer Würde ansah. Sie lernte schnell, war intelligent und genügend phantasiebegabt, um ihr neues Wissen modifizieren und den Verhältnissen anpassen zu können, so daß sie ihm und auch sich selbst Freude bereitete. Doch die kleinen Türchen zu seinem Inneren, die er dann und wann öffnete, konnte sie nicht durchschreiten, weil dazu einfach nicht genug Zeit war.

Und dann wurde er ihrer eines Tages müde. Er sagte es ihr sofort, ohne eine Ausrede zu gebrauchen. Dementsprechend nahm sie in vorbildlicher Haltung ihre Verabschiedung entgegen, setzte ihren Hut auf, streifte die Handschuhe über und ging aus seinem Leben. Als jemand, der nun anders sah und anders fühlte.

Es hatte weh getan, sehr weh. Und was am schlimmsten war: sie wußte nicht wirklich, warum es so weh tat. Warum hatte er die Sache angefangen? Warum fühlte er sich gedrängt, sie zu beenden? In den optimistischeren Augenblicken sagte sie sich, er habe sich von ihr losgerissen, weil er das Bewußtsein der Vergänglichkeit ihrer Beziehung nicht länger ertragen konnte. Doch in den Augenblicken klarer Vernunft mußte sie sich sagen, die Sache sei ihm einerseits lästig geworden, andererseits habe er dem eintönigen Gefängnis, zu dem die Affäre mehr und mehr wurde, entfliehen wollen. Aller Wahrscheinlichkeit nach dasselbe Motiv, aus dem heraus er ein Jahr vorher mit ihr etwas angefangen hatte. Und es gab noch einen Grund für ihren Schmerz, das wußte sie: den von ihr immer weniger verhehlten Groll darüber, daß sie ihm wenig mehr bedeutet hatte als eine Abwechslung im Bett. Um ihn ganz an sich zu fesseln, hätte sie ihm all ihre Zeit und Energie widmen müssen, wie es seine Frau sehr wahrscheinlich tat.

Nun, diese hohe Schule weiblicher Akrobatik war die Sache nicht wert. Sie wußte mit ihrem Leben mehr anzufangen, als es einem eigensüchtigen, egozentrischen Mann zu Füßen zu legen. Wenn die Majorität der Frauen sich diese Art Leben auch zu wünschen schien, Schwester Langtry wußte, dies würde nie ihrer Auffassung entsprechen. Männer waren ihr nicht zuwider, aber sie hielt es für einen Fehler, einen zum Ehemann zu nehmen.

Also tat sie weiter ihren Dienst und fand darin mehr Freude und Befriedigung als in jeder Liebesaffäre. Sie liebte ihre Arbeit wirklich. Die Hast, den Betrieb, den ständigen Wechsel der Gesichter, die immer neuen Probleme, mit denen man konfrontiert wurde. Ihre guten Freunde, und sie hatte mehrere, warfen einander bedeutsame Blicke zu und schüttelten den Kopf. Die arme Langtry hatte den Pflegewahn, soviel stand fest.

Es hätte wahrscheinlich andere Liebschaften gegeben, und vielleicht auch eine mit genügend Tiefgang, um ihre Ansichten über die Ehe zu revidieren. Aber der Krieg kam dazwischen. Sie war fünfundzwanzig und unter den ersten, die sich freiwillig meldeten, und von diesem Augenblick an war keine Zeit mehr gewesen, an sich selbst zu denken. Nacheinander diente sie in Feldlazaretten in Nordafrika, auf Neuguinea und auf den pazifischen Inseln, wo die letzten Reste normalen Lebens in Trümmer gingen. Was war das für ein Leben gewesen! Eine Tretmühle, alles verschlingend, so faszinierend und so fremd, daß in vieler Hinsicht nichts, was danach kam, mit ihr vergleichbar sein würde. Sie waren ein äußerst exklusiver Verein, die Schwestern im Fronteinsatz, und sie gehörte mit Herz und Seele dazu.

Doch die Jahre forderten ihren Zoll. Körperlich stand sie es besser durch als die meisten anderen, denn sie war robust und konnte vernünftig mit ihren Kräften haushalten. Auch seelisch ertrug sie es besser als die meisten, aber als Stützpunkt 15 in ihr Leben trat, begrüßte sie das mit einem Seufzer der Erleichterung. Man hatte sie nach Australien zurückschicken wollen, aber sie hatte sich mit Erfolg dagegen gewehrt, in der Überzeugung, daß sie mit ihrer Erfahrung und ihrem guten körperlichen Zustand ihrem Land an einem Ort wie Stützpunkt 15 bessere Dienste leisten konnte als zu Hause in Sydney oder Melbourne.

Als vor etwa sechs Monaten der schlimmste Druck weg war, hatte sie wieder etwas Zeit, nachzudenken und ihre Gefühle bezüglich ihres zukünftigen Lebens zu ordnen und sondieren. Und da stellte sich ihr die Frage, ob die

Krankenpflege in einem Zivilkrankenhaus sie jemals wieder ganz befriedigen würde. Daneben meldete sich der Gedanke an ein mehr persönliches, intimeres, auf die Gefühle ausgerichtetes Leben, wie es mit dem Beruf einer Krankenpflegerin nicht vereinbar war.

Wäre nicht Luce Daggett gewesen, sie hätte nie auf Neil Parkinson angesprochen. Als Luce aufgenommen wurde, steckte Neil noch im ärgsten Tief, und sie sah in ihm nur den Patienten. Luce veränderte etwas in ihr. Daß er so ohne Knacks, so ganz seiner sicher bei der Tür hereinspaziert kam, nahm ihr den Atem. Zwei Tage lang war sie fasziniert, fühlte sich zu ihm hingezogen, spürte längst vergessene Gefühle in sich hochsteigen. Sie fühlte sich wieder als Frau. Eine köstliche Entdeckung! Aber Luce zerstörte selber alles, indem er ihr privates Einvernehmen, das nach einem Fall versuchten Selbstmordes entstanden war, mit Füßen trat. Die Entdeckung, daß nur Messing war, was wie Gold ausgesehen hatte, ließ sie fast den ganzen Pflegekrempel hinschmeißen. Eine dumme Überreaktion, wie sie später einsah. Doch zu jenem Zeitpunkt hatte die Sache so schlimm ausgesehen. Glücklicherweise hatte Luce keine Ahnung von der Wirkung, die er auf sie ausübte – ohne Zweifel, einer der wenigen Fälle in seinem Leben, wo er eine Chance nicht zu nützen verstand. Aber Station X war neu für ihn, die Gesichter waren neu, und so tat er den Schritt zur Festigung der Beziehung zu Schwester Langtry nur um einen Tag zu spät. Als er seinen ganzen Charme auf sie losließ, wies sie ihn mit verletzender Schärfe zurück, ohne Rücksicht auf etwaige Krankheit oder Schwäche.

Doch dieses kleine Abirren vom gewohnten Weg war der Beginn einer Veränderung. Vielleicht war es das Bewußtsein, daß der Krieg so gut wie gewonnen war und daß das verrückte Leben, das sie so lange geführt hatte, zu Ende ging, vielleicht Luces intensives Werben, das Schwester Langtry aus dem selbst auferlegten Dornröschenschlaf weckte. Jedenfalls waren Hingabe und Pflichterfüllung in ihrem Denken und Handeln seitdem deutlich in den Hintergrund gerückt.

Als dann Neil Parkinson aus seiner Depression herausfand, Interesse an ihr bekundete und sie zudem sah, was für ein anziehender Mensch er war, anziehend auch als Mann, da begann das starre Festhalten an pflegerischer Unparteilichkeit langsam abzubröckeln. Sie mochte Neil zuerst, und jetzt war sie drauf und dran, sich in ihn zu verlieben. Er war nicht eigennützig, er war kein Egoist, und er bewunderte und verehrte sie. Sich ein Leben mit ihm nach dem Krieg vorzustellen war schön, und je schneller diese Zeit nahte, je mehr wünschte sie sie herbei.

Mit eiserner Selbstdisziplin versagte sie es sich, an Neil als Mann zu denken, mit den Augen auf seinem Mund oder seinen Händen zu verweilen, sich vorzustellen, wie er sie küßte oder von ihrem Körper Besitz nahm. Wenn sie diesen Gedanken nachgegeben hätte, wäre es auch schon geschehen. Und das wäre eine Katastrophe gewesen. Stützpunkt 15 war nicht der Ort, wo man eine Liebesaffäre anfing, von der man hoffte, sie werde ein Leben lang dauern. Sie war sicher, er dachte ebenso, andernfalls hätte er sicher längst etwas unternommen. Es war reizvoll, diesen Seiltanz über ihren unterdrückten Wünschen, ihrem Verlangen, ihrem Liebeshunger zu vollführen, so zu tun, als sehe sie nicht, wie sehr er sie begehrte . . .

Sie blickte auf die Uhr. Schon ein Viertel nach neun! Wenn sie nicht bald auf der Station erschien, würden sie denken, sie käme heute nicht mehr.

8

Als Schwester Langtry ihr Büro verließ, über den kurzen Korridor schritt und die Station betrat, hatte sie keinerlei Vorgefühl, daß das sorgsam erhaltene Gleichgewicht auf X bereits ins Schwanken geriet.

Hinter den Wandschirmen gegenüber von Michaels Bett unterhielt man sich. Sie schlüpfte zwischen zwei

Schirmen hindurch und stand am Eßtisch. Neil saß am Ende der Bank nächst ihrem Stuhl, neben ihm Matt. Benedict und Nuggett saßen auf der Bank gegenüber, hatten aber das ihr zunächst liegende Bankende freigelassen. Sie nahm ohne viel Aufhebens ihren gewohnten Platz am Kopfende des Tisches ein und sah die vier an.

»Wo ist Michael?« fragte sie. Ein Anflug von Angst regte sich in ihr. Närrin! schalt sie sich. War ihr Urteilsvermögen schon so defekt, daß sie gar nicht erst annahm, er könnte gefährdet sein? Weder war der Krieg vorbei, noch war Station X aufgelassen. Unter normalen Umständen hätte sie einen Neuankömmling nie so lange unbeobachtet gelassen. Zuerst ließ sie seine Papiere offen herumliegen, während sie mit ihm redete – und jetzt konnte sie nicht einmal mehr den Mann selbst unter Aufsicht halten.

Offenbar war die Farbe aus ihrem Gesicht gewichen. Alle vier sahen sie neugierig an. Was auch bedeutete, daß ihre Stimme ihre Besorgnis verraten mußte, denn sonst wäre nicht auch Matt aufmerksam geworden.

»Mike ist im Tagesraum und macht Tee«, sagte Neil, nahm sein Zigarettenetui heraus und bot jedem der Männer eine Zigarette an. Sie wußte, er würde nicht so indiskret sein und ihr außerhalb der vier Wände ihres Büros eine Zigarette anbieten.

»Es scheint, unser neuer Rekrut macht sich gern etwas nützlich«, fuhr er fort und gab allen mit seinem Feuerzeug Feuer. »Hat nach dem Essen die schmutzigen Teller abgeräumt und dem Küchengehilfen geholfen, sie zu spülen. Und jetzt macht er Tee.«

Ihr Mund wurde trocken, aber sie wagte nicht, ihn durch Speichel zu befeuchten, aus Angst, man könnte es merken und entsprechend interpretieren. »Und wo ist Luce?« fragte sie.

Matt lachte still in sich hinein. »Der streunt herum wie ein Kater.«

»Höffentlich bleibt er die ganze Nacht weg«, sagte Benedict und verzog die Lippen.

»Das hoffe ich nicht. Und wenn, dann ist ihm etwas passiert«, sagte Schwester Langtry und wagte zu schlucken.

Michael kam mit dem Tee. Der große alte Topf hatte

einst bessere Tage gesehen. Jetzt kam an den Stellen, wo die Emailleschicht abgeblättert war, Rost durch, und er hatte etliche Beulen. Er stellte den Topf vor Schwester Langtry hin, ging wieder in den Tagesraum und kehrte mit einem Brett wieder, das als Tablett diente. Darauf standen sechs abgeschlagene Emailbecher, ein einziger verbogener Teelöffel, eine alte Trockenmilchdose mit Zucker und ein zerbeultes Zinngefäß mit verdünnter Kondensmilch. Dazu kamen noch eine Teetasse mit Untersatz aus feinem Aynsley-Porzellan, handbemalt und vergoldet, und ein ziselierter Silberlöffel.

Amüsiert beobachtete sie, wie Michael sich auf dem freien Bankende gegenüber von Neil niederließ, als ob ihm gar nicht der Gedanke käme, dieser Platz könnte für Luce freigehalten worden sein. Sehr gut! Es würde Luce guttun, wenn er merkte, daß der Neue keine leichte Beute für ihn war. Warum auch sollte Luce ihn bluffen oder einschüchtern können? Michael war in Ordnung, litt weder an Ängsten noch an getrübtem Wahrnehmunsvermögen, wie das bei Neulingen normalerweise der Fall war. Zweifellos wirkte Luce auf ihn eher komisch als furchteinflößend. In welchem Fall, dachte sie, ich selbst, wenn ich an Michael die Maßstäbe der Normalität anlege, auch etwas abnorm bin, denn mir macht Luce Angst. Und das, seit ich aus jenem Dämmer aufwachte und daraufkam, daß er moralisch ein Idiot ist, ein Psychopath. Ich habe Angst vor ihm, weil er mich hinters Licht geführt hat, weil ich mich um ein Haar in ihn verliebt hätte. Was mir an ihm normal erschien, habe ich willkommen geheißen. Ebenso wie ich jetzt willkommen heiße, was an Michael normal zu sein scheint.

»Ich nehme an, die Becher sind für uns und die Schale mit Untersatz für Sie, Schwester«, sagte Michael und sah sie an.

Sie lächelte. »Sie gehören tatsächlich mir. Ein Geburtstagsgeschenk.«

»Wann haben Sie Geburtstag?« fragte er sofort.

»Im November.«

»Dann werden Sie den nächsten zu Hause feiern können. Wie alt sind Sie dann?«

Neil richtete sich steif auf, ebenso Matt. Nuggett machte große Augen, nur Benedict zeigte keinerlei Interesse. Schwester Langtry schien eher überrumpelt als beleidigt. Aber Neil mischte sich ein, ehe sie antworten konnte.

»Es geht dich nichts an, wie alt sie ist!« sagte er.

Michael kniff die Augen zusammen. »Kann sie mir das nicht selber sagen, Kumpel? Sie sieht nicht so alt aus, daß sie daraus ein Staatsgeheimnis machen müßte.«

»*Sie* nennt man die Katze«, sagte Matt. »*Das* hier ist Schwester Langtry.« Seine Stimme bebte vor Zorn.

»Wie alt werden Sie im November sein, Schwester Langtry?« fragte Michael, nicht als Herausforderung der anderen, sondern als ob er dächte, sie seien zu empfindlich, und wolle damit zeigen, daß er solche Bedenken nicht habe.

»Einunddreißig«, sagte sie leichthin.

»Und Sie sind nicht verheiratet? Nicht verwitwet?«

»Nein. Ich bin eine alte Jungfer.«

Er lachte, schüttelte heftig den Kopf. »Nun, wie eine Jungfer sehen Sie wahrlich nicht aus.«

Jetzt herrschte fühlbar dicke Luft. Sie ärgerten sich über seine Anmaßung und darüber, daß sie sie tolerierte.

»In meinem Büro habe ich eine Dose Kekse«, sagte sie langsam. »Wer meldet sich freiwillig?«

Michael erhob sich sofort. »Wenn Sie mir sagen, wo sie sind, Schwester, geh' ich gern.«

»Suchen Sie sie auf dem Regal unterhalb der Bücher. Es war einmal Traubenzucker drin, aber jetzt klebt auf dem Deckel ein Zettel, darauf steht ›Kekse‹. Wie wollen Sie Ihren Tee?«

»Dunkel, mit zwei Stück Zucker. Danke.«

Während er weg war, herrschte Stille im Raum. Schwester Langtry schenkte ruhig den Tee ein, die Männer pafften den Rauch in Wolken von sich, so als wollten sie Dampf ablassen.

Er kam mit der Dose in der Hand zurück. Doch anstatt sich hinzusetzen, ging er im Kreis herum und offerierte jedem der Männer die Kekse. Da sich jeder vier herausnahm, griff er, als er zu Matt kam, selbst hinein, nahm vier und legte sie behutsam neben die still gefalteten Hände.

Dann rückte er den Emailbecher nahe genug zu Matt, daß dieser mit seinen Händen die davon ausstrahlende Wärme spüren konnte. Jetzt erst setzte er sich neben Schwester Langtry und lachte sie dabei unverhüllt und voll an. Doch so sehr sie das berührte, es erinnerte sie nicht an Luce.

Die anderen sagten noch immer nichts, sie waren wachsam, jeder für sich. Sie nahm vorerst nicht Notiz davon, war ganz damit beschäftigt, Michaels Lächeln zu erwidern. Sie fand ihn herzerfrischend, ganz ohne die üblichen Ängste und Unsicherheiten. Kaum vorstellbar, daß er, wie die anderen, sie brauchen würde, um seinem Gefühlsleben wieder auf die Beine zu helfen.

Nuggett gab ein lautes Stöhnen von sich, krallte die Finger in den Unterleib und stieß seinen Teebecher heftig von sich. »Ooh, mein Gott, mir ist wieder schlecht! Ooooh, Schwester, fühlt sich wie 'n Divertikel oder Intussuszeption an!«

»Dann bleibt uns eben mehr«, sagte Neil ohne Mitgefühl, griff sich Nuggetts Becher und leerte den Tee in seinen bereits geleerten Becher. Dann schnappte er die vier Kekse und verteilte sie wie Spielkarten.

»Aber Schwester, ich fühl' mich elend!« wimmerte Nuggett kläglich.

»Wenn du nicht den ganzen Tag auf dem Bett liegst und medizinische Lexika liest, wird's dir besser gehen«, sagte Benedict mit starrer Mißbilligung. »So etwas ist ungesund.« Er zog eine Grimasse, blickte in die Runde, als habe ihn jemand zutiefst gekränkt. »Die Luft hier drin ist ungesund«, sagte er, dann kam er auf die Beine und stelzte auf die Veranda hinaus.

Nugget stöhnte wieder, krümmte sich zusammen.

»Armer alter Nuggett«, sagte Schwester Langtry besänftigend. »Warum gehen Sie nicht in mein Büro und warten dort auf mich? Ich komme, sobald ich kann. Wenn Sie wollen, fühlen Sie inzwischen Ihren Puls und zählen Ihre Atemzüge, o.k.?«

Bereitwillig erhob er sich, preßte die Hände gegen den Bauch, als würden ihm jeden Augenblick die Eingeweide hervorquellen, und strahlte die anderen triumphierend an.

»Seht ihr? Die Schwester weiß Bescheid! Sie weiß, daß ich nicht schwindle. Meine Kolitis spielt wieder verrückt, denk' ich.« Und damit eilte er den Gang hinunter.

»Hoffentlich nichts Ernstes, Schwester«, sagte Michael betroffen. »Er sieht krank aus.«

»Ha!« machte Neil.

»Er ist in Ordnung«, sagte Schwester Langtry, offenbar nicht im geringsten beunruhigt.

»Was krank ist, das ist seine Seele«, meldete sich plötzlich Matt. »Der arme Kleine vermißt seine Mutter. Er ist hier, weil das der einzige Ort ist, der sich seine Gegenwart gefallen läßt. Und wir lassen uns seine Gegenwart der Schwester zuliebe gefallen. Wenn die ein Körnchen Vernunft hätten, würden sie ihn vor zwei Jahren heim zu Mama geschickt haben. Statt dessen hat er Rückenschmerzen, Kopfschmerzen, Bauchschmerzen und Herzbeschwerden. Und verrottet hier wie wir.«

»Verrotten ist das richtige Wort«, sagte Neil schwermütig.

Da braute sich was zusammen. Sie waren launisch wie die Winde in diesen Breiten, dachte Schwester Langtry und ließ ihre Augen von einem zum anderen wandern. Schönwetter jetzt und im nächsten Augenblick Wirbelwind und Sturmflut.

»Nun, wenigstens haben wir Schwester Langtry, also kann's nie so arg werden«, sagte Michael fröhlich.

Neils Gelächter klang echt. Vielleicht legte sich der Sturm wieder. »Bravo!« sagte er. »Endlich ist eine ritterliche Seele in unserer Mitte! Sie sind dran, Schwester! Widerlegen Sie das Kompliment, wenn Sie können.«

»Warum sollte ich es widerlegen wollen? Ich bekomme nicht so oft Komplimente.«

Das traf Neil, doch er lehnte sich auf der Bank zurück, als ob er total entspannt wäre. »Das ist eine plumpe Lüge!« sagte er sanft. »Sie wissen sehr gut, daß wir Sie mit Komplimenten überhäufen. Aber nehmen wir an, es stimmt, dann können Sie uns auch sagen, warum *Sie* hier auf Station X verrotten. Was haben Sie angestellt?«

»Stimmt, ich hab' was angestellt. Ich habe die schreckliche Sünde begangen, Station X zu mögen. Wenn es nicht so wäre – nichts zwingt mich, hierzubleiben, das wissen Sie.«

Matt stand abrupt auf, als hielte es ihn hier nicht länger, er ging wie ein Sehender zum Kopfende und legte Schwester Langtry die Hand auf die Schulter. »Ich bin müde, Schwester, ich geh' zu Bett. Ist es nicht komisch? Heut' einer jener Abende, an denen ich überzeugt bin, daß ich morgen früh, wenn ich aufwache, wieder sehen kann.«

Michael erhob sich halb und wollte ihm zwischen den Wandschirmen den Weg hindurchweisen, aber Neil streckte die Hand aus und hielt ihn zurück.

»Er findet sich zurecht, Mann. Besser als so mancher andere.«

»Noch Tee, Michael?« fragte Schwester Langtry.

Er nickte, wollte eben etwas sagen, als die Schirme erneut in Bewegung gerieten.

Luce glitt auf die Bank neben Neil, auf den Platz, wo Matt gesessen hatte.

»Schööön! Gerade zum Tee zurecht.«

»Wenn man vom Teufel spricht«, seufzte Neil.

»Höchstpersönlich«, stimmte Luce ihm bei. Er verschränkte die Hände hinter dem Kopf, lehnte sich etwas zurück und musterte die drei anderen durch halbgeschlossene Augen. »Ach, was haben wir doch für eine nette kleine Gesellschaft hier! Das Gesindel ist weg, nur die großen Bonzen sind noch da. Es ist vor zehn Uhr, Schwesterchen, also keine Veranlassung, auf die Uhr zu schauen. Tut's Ihnen nicht leid, daß ich die Zeit nicht überschritten habe?«

»Überhaupt nicht«, sagte Schwester Langtry ruhig. »Ich wußte, Sie würden vorher zurück sein. Es ist mir nicht bekannt, daß Sie jemals ohne Ausgangsschein eine Minute länger fortgeblieben wären oder überhaupt gegen die Vorschriften verstoßen hätten, was das betrifft.«

»Aber, aber, wer wird denn traurig sein! Gleich muß ich denken, nichts würde Ihnen mehr Freude machen, als mich bei ›Kinnbacke‹ melden zu müssen.«

»Es würde mir überhaupt keine Freude machen, Luce. Und *das* ist Ihr ganzes Problem, mein Lieber. Sie arbeiten schwer daran, die Leute glauben zu machen, Sie wären das

Letzte, bis sie buchstäblich gezwungen sind, es zu glauben, nur um Ruhe und Frieden zu haben.«

Luce seufzte, beugte sich vor, stützte die Ellbogen auf den Tisch und bettete sein Kinn auf die Handballen. Sein dichtes, verfilztes, etwas zu langes rotblondes Haar fiel ihm in die Stirn. Die Färbung ist zu schön, um wahr zu sein, überlegte Schwester Langtry, und Widerwille regte sich in ihr. Vielleicht dunkelte er Brauen und Wimpern nach, kürzte die ersteren und ließ die letzteren wachsen. Und alles nur aus Eitelkeit. Seine Augen hatten einen goldenen Schimmer, waren groß und saßen genau richtig unter den Bogen dieser unwahrscheinlichen Brauen. Die Nase gerade wie ein Schwert, schmal, mit weiten Nasenflügeln. Hohe Backenknochen, unter denen sich das Fleisch nach innen wölbte. Ein nicht zu üppiger Mund, dennoch voll und mit feingezeichneten Mundwinkeln, wie man sie sonst höchstens in Marmor gehauen sieht.

Kein Wunder, daß er Eindruck auf mich machte, als ich ihn zum erstenmal sah . . .

Sie wandte den Blick von Luce ab und sah Neil an, der gut aussah, wenn man ihn nicht gerade mit Luce verglich. Dieselben Gesichtszüge, wenn auch nicht die spektakuläre Wirkung von Haarfarbe und Teint. Mit den Falten, die Neil gut zu Gesicht standen, würde Luces Schönheit dahin sein. Ja, sie würden bei ihm Ausschweifung statt Reife, Schwäche statt leidvolle Erfahrung signalisieren. Und Luce würde einmal fettleibig werden, was bei Neil sicher nicht anzunehmen war . . .

Wie anders war da Michael. Die Besten im alten Rom mochten von dieser Art gewesen sein: mehr Charakter denn Schönheit, mehr Stärke denn Selbstgefälligkeit. Caesarenstamm. Sein ganzes Selbst schien ausdrücken zu wollen: Ich bin durch Himmel und Hölle gegangen, habe mich um andere ebenso gekümmert wie um mich selber, und doch bin ich ein Mann geblieben, gehöre ich mir immer noch.

Luce belauerte sie, das fühlte sie. Sie mußte den Blick auf ihn richten, und gab sich dabei den Anschein kühler Distanziertheit. Sie war stärker als er, das wußte er. Er hatte nie begriffen, warum sein Charme bei ihr nicht wirkte, und sie hatte auch nicht vor, ihn darüber aufzuklären, über Anfang und Ende ihrer Luce-Verzauberung.

Heute abend schien er zur Abwechslung einmal den Wehleidigen, Verwundbaren spielen zu wollen.

»Ich hab' ein Mädchen von daheim getroffen«, verkündete er, das Kinn immer noch auf den Händen. »Quer über den Ozean bis auf Stützpunkt 15! Sie erinnerte sich gut an mich. Ich erkannte sie nicht wieder, sie hatte sich zu sehr verändert.« Er ließ die Hände sinken, sprach plötzlich mit hoher, atemloser Mädchenstimme, so daß man sich unwillkürlich mitten in ihr Gespräch hineinversetzt fühlte. »Meine Mutter habe ihrer Mutter die Wäsche gewaschen, sagte sie, und ich hätte immer die Waschkörbe getragen. Ihr Vater war Bankdirektor, sagte sie.« Er fiel wieder in seine Art zu sprechen, von oben herab, sarkastisch. »Damit wird er sich aber in der Wirtschaftskrise viele Freunde gemacht haben, sagte ich. Wenn er ringsum Kredite kündigte und Hypotheken für verfallen erklärte. Nun, meine Mutter hatte weder Kredit noch Hypothek, die man ihr kündigen konnte. Du bist grausam, sagte sie und sah drein, als wollte sie jeden Augenblick losheulen. Überhaupt nicht, sagte ich, nur ehrlich. Halte es mir nicht vor, sagte sie mit tränennassen schwarzen Augen. Wie könnte ich jemandem, der so hübsch ist wie du, je etwas vorhalten, sagte ich.« Er grinste böse und war gleich wieder ernst. »Und da war ich alles andere als ehrlich. Denn ich würde ihr gern was vorhalten!«

Nun hatte Schwester Langtry seine vorherige Stellung eingenommen, ihr Kinn ruhte auf ihren Händen und sie beobachtete fasziniert, wie er seine Geschichte durch Mienen und Gesten unterstützte.

»Soviel Bitterkeit, Luce«, sagte sie mit Wärme. »Es muß weh getan haben, die Schmutzwäsche des Herrn Direktor tragen zu müssen.«

Luce hob die Schultern und versuchte seine Jederkann-mich-Pose einzunehmen, was ihm nicht ganz gelang. »Nun ja. Alles tut weh, oder?« In seine Augen trat ein Glitzern. »Obwohl eigentlich das Tragen der Wäsche des Herrn Bankdirektor, des Herrn Schuldirektor, des Herrn

Pastor, des Zahnarztes nicht halb so weh tat wie, daß ich keine Schuhe für die Schule anzuziehen hatte. Und *sie* ging in dieselbe Schule. Ich erinnerte mich gleich wieder, als sie sagte, wer sie sei, und ich weiß auch genau, wie ihre Schuhe aussahen. Kleine schwarze Lacklederschuhe, wie Shirley Temple sie in ihren Filmen trug, mit Riemchen und schwarzer Samtmasche. Meine Schwestern waren viel hübscher als alle anderen Mädchen, aber sie hatten nie solche Schuhe.«

»Haben Sie nicht manchmal das Gefühl gehabt, die andern mit ihren Schuhen würden Sie wegen Ihrer Freiheit beneiden?« fragte Schwester Langtry weich, im Bemühen, etwas zu sagen, was ihm seine Kindheit in tröstlicherem Lichte erscheinen lassen würde. »Ich weiß, daß ich das immer getan habe, als ich noch daheim in die Schule ging und bevor ich alt genug war, um ins Internat geschickt zu werden. Meine Schuhe waren ähnlich denen, die Bankdirektors Töchterchen anhatte. Und jeden Tag mußte ich mitansehen, wie so ein herrlich ausgelassener Bengel quer übers Feld voller stachliger Disteln tanzte, ohne einen Muckser von sich zu geben. Da hätte ich immer am liebsten gleich meine Schuhe weggeworfen!«

»Disteln!« rief Luce und lächelte. »Komisch, hab' gar nicht mehr daran gedacht! Zu Hause bei uns hatten die Disteln bis zu eineinhalb Zentimeter lange Stacheln. Ich zog sie mir aus den Fußsohlen wie nichts.« Er setzte sich auf und sah sie grimmig an. »Aber im Winter, meine liebe, guterzogene, stets satte und gutgekleidete Schwester Langtry, da sprang die Haut an meinen Fersen, an den Fußrändern und Schienbeinen *auf*!« – das Wort explodierte förmlich auf seinen Lippen – »und es *blutete*« – er ließ das Wort langsam verströmen – »vor Kälte. Kälte. Schwester Langtry! Ist Ihnen je kalt gewesen?«

»Ja«, sagte sie, gedemütigt, aber auch etwas ärgerlich darüber, daß er sie so zurechtwies. »In der Wüste war mir kalt. Ich hatte Hunger und Durst. Und im Dschungel war mir heiß. Und so übel, daß ich weder Essen noch Trinken im Magen behalten konnte. Aber ich tat meine Pflicht. Ich bin nicht zur Zierde da! Auch fehlt mir nicht das Verständnis für Ihre traurige Kindheit. Wenn ich die falschen

Worte gesagt habe, möchte ich mich dafür entschuldigen. Aber *gemeint* hab' ich es richtig!«

»Sie haben Mitleid mit mir, und ich brauch' Ihr Mitleid nicht!« rief Luce. Jetzt haßte er sie.

»Ich hab' kein Mitleid mit Ihnen. Warum auch? Woher Sie kommen, ist egal. Wohin Sie gehen, das zählt.«

Wenigstens gab er es auf, düstere Enthüllungen von sich zu geben. Mit einemmal war er wieder der gesprächige, strahlende, glänzende Luce. »Nun, wie dem auch sei, bevor die Armee mich kriegte, trug ich die teuersten Schuhe, die aufzutreiben waren. Das war, als ich nach Sydney ging und Schauspieler wurde. Laurence Olivier, blick herab!«

»Wie war Ihr Künstlername?«

»Lucius Sherringham.« Er donnerte den Namen förmlich heraus. »Bis ich draufkam, daß er zuviel Werbefläche brauchte. Dann änderte ich ihn und nannte mich Lucius Ingham. Lucius ist sowohl für Bühne als auch für den Rundfunk nicht schlecht. Aber wenn ich nach Hollywood gehe, brauche ich etwas, das mehr hermacht. Rhett oder Tony. Oder, falls mein Image mehr in Richtung Colman als in Richtung Flynn geht, wird das schlichte John am besten klingen.«

»Und warum nicht Luce? Das macht auch was her.«

»Geht nicht mit Ingham zusammen«, sagte er bestimmt. »Wenn Luce bleibt, dann muß Ingham fallen. Aber Luce? Wäre eine Idee. Luce Diablo würde den Mädchen heiß machen, oder?«

»Daggett reicht nicht?«

»*Daggett!* Was für ein Name! So heißt ein Schafhirt.« Er verzog das Gesicht wie im Schmerz. »Ach, Schwester, ich war nicht übel. Zu jung zwar. Ich hatte noch nicht den richtigen Drive drauf – dazu war, bis mich König und Vaterland zu den Waffen riefen, nicht genügend Zeit. Und wenn ich zurückkomme, bin ich zu alt . . . Irgendein kleiner Speichellecker mit Protektion oder einem reichen Vater, der ihm die Freistellung vom Militär erkauft hat, steht statt meiner im Rampenlicht. Es ist nicht gerecht!«

»Wenn Sie gut sind, kann das nichts ausmachen«, sagte sie. »Sie werden es erreichen. Irgend jemand wird merken, daß Sie gut sind. Warum haben Sie nicht versucht, in ein Fronttheater zu kommen?«

Er schien aufgebracht. »Ich bin ein ernster Schauspieler und nicht vom Tingeltangel! Die Leute, die diese Ensembles zusammenstellten, kamen selber vom Varieté und von der Operette. Die wollten nur Hanswurste und Wirtshaustypen. Ein Junger brauchte sich gar nicht erst zu bewerben.«

»Macht nichts, Luce, Sie erreichen es. Ich weiß es. Wenn einer etwas so sehr will wie Sie, nämlich ein berühmter Schauspieler zu werden, dann passiert es auch.«

Irgend jemand stöhnte draußen. Schwester Langtry sah sich unsanft aus der Verzauberung gerissen, in die Luce sie verwoben hatte. Nuggett machte irgendwo in der Nähe ihres Büros Heidenlärm und weckte damit möglicherweise auch noch Matt auf.

»Schwester, ich fühl' mich elend!« hörte sie ihn jammern.

Sie stand auf und sah mit ehrlichem Bedauern auf Luce nieder. »Es tut mir wirklich leid, aber wenn ich jetzt nicht gehe, habt ihr dafür in der Nacht zu büßen.«

Sie hatte auf dem Korridor die halbe Strecke zurückgelegt, als Luce ihr nachrief: »Nicht wichtig. Und schließlich fühle ich mich ja nicht elend!«

Sein Gesicht war wieder entstellt von Verbitterung und Enttäuschung, vorbei war der glorreiche Augenblick, da er sich in Beifallsgebraus und Scheinwerferlicht sah, weggewischt durch das Greinen eines Kindes, das nach der Mama schrie. Und Mama war, getreu der Pflicht aller Mamas, sofort geeilt, um zu trösten, wo Trost nötig war. Luce blickte auf seinen Teebecher nieder. Der Tee war kalt, eine häßliche dicke Schicht geronnener Milch hatte sich auf seiner Oberfläche gebildet. Angewidert hob er den Becher und schüttete den Tee langsam und mit Bedacht auf den Tisch.

Der Tee floß nach allen Richtungen auseinander. Neil sprang hoch, um dem Hauptstrom zu entgehen, und betappte mit den Händen seine Hosenbeine. Michael sprang in der anderen Richtung davon. Luce blieb ruhig sitzen, beobachtete, wie die schleimige Flüssigkeit über den

Tischrand floß und auf den Boden tropfte, achtete nicht mehr auf seine Kleider.

»Das machst du weg, du blöder Hund!« zischte Neil.

Luce blickte auf, lachte. »Wie willst du das erreichen?« Die Worte kamen abgehackt, die Herausforderung war unüberhörbar. Neil bebte. Er richtete sich steif auf, weiß im Gesicht, und kräuselte die Lippen. »Wenn ich nicht ranghöher wäre, Sergeant, wäre es mir ein Vergnügen, deine Nase in die Sauce zu tauchen, dich dazu zu zwingen.« Er drehte sich auf dem Absatz um und fand irgendwie den Weg zwischen den Wandschirmen hindurch.

»Was Sie nicht sagen!« rief Luce ihm schrill und hämisch nach. »Geh nur, *Captain,* lauf davon und versteck dich hinter deinen Achselsternen! Du hast nicht genug Mumm!«

Luce ließ die Hände schlaff auf den Tisch fallen. Langsam wandte er den Kopf und sah, wie Michael mit einem Scheuerlappen dabei war, den Boden sauberzuwischen. Luce verfolgte die Tätigkeit in purem Erstaunen.

»Blödes Schwein!« sagte er.

Michael gab keine Antwort. Er nahm den tropfnassen Lappen und den leeren Becher, legte sie zu den anderen Sachen auf dem Tablett, hob es elegant hoch und trug es in den Tagesraum. Luce blieb allein am Tisch zurück. Die Flammen, die in ihm loderten, erloschen langsam, und er bezwang seine aufkommenden Tränen.

9

GANZ AUS EIGENEM WUNSCH arbeitete Schwester Langtry in geteilter Schicht. Als Station X entstand, vor einem Jahr, hatte die Oberschwester dafür zwei Schwestern zur Verfügung gehabt. Die zweite, eine zerbrechliche, widerwillig ihren Dienst ableistende Person, war nicht das geeignete

Temperament für die Patienten auf X gewesen. Sie hielt sich einen Monat und wurde durch eine große, sich springlebendig gebende Schwester ersetzt, ganz der fröhliche Schulmädchentyp. Diese blieb eine Woche und bat um Versetzung, nicht etwa, weil man ihr persönlich etwas angetan hatte, sondern weil sie mitangesehen hatte, wie Schwester Langtry bei einem erschreckenden Vorfall mit einem gewalttätig gewordenen Patienten fertigwerden mußte. Die dritte war jähzornig und nachtragend. Sie war eine Woche da und wurde auf Schwester Langtrys brüske Forderung hin abgezogen. Die Oberschwester versprach unter zahllosen Bitten um Nachsicht, jemanden zu schikken, sobald sich etwas Passendes fände. Aber sie schickte niemanden. Ob sie dazu nicht in der Lage war oder es einfach vergessen hatte, das entzog sich Schwester Langtrys Kenntnis.

Es gefiel Schwester Langtry sehr, allein auf Station X zu arbeiten, trotz des hohen Kräfteverschleißes und des Schlafmangels, und sie hatte sich nie um eine zweite Schwester bemüht. Was konnte man schon mit seiner Freizeit auf Stützpunkt 15 anfangen? Man konnte absolut nirgends hingehen. Sie war weder auf Rendezvous mit Männern noch auf Sonnenbäder versessen; diese beiden einzigen Zerstreuungen, die Stützpunkt 15 zu bieten hatte, lockten Schwester Langtry weniger als der Umgang mit ihren Patienten. Also arbeitete sie allein, in der sicheren, nach drei fehlgeschlagenen Versuchen gewonnenen Überzeugung, daß es zum Wohlergehen ihrer Männer mehr beitrug, wenn sie es nur mit einer Frau, einem Befehlsschema und einer Tagesschablone zu tun hatten. Und ihre Aufgabe stand ebenfalls fest. Wenn sie sich an den Kriegsanstrengungen ihres Landes beteiligen wollte, durfte sie nicht ihren privaten Interessen dienen und sich auf die faule Haut legen, sondern mußte ihr Bestes geben und ihren Dienst so gut wie nur möglich absolvieren.

Es wäre ihr nie in den Sinn gekommen, daß sie, indem sie sich entschloß, Station X allein zu betreuen, damit auch ihre Machtposition festigte; ebensowenig hatte sie nicht den Schatten eines Zweifels, daß sie ihren Patienten kein Unrecht zufügte. Wie ihr ihre angenehm verbrachte Jugend dabei im Wege stand, wenn sie versuchte, Verständnis dafür aufzubringen, was Armut einem Mann wie Luce Daggett für Wunden schlagen konnte, so vermochte sie aus Mangel an Erfahrung auch nicht alle Zusammenhänge, die Station X betrafen, zu durchschauen, sie sah nicht ihre Besitzansprüche und auch nicht den wahren Charakter ihrer Beziehungen zu den Patienten. Ihr war lediglich bewußt, daß sie durch ihren Einsatz eine Krankenschwester für den Einsatz anderswo freimachte, und sie machte einfach weiter. Als man sie für einen einmonatigen Urlaub von ihrem Posten abberief, ging sie und überließ ohne viel Herzweh die Station ihrer Vertretung; als sie wiederkehrte und fast nur neue Gesichter vorfand, machte sie einfach da weiter, wo sie zuletzt aufgehört hatte.

Ihr normaler Arbeitstag begann in der Morgendämmerung oder kurz davor. In diesen Breiten variierte die Tageslänge im jahreszeitlichen Wechsel nicht sehr, was angenehm war. Bei Sonnenaufgang war sie auf der Station, eine gute Zeit vor dem Küchengehilfen, der beim Frühstück half. Sofern ein Küchengehilfe überhaupt auftauchte. Wenn keiner der Männer auf war, machte sie ihnen Tee und richtete einige Butterbrote, dann weckte sie sie. Sie trank mit ihnen den Morgentee und machte sich dann in der Spülküche und im Tagesraum zu schaffen, während sie im Badehaus duschten und sich rasierten. Falls die Küchenordonnanz immer noch nicht aufgetaucht war, bereitete sie auch das eigentliche Frühstück zu. Etwa um acht nahm sie mit ihnen das Frühstück ein und brachte sie dann energisch auf die Gleise ihrer Tagesroutine: machte mit ihnen die Betten, stand dabei, wenn einer der größeren, Neil oder Luce beispielsweise, die komplizierte Jacques-Fath-Drapierung der Moskitonetze vornahm. Es war eine Erfindung der Oberschwester, die Netze tagsüber auf diese kunstvolle Art zu verstauen, und es war eine bekannte Tatsache, daß sie bei ihren Inspektionen kaum noch auf sonst etwas achtete, wenn nur die Netze richtig hingen.

In einer Station mit lauter Gehfähigen war das Ordnunghalten kein Problem und machte keine eigene Hilfskraft erforderlich. Die Insassen sorgten, unter Schwester Langtrys routinierter, peinlich genauer Oberaufsicht, selbst für Sauberkeit. Die Hilfsordonnanzen sollten lieber dort eingesetzt werden, wo sie vor allem gebraucht wurden; sie waren so und so ein Ärgernis.

Die kleinen Ärgernisse, die sich daraus ergaben, daß Station X erst im nachhinein errichtet worden war, waren längst in befriedigender Weise beseitigt. Neil, dem Offizier, hatte man den einstigen Behandlungsraum als Privatzimmer zugewiesen, ein Kämmerchen von $2 \times 2,5$ Meter Größe. Es lag neben Schwester Langtrys Büro. Niemand auf der Station brauchte medizinische Betreuung, und für die seelischen Belange stand ohnehin kein Psychiater zur Verfügung. Also war der Behandlungsraum jeweils dazu da, den wenigen Patienten im Offiziersrang als Unterkunft zu dienen. Die stets auftretenden kleineren Wehwehchen, Hautflechten, Furunkel, Ausschlag, behandelte Schwester Langtry in ihrem Büro. Malariafälle und die breite Palette tropischer Darmerkrankungen wurden am Bett des Erkrankten versorgt oder, falls der Fall ernst genug war, an eine Station verwiesen, die auf die Behandlung besser eingerichtet war.

Im Interesse der Hygiene gab es weder für die Patienten noch für das Personal Toiletten in den Gebäuden. Alle Gehfähigen auf Stützpunkt 15 benützten die auf dem Gelände errichteten Latrinen. Diese wurden einmal täglich desinfiziert und in regelmäßigen Zeitabständen mit Benzin oder Kerosin übergossen und in Brand gesteckt, um eine Vermehrung der Bakterien zu verhindern. Ihre körperliche Reinigung nahmen alle Gehfähigen in den sogenannten Badehäusern vor. Das waren Bauten aus Beton. Das Badehaus für Station X lag gleich hinter dem Stationsgebäude und war früher auch von den Insassen sechs anderer Stationen frequentiert worden. Seit sechs Monaten waren diese Stationen geschlossen, also hatten die Männer von Station X das Badehaus ganz für sich, ebenso wie die in der Nähe befindliche Latrine. Die Spülküche im Stationsgebäude, in der Urinflaschen, Bettschüsseln mit dazugehörigen Verschlüssen, ein kleiner Vorrat Bettwäsche und ein nach Desinfektionsmittel riechendes Gefäß zur

Aufnahme körperlicher Ausscheidungen lagerten, wurde, wenn überhaupt, nur selten benützt. Wasser für den täglichen Gebrauch befand sich in einem Wellblechtank auf einem Gestänge auf Höhe des Daches, so daß der nötige Druck vorhanden war, um Tagesraum, Spülküche und Behandlungsraum in gleicher Weise zu versorgen.

Nachdem die Station in Ordnung gebracht war, zog sich Schwester Langtry in ihr Büro zurück, um sich dem Papierkram zu widmen, der alles mögliche betraf, von Formularen über Bestell- und Wäschelisten bis zu den täglichen Eintragungen in die Karteiblätter der Patienten. Wenn Station X zum Fassen neuer Vorräte an der Reihe war, dann ging sie mit einem ihrer Männer zum Vorratshaus, einer Eisenkonstruktion mit Schloß und Riegel und unter Verwaltung der Quartiermeisterei, und holte sich, was zu kriegen war. Nuggett hatte sich da als der geeignetste Begleiter erwiesen. Er sah immer so mickrig und eingeschrumpft aus, und dennoch brachte er, wenn sie dann zur Station zurückgekehrt waren, aus den Umhüllungen seines dürren Körpers mit schalkhafter Miene alles nur Denkbare zum Vorschein, Schokolade, Pudding oder Kekse in Dosen, Salz, Talkumpuder, Tabak, Zigaretten, Zigarettenpapier, Streichhölzer.

Besuche der hohen Tiere – Oberschwester, »Kinnbacke«, der Colonel mit der roten Mütze, der hier die Oberaufsicht hatte, oder andere – fanden immer am späten Vormittag statt. War es ein ruhiger, durch solche Besuche nicht gestörter Morgen, dann pflegte sie mit ihren Männern auf der Veranda zu sitzen und zu plaudern oder ihnen schweigend Gesellschaft zu leisten.

Nachdem um etwa halb eins das Mittagessen eingetroffen war – das hing ganz von der Küche ab –, verließ sie die Station und ging zur Messe, um selber ihren Lunch einzunehmen. Den Nachmittag verbrachte sie ruhig, gewöhnlich in ihrem Zimmer. Sie las, stopfte einen Berg Männersocken, Hemden, Unterwäsche oder machte, wenn das Wetter trocken und kühl war, ein Schläfchen. Um vier etwa ging sie auf eine Tasse Kaffee ins Schwesternzimmer und plauderte eine Stunde lang mit denjenigen, die hereinkamen. Und das war zugleich der einzige menschliche

Kontakt, den sie zu den Kolleginnen hatte, denn die hastig eingenommenen Mahlzeiten boten dazu keine Möglichkeit.

Um fünf ging sie auf die Station, um das Abendessen ihrer Schützlinge zu überwachen, und kehrte dann zur Messe zurück, wo um ein Viertel nach sechs das Dinner für das Personal serviert wurde. Und um sieben machte sie sich wieder auf den Weg zur Station, wo sie dann jenen Teil des Tages hinter sich brachte, den sie am meisten genoß: Besuch Neils in ihrem Büro mit gemeinsam gerauchter Zigarette, hernach Beisammensein mit den anderen, Gespräche mit jenen, die mit ihr reden wollten. Danach machte sie die letzte – und wichtigste – Tageseintragung in die Karteiblätter. Kurz nach neun machte noch einmal jemand Tee, den sie mit den Patienten an dem Eßtisch hinter den Wandschirmen trank. Gegen zehn rüsteten sich alle zum Schlafengehen, und bis halb elf hatte sie zumeist die Station verlassen.

Natürlich war es insgesamt ein ruhiger Tagesablauf und für sie leicht zu bewältigen. In hektischeren Tagen hatte sie weit mehr Zeit auf der Station verbracht und am Abend vor dem Schlafengehen Beruhigungstabletten verteilt. Gab es einen Patienten, der zu Gewalttätigkeit neigte, dann mußte eine Hilfsschwester oder eine Ordonnanz die Nacht über Dienst tun. Aber diese schweren Fälle blieben nie lange, es sei denn, man stellte eine eindeutige Besserung fest. Im großen und ganzen wurde Station X in Teamwork geführt, wobei die Patienten einen sehr wertvollen Bestandteil dieses Teams ausmachten. Immer hatte es zumindest einen Patienten gegeben, dem man die Aufsicht in ihrer Abwesenheit überlassen konnte, und sie hatte die Erfahrung gemacht, daß diese Leute eine größere Hilfe darstellten als zusätzliches Personal.

Sie hielt diese Zusammenarbeit für äußerst wichtig, denn das größte Übel, unter dem die Männer auf X zu leiden hatten, war die Leere des Tagesablaufs. War einer einmal über die akute Phase seines Leidens hinweg, warteten Wochen der Untätigkeit auf ihn, bevor er auf Entlassung hoffen durfte. Es gab einfach nichts zu tun. Männer wie Neil Parkinson kamen besser zurecht, denn sie hatten eine

Begabung, die sie pflegen konnten. Aber wer hatte schon Talent zum Malen? Leider fehlte Schwester Langtry die Gabe, Unterweisung in Handarbeit zu geben, selbst wenn es möglich gewesen wäre, sich Materialien zu beschaffen. Gelegentlich äußerte einer den Wunsch, zu nähen, zu stricken oder an Holz herumzuschnitzen. Sie tat, was sie konnte, um die Leute zu solchen Tätigkeiten zu bringen. Aber wie immer man die Sache ansah, Station X war eine öde Bleibe. Je mehr die Patienten daher am Tagesgeschehen Anteil hatten, desto besser war es.

An jenem Abend nach Michaels Eintreffen verließ Schwester Langtry wie immer ihr Büro um ein Viertel nach zehn, die Taschenlampe in der Hand. Alle Lichter waren aus, mit Ausnahme eines einzigen, am entfernten Ende des Eßtisches. Dieses löschte sie selbst, indem sie dort, wo der Saal in den Korridor mündete, einen Schalter betätigte. Dann schaltete sie die Taschenlampe ein und richtete deren Strahl auf den Flur.

Alles war still, man hörte nur die Atemgeräusche der Schlafenden. Eigenartigerweise schnarchte von den gegenwärtigen Insassen keiner. Kamen sie deshalb so gut miteinander aus? Wenn man von den üblichen Roheiten und Ausfälligkeiten absah. Wenigstens im Schlaf blieb jedermanns Privatsphäre unangetastet. Schnarchte Michael? Sie wünschte es ihm nicht. Wahrscheinlich würde das damit enden, daß sie ihn ablehnten.

Seit es keine Verdunklung mehr gab, lag die Station nie völlig im Finstern. Das Licht im Korridor blieb die ganze Nacht an und ebenso eines am Hinterausgang, am oberen Ende der Stufen, die man hinabsteigen mußte, wenn man das Badehaus oder die Latrine aufsuchen wollte. Der Schein des letzteren drang durch die Fenster der Wand entlang Michaels Bett.

Die Moskitonetze waren alle herabgezogen und lagen leicht gerafft quer über den Betten, so daß sie aussahen wie kostbare Katafalke. Als ob hier eine Reihe unbekannter Krieger den längsten und schönsten Schlaf schliefen, eingehüllt in dunkle Wolken ähnlich dem Rauch, der von Scheiterhaufen aufsteigt.

Schwester Langtry reduzierte die Lichtstärke, indem sie mit der Hand das Frontglas der Lampe abdeckte. Es blieben ein rotes Glühen und schmale weiße Lichtstrahlen, die zwischen ihren Fingern in den Raum drangen.

Sie ging zuerst zu Nuggets Bett und richtete das gedämpfte Licht auf das Moskitonetz. Wie ein Baby! Natürlich im Tiefschlaf, obwohl er ihr morgen mitteilen würde, er habe kein Auge zugetan. Seine Pyjamajacke war trotz der Hitze bis oben säuberlich zugeknöpft, die Decke bis zu den Armen hinaufgezogen. Wenn er nicht Stuhlverstopfung hatte, hatte er Durchfall; wenn sein Kopfschmerz ihn im Stich ließ, sprang sein Rücken in die Bresche; und wenn auf seiner Haut nicht flammendrote Flecken prangten, dann schossen auf seinem Rücken Furunkel wie Pilze in die Höhe. Nie war er ganz glücklich, wenn ihn nicht etwas plagte, ob nun wirklich oder eingebildet. Sein ständiger Begleiter war ein zerlesenes medizinisches Wörterbuch, das er irgendwo hatte mitgehen lassen, bevor er nach Station X transferiert wurde. Er kannte es auswendig und verstand auch die Texte. Diesen Abend hatte sie sich mit ihm abgegeben wie immer, voll des Mitgefühls und bereit, darüber zu diskutieren, welche Krankheitssymptome gegenwärtig vorrangig waren, und diese dann auch, ganz so, wie er wünschte, durch Abführmittel, schmerzstillende Tabletten, Öle zu beseitigen. Wenn er je den Verdacht gehabt hatte, daß die meisten Pillen, Mixturen und Injektionen, die sie ihm verabreichte, Placebos waren, dann hatte er es zumindest nicht gesagt. Ein Baby!

Matts Bett war das nächste. Auch er schlief. Der sanfte rote Schein der Taschenlampe glitt über die geschlossenen Lider, beleuchtete die karge Würde der Züge. Er dauerte sie, denn es gab nichts, was sie für ihn oder mit ihm tun konnte. Zwischen seinem Gehirn und seinen Augen war ein Vorhang herabgezogen, der keine Verbindung zuließ. Sie hatte oft versucht, ihn dazu zu bewegen, Colonel »Kinnbacke« zu wöchentlichen neurologischen Untersuchungen aufzusuchen, doch Matt lehnte das ab. Wenn es echte Blindheit sei, sagte er, dann würde das Wissen darum ihn ohnedies umbringen; war es nur Einbildung, wozu dann das Ganze? Auf seinem Nachttisch lag ein

Photo. Eine Frau Anfang der Dreißig, das Haar nach bester Hollywood-Manier eingedreht, mit hübschem weißen Peter-Pan-Kragen auf dem dunklen Stoff ihres Kleides. Drei kleine Mädchen mit ebensolchem Kragen waren rund um sie postiert, und auf ihrem Schoß saß ein viertes Kind, ebenfalls ein Mädchen, ein Kleinkind. Eigenartig, daß er, der nicht sehen konnte, als einziger ein Bild seiner Lieben wie einen Schatz hütete. Auf Station X war es sonst eher üblich, das hatte sie im Laufe ihrer Tätigkeit festgestellt, die Bilder Nahestehender nicht aufzubewahren.

Der schlafende Benedict war ein völlig anderer als der wache Benedict. Im Schlaf wälzte und rollte er sich, wimmerte und kam nicht zur Ruhe. Er machte ihr von allen am meisten Sorge. Was da in ihm nagte und ihn von innen auffraß, konnte sie weder aufhalten noch unter Kontrolle bekommen. Sie fand auch keinen Zugang zu ihm, nicht weil er ihr feindselig gegenüberstand, sondern weil er ihr nicht zuzuhören schien, und wenn er das einmal tat, verstand er sie offenbar nicht. Daß er unter seinem Sexualtrieb litt, hatte sie vermutet und ihn deshalb einmal gefragt, ob er ein Mädchen habe. Das hatte er kurz verneint. Warum nicht? hatte sie weiter gefragt und erklärt, sie meine nicht ein Mädchen fürs Bett, sondern eine, die er kenne und mit der er befreundet sei und die er vielleicht zu heiraten wünsche. Benedict hatte sie angesehen mit einer Miene, die totalen Ekel ausdrückte. »Mädchen sind schmutzig«, sagte er. Und kein Wort weiter.

Bevor sie nach Michael sah, ging sie zu den Wandschirmen vor dem Eßtisch. Sie standen etwas zu nahe an Michaels Bett und würden ihm hinderlich sein, falls er in der Nacht aufstehen mußte. Sie schob sie in der Art eines geschlossenen Fächers näher aneinander und rückte sie dann zur Mauer. Dieses Bett war seit langem nicht mehr benützt worden; wegen des Lichts, das durch die Fenster drang, war es nicht sehr beliebt als Schlafstätte.

Michael schlief ohne Pyjamajacke. Wie vernünftig in diesem Klima! Man mußte sich geradezu um Leute wie Matt und Nuggett Sorge machen, die darauf bestanden, einengende Nachtgewänder zu tragen. Und da war weder bei Matt noch bei Nuggett etwas dagegen zu machen. Ob das für sie ein Ersatz war für die Welt des Anstandes und der Zivilisiertheit, repräsentiert durch ihre Ehefrauen, denen sie hier auf Station X so fern waren?

Michael schlief mit dem Gesicht zur Fensterseite; das Licht störte ihn offenbar nicht. Um seine Züge zu sehen, hätte sie um das Bett herumgehen müssen. Doch sie blieb stehen. Das Licht spielte auf der Haut von Rücken und Schulter, ließ die Kette silbern aufglänzen, an der die beiden Erkennungsmarken hingen, zwei dünne, blaßgetönte Metallplättchen, von denen das eine auf dem Kissen, das andere auf dem Laken hinter ihm ruhte. Mit ihrer Hilfe konnte man ihn identifizieren, wenn genug von ihm übrig und auch die Erkennungsmarken noch vorhanden waren. Man würde das eine Plättchen zusammen mit seinem Eigentum nach Hause schicken und das andere an seinem Hals hängen lassen und ihn damit begraben ... Das kann nun nicht mehr geschehen, wird nicht mehr geschehen, dachte sie. Der Krieg ist zu Ende.

Er hatte sie angesehen, als koste es ihn Mühe, sie ernst zu nehmen, als hätte sie eine Rolle zu spielen, die nicht ihrem Wesen entsprach. Sein Blick sagte nicht: Geh zu den anderen Kindern spielen, Kind; aber doch: Geh und spiel mit den armen Würmern, sie brauchen dich, mich laß in Ruhe. Er verhielt sich wie jemand, der sich plötzlich inmitten von Feinden sah. Die Männer spürten es auch, hatten erkannt, daß er auf Station X fehl am Platz war.

Sie stand neben dem Bett länger, als ihr bewußt war, den Strahl der Lampe auf seinen Kopf gerichtet, mit der ausgestreckten linken Hand sanft über das Moskitonetz streichend.

Eine leichte Bewegung auf der anderen Seite des Raumes ließ sie aufblicken. Sie konnte von hier Luces Bett sehen, weil sie die Wandschirme zur Seite gerückt hatte. Luce saß auf der Bettkante, nackt, ein Bein angewinkelt, die Arme um sein Knie gelegt, und beobachtete sie. Sie fühlte sich ertappt, war froh, daß es dunkel war, denn sie spürte, wie ihr die Röte ins Gesicht schoß.

Lange starrten sie einander an, wie zwei Gegner, die kühl die Stärke ihres Opponenten kalkulierten. Bis Luce das Bein senkte, so daß die Arme ihrer Stütze beraubt wur-

den, und ihr mit der Hand in einer spöttischen Geste zu-
winkte. Dann drehte er sich seitwärts und schlüpfte unter
das Netz. Wie selbstverständlich ging sie hinüber, beugte
sich hinab und stopfte das Netz unter seine Matratze, vermied es aber, Luce ins Gesicht zu sehen.

Nach Neil zu sehen war nicht ihre Gewohnheit, es sei
denn, er hätte nach ihr verlangt. War er einmal in seinem
Sanktuarium, blieb er ungestört. Das war alles, was sie für
ihn tun konnte.

Alles in Ordnung. Schwester Langtry machte noch in
ihrem Büro Station, zog die Leinenschuhe aus und
schlüpfte in ihre Stiefel, legte die Gamaschen um und
setzte den Hut auf. Dann griff sie nach ihrem Korb und
warf zwei Paar Socken aus Michaels Seesack hinein, die
dringend der Aufbesserung bedurften. Ohne das geringste Geräusch zu machen, schlüpfte sie an der Vordertür
durch den Vorhang. Den Schein ihrer Taschenlampe vor
sich auf den Weg richtend, überquerte sie das Gelände in
Richtung Unterkunft. Halb zehn. Bis elf würde sie gebadet
und sich fürs Bett fertiggemacht haben. Und dann warteten sechs Stunden ungestörten Schlafes auf sie.

Die Männer auf Station X waren inzwischen nicht ganz
ohne Aufsicht. Erstens konnte sie sich auf ihren Instinkt
verlassen, der fast immer Alarm schlug, wenn etwas nicht
in Ordnung war; zweitens gab es die Nachtschwester, die
alle Stationen abging und selbstverständlich auch einen
Blick in X warf. Und für den schlimmsten Fall gab es auch
noch ein Telefon. Seit drei Monaten hatte es keine Krisen-
situation gegeben; sie konnte unbesorgt einschlafen.

Zwei

1

DER BESUCH BEI »KINNBACKE« ergab nichts, wie Schwester
Langtry erwartet hatte. Der Colonel konzentrierte sich ver-
bissen auf Michaels Körper und zog es offenbar vor, Geist
und Seele ganz außer acht zu lassen. Er klopfte, horchte,
betastete, kniff, stieß, schlug, fuhr in alle Körperöffnun-
gen, und Michael ließ es mit unerschütterlicher Geduld
über sich ergehen. Auf Kommando schloß Michael die
Augen und führte die Fingerspitze an die Nasenspitze. Er
verfolgte, ohne den Kopf zu drehen, mit den Augen die
ziellose Wanderung eines Bleistiftes, der vor ihm auf und
ab und hin und her bewegt wurde. Er stand mit geschlossenen Beinen, machte die Augen zu und versuchte, gera-
deaus zu gehen. Er hüpfte erst auf dem einen, dann auf
dem anderen Bein, las von der Tabelle die Buchstaben ab,
sein Gesichtsfeld wurde gemessen, er mußte ein Assozia-
tionsspiel mit Wörtern spielen. Selbst als des Colonels
blutunterlaufenes Auge hinter dem Ophthalmoskop auftauchte und ihm prüfend in jedes Auge blickte, ertrug Michael diese Musterung aus nächster Nähe mit Gleichmut.
Schwester Langtry, die von einem Stuhl aus alles mitver-
folgte, stellte erheitert fest, daß er selbst dem üblen
Mundgeruch des Colonels ohne Zucken standhielt.

Nach der Prozedur wurde Michael hinausgeschickt.
Schwester Langtry beobachtete, wie der Colonel den Daumen an der Innenseite seiner Oberlippe hin- und herbe-
wegte. Das war seine Methode, seine Denkprozesse in
Gang zu bringen.

»Gleich am Nachmittag werde ich eine Lumbalpunktion
vornehmen«, sagte er schließlich langsam.

»Wozu das um Himmels willen?« platzte Schwester
Langtry heraus.

»Wie bitte?«

»Ich sagte, wozu um Himmels willen?« Wenn schon, denn schon! Nun hatte sie angefangen, nun mußte sie auch zu Ende sprechen, das schuldete sie Michael. »Es gibt absolut keinen neurologischen Befund bei Sergeant Wilson, und das wissen Sie, Sir. Warum soll der arme Kerl scheußliche Kopfschmerzen und Bettlägrigkeit erdulden, wo er sich doch der rosigsten Gesundheit erfreut, die man in diesem Klima haben kann?«

Es war zu früh am Morgen, um sich mit ihr anzulegen. Der kleine Alkoholexzeß, den er sich gestern abend zusammen mit Schwester Connolly geleistet hatte, war einzig die Folge seines Geplänkels mit Schwester Langtry gewesen und machte den Gedanken an neuerlichen Streit unerträglich. Eines Tages, das schwor er sich, würde die Abrechnung kommen. Aber heute nicht.

»Also gut, Schwester«, sagte er steif, legte die Feder nieder und schloß Sergeant Wilsons Akt. »Ich werde heute nachmittag keine Lumbalpunktion machen.« Er schob ihr den Akt zu, als ob er schmutzig wäre. »Ich wünsche einen schönen guten Morgen.«

Sie erhob sich sogleich. »Guten Morgen, Sir«, sagte sie, drehte sich um und ging hinaus.

Michael, der draußen wartete, fiel in gleichen Schritt, als sie eiligst aus dem Klinikgebäude der frischen Luft zustrebte.

»Und das war es also?« fragte er.

»Das war es definitiv! Wenn Sie nicht eine gewisse geheimnisvolle Krankheit mit einem unaussprechlichen Namen im spinalen Bereich bekommen, kann ich Ihnen mit Sicherheit voraussagen, daß das das Letzte war, was Sie von ›Kinnbacke‹ zu sehen bekommen haben, von Inspektionen und seiner wöchentlichen Runde abgesehen.«

»›Kinnbacke‹?«

Sie lachte. »›Kinnbacke‹. Luce hat ihm diesen Spitznamen verpaßt, und er ist ihm geblieben. Sein wirklicher Name ist Donaldson. Ich hoffe, daß ›Kinnbacke‹ nicht in der Macquarie Street an ihm klebenbleibt.«

»Ich muß sagen, Schwester, dieser Ort hier ist voll von Überraschungen.«

»Bestimmt nicht mehr als ein Militärlager oder Ihr eigenes Bataillon.«

»Das Problem mit dem Lager und meinem Bataillon war, daß ich alle Gesichter zu gut kannte, einige von ihnen seit Jahren. Nicht alle, die von Anfang an dabeiwaren, fielen oder wurden verwundet. Auf dem Marsch oder im Einsatz merkt man nichts von der Monotonie. Aber ich habe die letzten sechs Jahre fast nur in irgendwelchen Lagern verbracht. Lager im Wüstensturm, im Monsunregen, ja sogar Lager, die eigens für die Kriegsberichterstatter errichtet waren. Und immer war es heiß da. Und dann ertappt man sich dabei, daß man an die russische Front denkt und sich fragt, wie es in einem Lager bei Kälte wäre. Ist es nicht komisch, daß das Leben eines Menschen so eintönig werden kann, daß er eher von einem anderen Lager träumt als von Frauen? Lager ist alles, was ich wirklich kenne.«

»Sie haben recht, das Hauptproblem des Krieges ist die Eintönigkeit. Und das ist auch das Hauptproblem auf Station X. Für mich und für die Männer. Da arbeite ich lieber allein auf der Station und mache Überstunden, denn wenn ich es nicht täte, würde ich selber troppo werden. Und was die Männer angeht, so sind sie körperlich in guter Verfassung und durchaus imstande, harte Tagesarbeit zu verrichten. Aber sie können nicht. Es gibt nichts zu tun. Wenn es Arbeit für sie gäbe, wären sie in geistiger Hinsicht besser beisammen.« Sie lächelte. »Nun, es kann ja nicht mehr lange dauern. Bald gehen wir alle nach Hause.«

Heimzukehren reizte sie nicht besonders, das wußte Michael, doch er sagte nichts, sondern schritt Schulter an Schulter mit ihr übers Gelände.

Nett, einen solchen Begleiter zu haben. Er war nicht untertänig wie Neil, posierte nicht wie Luce, schlich nicht ängstlich wie Nuggett. Für ihn war es die natürlichste Sache der Welt, sie zu begleiten.

»Haben Sie einen Beruf, Michael?« fragte sie und verließ den Weg zu Station X und schlug einen Pfad ein, der zwischen zwei leerstehenden Stationsgebäuden hindurchführte.

»Ja. Milchfarmer. Ich besitze dreihundert Morgen in der

Flußniedrung nahe Maitland. Meine Schwester und ihr Mann bearbeiten das Land einstweilen, aber sie wären lieber wieder in Sydney. Ich werde es daher übernehmen, wenn ich heimkomme. Mein Schwager ist ein richtiger Großstadtmensch; als es zum äußersten kam, zog er es aber doch vor, Kühe zu melken und sich von den Hähnen wecken zu lassen, statt Uniform zu tragen und Schießscheibe zu spielen.« Sein Gesicht drückte leichte Geringschätzung aus.

»Noch ein Buschmann unter uns! Jetzt sind wir in der Majorität. Neil, Matt und Nuggett kommen aus der Stadt, aber jetzt sind Sie hier, und das macht vier Buschmänner.«

»Von wo sind Sie?«

»Mein Vater hat einen Besitz in der Nähe von Yass.«

»Und doch endeten Sie in Sydney, wie Luce.«

»In Sydney, ja. Aber nicht wie Luce.«

Er grinste, warf ihr einen schnellen Seitenblick zu. »Entschuldigen Sie.«

Sie erstiegen einen gewellten Hügel, durch dessen Sandboden sich spinnwebartig das Wurzelwerk rauhen Schilfgrases zog und aus dem da und dort der schlanke Stamm einer Kokospalme emporragte, und kamen an den Strand. Sie blieben stehen, der Wind zerrte an Schwester Langtrys Schleier.

Michael nahm sein Rauchzeug heraus und setzte sich auf die Absätze, wie das alle Landleute tun. Schwester Langtry kniete sich neben ihn, darauf bedacht, keinen Sand in die Schuhe zu kriegen.

»Wenn ich so etwas sehe, dann machen mir die Inseln nicht so viel aus«, sagte er und rollte sich eine Zigarette. »Ist es nicht erstaunlich? Man glaubt, man kann keinen weiteren Tag lang die Moskitos, den Dreck, den Schweiß, die Ruhr aushalten, und dann wacht man auf, und es ist der schönste Tag, den Gott einem je geschenkt hat, oder man sieht so etwas wie das hier, oder es passiert sonst etwas, und man denkt, es kann so schlecht nicht sein.«

Das kurze, gerade Streifchen Strand war lieblich anzusehen. Der feine, wie eine Mischung aus Salz und Pfeffer gefärbte Sand, war dort, wo ihn das Wasser feucht hielt, ganz dunkel. Niemand sonst war in der Nähe. Sie schienen sich auf der einen Seite eines langen Küstenvorsprungs zu befinden, denn zur Linken endete der Strand in Luft und Wasser, und zur Rechten ging er in eine nach Fäulnis riechende Mangrovenniederung über. Das Wasser wirkte, als hätte man eine dünne Schicht Farbe auf weißem Untergrund aufgetragen: ein durchsichtiges, blasses, ganz und gar unbewegtes Grün. Weit draußen war ein Riff, und der Horizont war dem Blick durch die Schaumfächer brechender Wellen entzogen.

»Das hier ist der Patientenstrand«, sagte sie und ließ sich auf die Absätze nieder. »Am Morgen ist der Zutritt verboten, deshalb ist niemand hier. Aber nachmittags zwischen eins und fünf gehört er ganz euch. Dann hätte ich Sie nicht hierherbringen können, denn von eins bis fünf haben Damen keinen Zutritt. Das erspart der Armee, euch mit Schwimmhosen auszurüsten. Ordonnanzen und niedere Ränge kommen auch hierher. Eine wahre Himmelsgabe, das da. Ohne diese Zerstreuung würden meine Männer nie in Ordnung kommen.«

»Haben Sie auch einen Strand?«

»Die andere Seite ist uns vorbehalten. Doch uns geht es nicht so gut; die Oberschwester hat was gegen Nacktbaden.«

»Alte Spielverderberin.«

»Die Ärzte und die Offiziere haben auch ihren eigenen Strand, auf derselben Seite wie wir, doch von uns durch eine Landzunge getrennt. Patienten im Offiziersrang können dorthin schwimmen gehen oder hierherkommen.«

»Ziehen die Offiziere Badehosen an?«

Sie lächelte. »Ich hab' sie noch nicht gefragt.« Die unbequeme Sitzstellung veranlaßte sie, auf die Uhr zu sehen und dann aufzustehen. »Wir sollten zurückgehen. Die Oberschwester macht zwar heute morgen keinen Rundgang, aber ich habe Ihnen noch nicht gezeigt, wie man das Moskitonetz drapiert. Vor dem Mittagessen bleibt uns noch eine Stunde zum Üben.«

»So lange wird es nicht dauern. Ich lerne schnell«, sagte er, gar nicht geneigt, diesen Platz zu verlassen und den netten Umgang mit einer Dame abzubrechen.

Doch sie schüttelte den Kopf und wandte sich zum Gehen, so daß er ihr folgen mußte. »Glauben Sie mir, Sie werden länger als eine Stunde dazu brauchen. Solange Sie nicht versucht haben, das Netz richtig zu drapieren, können Sie es nicht beurteilen. Wenn ich genau wüßte, wo genau die Anforderungen liegen, würde ich ›Kinnbacke‹ vorschlagen, anhand der Oberschwestern-Draperie die geistige Verfassung der Patienten zu testen.«

»Wie meinen Sie das?« Er holte sie ein und klopfte sich den Sand von den Hosenbeinen.

»Manche der Leute bringen es nicht zuwege. Benedict zum Beispiel. Wir haben versucht, es ihm beizubringen, und er war sehr willig, aber obwohl er ja nicht dumm ist, kriegt er diese besondere Art des Faltenwurfs nicht so hin, wie die Oberschwester es haben will; es sind immer nur höchst eigenwillige Varianten davon.«

»Sie sind, was Ihre Schutzbefohlenen anlangt, sehr offen, nicht wahr?«

Sie blieb stehen und sah ihn ernst an. »Anders hätte es keinen Zweck, Michael. Ob es Ihnen nun gefällt oder nicht, ob Sie denken, Sie passen rein oder nicht, ob Sie hierhergehören oder nicht, Sie sind nun auf Station X gelandet und bleiben da, bis wir alle heimgehen. Und Sie werden sehen, hier können wir uns keinerlei Schönfärberei leisten.«

Er nickte, sagte aber nichts. Ihre Bemerkung schien Eindruck auf ihn gemacht zu haben.

Sie senkte den Blick und schritt weiter, doch nicht in ihrer üblichen raschen Gangart, sondern mehr wie eine Spaziergängerin. Dieser Ausbruch aus der Routine, der Umgang mit einem unvorhergesehenen, unaufdringlichen Begleiter, tat wohl. Sie konnte sich richtig entspannen und der Vorstellung hingeben, sie gehe mit jemandem, den sie einmal irgendwo kennengelernt und jetzt wiedergetroffen habe.

Als sie um die Ecke des leerstehenden Gebäudes bogen, kam Station X aber nur allzubald in Sicht. Neil stand davor und wartete. Schwester Langtry fühlte leichten Ärger in sich hochsteigen, denn Neil wirkte wie ein überängstlicher Vater, der seinem Kind zum erstenmal erlaubt hatte, den Heimweg von der Schule allein zurückzulegen.

2

AM NACHMITTAG GING MICHAEL zusammen mit Neil, Matt und Benedict wieder an den Strand. Nuggett hatte keine Lust, und Luce war nirgends aufzutreiben.

Die Sicherheit, mit der sich Matt bewegte, faszinierte Michael; eine sanfte Berührung an Ellbogen oder Oberarm genügte, ihn zu dirigieren. Michael begriff schnell, worum es dabei ging, und konnte Neil in dessen Abwesenheit vollkommen ersetzen. Nuggett hatte ihm im Badehaus unter Anführung medizinischer Details erklärt, daß Matt nicht wirklich blind sei, daß seinen Augen absolut nichts fehle, doch auf Michael wirkte Matts Blindheit durchaus echt. Ein Mann, der Blindheit nur vortäuschte, hätte um sich getastet, wäre immer wieder gestolpert, um so den Blinden zu spielen. Matt aber tat es mit Würde, ohne jede Übertreibung, von keinen bösen Gedanken dazu getrieben.

Ungefähr fünfzig Männer hielten sich in weit verstreuten Gruppen auf dem Strand auf, der tausend Personen hätte aufnehmen können, ohne voll zu wirken. Alle waren nackt. Einigen fehlten Gliedmaßen, andere hatten Narben. Doch da sich hier auch Personal und Leute, die sich von Malariaanfällen oder sonstigen Tropenkrankheiten erholten, tummelten, schienen die drei äußerlich völlig gesund wirkenden X-Patienten nicht fehl am Platz. Michael entging es nicht, daß sich die Geselligkeit stationenweise entfaltete. Neurologie, plastische Chirurgie, Knochen, Haut, Innere und Allgemeine Medizin blieben jeweils unter sich, und auch die Leute vom Personal bildeten eigene Gruppen.

Die Troppos von X entkleideten sich so weit entfernt von jeder anderen Gruppe, daß sie nicht in den Verdacht geraten konnten, zu horchen. Man schwamm eine Stunde lang im warmen Wasser, das so wenig erfrischend war wie die lauwarme Brühe, in der man Babys badete, dann streckte sich jeder im Sand aus, um trocken zu werden; die Haut war bedeckt von Quarzkörnern, die wie winzige

Ziermünzen auf dem Körper funkelten. Michael setzte sich auf, rollte eine Zigarette, zündete sie an und reichte sie Matt. Neil zeigte ein schwaches Lächeln, verfolgte aber stumm, wie Michael mit geschickten Händen eine zweite für sich verfertigte.

Nette Abwechslung vom üblichen Lagerleben, dachte Michael, starrte mit verengten Augen in den Sonnenglast und beobachtete die Rauchsträhnen, die einen Augenblick lang emporstiegen, ehe sie von einem Windhauch erfaßt wurden und ins Nichts wirbelten. Das hier war eine andere Art Familie als das Bataillon, mit stärkerem Zusammenhalt und unter der sanften Oberaufsicht einer Frau, wie das bei Familien sein sollte. Nett auch, eine Frau hier zu haben. Schwester Langtry war die erste Frau seit sechs Jahren, mit der er nicht bloß flüchtigen Kontakt hatte. Man hatte in den Jahren völlig vergessen, wie sie gingen, wie sie rochen, wie sie sich von den Männern unterschieden. Gerade sie vermittelte einem das Gefühl, in einer Familie zu sein, und sie war zugleich die Gallionsfigur der Station, über die keiner, nicht einmal Luce, eine abfällige Bemerkung gemacht haben würde. Eine Dame, und mehr als das. Damen, die nichts zu bieten hatten außer ihrer Damenhaftigkeit, hatten ihn nie interessiert. Schwester Langtry hatte auch andere Qualitäten, die nicht nur auf ihr Geschlecht zurückzuführen waren. Sie sagte offen ihre Meinung und fürchtete sich nicht vor Männern, nur weil sie Männer waren.

Anfangs hatte sie ihn ein bißchen auf die Palme gebracht, aber wenn er fair war, mußte er zugeben, daß der Fehler mehr bei ihm lag als bei ihr. Warum sollte eine Frau nicht Autorität ausüben, wenn sie damit umzugehen verstand? Und sie verstand damit umzugehen. Und war dennoch sehr fraulich und sehr, sehr anziehend. Ohne besondere Tricks hielt sie diesen bunten Männerhaufen zusammen. Und sie mochten sie. Sie mochten sie wirklich. Was hieß, daß Sex mit im Spiel war. Zuerst hatte er keinerlei Sex bemerkt, doch nun begann auch er, nach nur einem Tag und zwei Gesprächen mit ihr, sexuelle Gefühle zu entwickeln. O nein, nicht in der Richtung, sie einfach aufs Kreuz zu legen und in Besitz zu nehmen, sondern viel schöner und subtiler als das, einfach das köstliche Entdekken ihres Mundes, ihres Halses, ihrer Beine ... Die Männer hatten an der Front abgeschaltet, und jetzt, da den ganzen Tag eine Frau um sie war, kam alles wieder in Fluß, stahlen sich ihre Gedanken über die Hecke, die den Bereich des Unerreichbaren umschloß. Schwester Langtry war kein Pin-up-girl, sie existierte wirklich. Wenn sie für Michael auch durchaus etwas Traumhaftes an sich hatte. Nicht weil Krieg war oder weil im Krieg Frauen rar waren. Sie war Oberschicht, die Tochter eines Schaffarmers, die Art Frau, der er im normalen Zivilleben nie begegnet wäre.

Der arme Colin hätte sie gehaßt. Nicht wie Luce sie haßte; denn Luce wollte sie haben und liebte sie obendrein. Luce machte sich nur vor, er hasse sie, weil sie ihn nicht wiederliebte und er das nicht verstand. Colin war anders gewesen. Das war ja das Problem bei ihm. Sie beide waren von Anfang an dabeigewesen. Er hatte sich zu Colin bald nach seiner Einberufung als Freiwilliger hingezogen gefühlt, denn Colin war genau der Typ, der andere reizte, auf ihm herumzuhacken. Und Michael hatte von Kindheit an einen Beschützerinstinkt, der ihn immer trieb, lahme Enten um sich zu scharen.

Mädchenhaft zart, etwas zu hüsch, als Soldat ein Besessener, war Colin ebenso durch Aussehen und Gefühlsleben gehandikapt wie wahrscheinlich auch Benedict. Michael vergrub seinen Zigarettenstummel im Sand und beobachtete Benedict nachdenklich. In diesem schmächtigen Körper steckte viel Beschwernis, ganz wie bei Colin: seelische Qual, Suche nach dem Ich, innere Auflehnung. Michael mochte wetten, daß auch Benedict ein Besessener gewesen war, einer von diesen unglaublichen Männern, die Güte und Friedfertigkeit ausstrahlten, bis die Schlachteneuphorie sie überkam und sie sich wie antike Helden gebärdeten. Männer, die sich selbst was zu beweisen hatten, wurden gewöhnlich zu solchen Dämonen. Ihre inneren Konflikte waren dann geeignet, die äußeren Schwierigkeiten hochzuspielen.

Michael begann also, geleitet von seinem Beschützertrieb, Colin zu bemitleiden, doch mit der Zeit und dem

Wechsel der Kriegsschauplätze wurde daraus eine eigenartige Zuneigung und Freundschaft. Im Kampf ebenso wie in der Etappe waren sie ein gutes Gespann, entdeckten, daß sie beide weder am Herumhuren noch am Saufen Geschmack fanden, so daß es nur natürlich war, immer in Gesellschaft des anderen zu bleiben.

Doch jedes Nahverhältnis macht blind. Michael verstand erst auf Neuguinea das ganze Ausmaß von Colins Problemen. Ihrer Gruppe war ein neuer Oberfeldwebel vor die Nase gesetzt worden, ein massiger, selbstsicherer, ziemlich prahlerischer Kerl, der bald Tendenzen zeigte, Colin als Zielscheibe zu benutzen. Michael war nicht allzu beunruhigt, denn er wußte, die Dinge hatten dort ihre Grenze, wo er einschreiten würde. Der Oberfeldwebel kapierte das auch und zeigte keinerlei Lust, diese Grenze zu überschreiten. So bestanden seine Nadelstiche lediglich in Blicken und kleinen Bemerkungen. Michael wartete geduldig, denn er wußte, daß der Oberfeldwebel, wenn sie einmal im Einsatz waren, die andere Seite des schwächlichen, mädchenhaften Colin erleben würde.

Um so größer war Michaels Bestürzung, als er eines Tages Colin bitterlich weinend antraf. Nur mit viel Geduld gelang es ihm, aus Colin herauszubekommen, was los war. Der Feldwebel hatte ihm unsittliche Anträge gemacht, was Colin in tiefste Qualen gestürzt hatte. Er selbst habe homosexuelle Neigungen, gestand er. Er wisse, es sei unrecht, unnatürlich, er verachte sich deswegen, doch er könne nicht anders. Vom Feldwebel jedoch fühle er sich abgestoßen; Ziel seines Begehrens sei Michael.

Michaels Reaktion bestand weder aus Abscheu noch im Gefühl gröblichst verletzten Anstandes, sondern in Sorge und Mitgefühl, wie lange Freundschaft und echte Zuneigung es einem erlaubten. Wie auch hätte ein Mann sich von seinem besten Gefährten abwenden können, mit dem er durch dick und dünn gegangen war? Sie sprachen lange über die Sache, mit dem Ergebnis, daß ihre Freundschaft durch Colins Bekenntnis sich nicht änderte, sondern nur noch fester geworden war. Daß Michaels geschlechtliches Empfinden nicht in die Richtung ging wie das seines Freundes, änderte nicht seine Gefühle diesem gegenüber.

So war das Leben, so waren die Menschen. Der Krieg hatte Michael gelehrt, Bedingungen zu akzeptieren, die er als Zivilist abgelehnt hätte. Die einem vom Krieg aufgezwungenen Bedingungen nicht anzunehmen hätte den Tod bedeutet. Sich für das Leben zu entscheiden bedeutete einfach, Toleranz zu üben. Solange ein Mann in Ruhe gelassen wurde, fragte er nicht viel danach, was seine Kameraden privat dachten oder taten.

Doch es bedeutete eine Last, sexuell begehrt zu werden. Michaels Verantwortung gegenüber Colin war um ein Vielfaches gestiegen. Gerade weil er Colins Liebe nicht in der von ihm gewünschten Weise erwidern konnte, fühlte er sich mehr denn je verpflichtet, als dessen Beschützer zu fungieren. Sie hatten gemeinsam Tod, Kampf, Entbehrungen, Hunger, Einsamkeit, Heimweh und Krankheit ertragen müssen, bei weitem zu viel, um einander jetzt im Stich zu lassen. Dennoch hatte Michael Schuldgefühle, weil er Colins Liebe nicht erwiderte, und suchte das durch jede Art Hilfe, durch alle Zuwendung, die ihm innerhalb der Grenzen seines Empfindens möglich war, auszugleichen. Colin schien nach jenem Tag glücklicher als je zuvor.

Als Colin fiel, wollte Michael nicht glauben, was seine Augen ihm getreulich wiedergaben: einen jener tödlichen Zufallstreffer, bei welchem ein winziger Metallsplitter sich mit mehr als Schallgeschwindigkeit durch das kurzgeschorene Haar zwischen Hals und Hinterkopf in den Körper seines Freundes bohrte, so daß dieser einfach umfiel und starb, ohne Blut, ohne Scheußlichkeit. Michael war lange neben ihm gesessen und hatte die steife, kalte Hand gehalten, überzeugt, der Druck seiner Hand würde erwidert werden. Schließlich hatte man die beiden Hände gewaltsam auseinanderreißen müssen, die lebendige und die tote, und Michael zugeredet, mitzukommen, da wäre absolut keine Hoffnung mehr, daß das Leben je in dieses stille, schlafende Antlitz zurückkehren würde. So weihevoll, edel und unverletzt sah es aus. Der Tod hätte es verändern müssen. Er veränderte jeden, den er einholte, machte ihn schlaff und leer. Er fragte sich immer wieder, ob Colins Gesicht wirklich zu schlafen schien oder ob es der Ausdruck der Augen war, der den Eindruck des Schlafens erweckte. Kein Schmerz, den er je ertragen hatte, glich diesem, den er jetzt empfand.

Und dann, nach dem ersten Schock, entdeckte Michael mit Schrecken, daß neben dem Schmerz noch etwas anderes in ihm Platz hatte: ein wundervolles Gefühl des Befreitseins. Er war frei! Der Alpdruck der Verpflichtung gegenüber einem Hilflosen und Schwachen war von ihm genommen. Solange Colin am Leben gewesen wäre, hätte ihn diese Verpflichtung in Fesseln gehalten. Vielleicht hätte sie ihn nicht davon abgehalten, anderswo Liebe zu suchen, doch sie hätte ihn behindert. Und Colin wäre nicht stark genug gewesen, um auf Besitzansprüche zu verzichten. So war sein Tod also die Rettung für Michael! Ein quälender Gedanke.

Monatelang hielt er sich abseits von den anderen, soweit es ging, was ihm sein Ruf als Sonderling erlaubte. Besessene gab es in einer so ruhmreichen Einheit jede Menge. Aber Michael war mehr als das. Sein Kommandeur nannte ihn die Quintessenz des Soldaten, und meinte damit, daß kaum jemand einen so hohen Grad des militärischen Professionalismus erreichte wie Michael. Für Michael war es ein Job, und er machte nie einen Fehler dabei, weil er nicht nur an sich selbst glaubte, sondern auch an die gerechte Sache, für die er kämpfte. Er handelte leidenschaftslos, ungeachtet des Anlasses für sein Handeln, was bedeutete, daß man sich darauf verlassen konnte, daß er einen kühlen Kopf bewahrte, daß er tat, was getan werden mußte, und das ohne Rücksicht auch auf das eigene Leben. Er buddelte einen Graben, eine Straße, ein Schützenloch oder ein Grab; er nahm eine für uneinnehmbar gehaltene Stellung und nahm es auch auf sich, die Stellung geräumt zu haben, weil er es für richtig hielt. Er klagte nie, machte nie Schwierigkeiten, stellte nie einen Befehl in Frage, selbst wenn er im stillen beschloß, ihn zu umgehen. Auf seine Kameraden wirkte er beruhigend, festigend, ermutigend. Sie dachten, er wäre gegen alles gefeit, und waren überzeugt, er bringe ihnen Glück.

Nach der gelungenen Landung auf Borneo schickte man ihn auf ein Unternehmen, das sehr nach Routineeinsatz aussah. Da das Bataillon Mangel an Offizieren hatte, wurde der Regimentsfeldwebel, der Colin immer schikaniert hatte, zum Einsatzleiter bestimmt. Die Gruppe bestand aus drei Booten voll mit Männern. Der Befehl lautete, zu einer bestimmten Küstenregion zu fahren, den Strand zu besetzen und landeinwärts vorzugehen. Die Aufklärung hatte gemeldet, der Strand sei frei von Japsen. Doch als sie am Einsatzort ankamen, waren die Japaner da, und mehr als die Hälfte der Männer fiel oder wurde verwundet. Ein Boot war heil entkommen, eines hatten die Japsen versenkt. Michael, ein zweiter Sergeant und der Oberfeldwebel hatten die unverwundet Gebliebenen und die Leichtverwundeten um sich gesammelt und gemeinsam mit diesen die Schwerverwundeten auf das dritte, noch intakte Boot verladen. Auf halbem Wege zurück kam ihnen ein Hilfsboot mit Medikamenten, Blutplasma und Morphium entgegen. Das inzwischen beim Stützpunkt eingetroffene erste Boot hatte ihnen rechtzeitig Hilfe zukommen lassen.

Der Feldwebel nahm sich den Verlust so vieler guter Leute sehr zu Herzen und gab sich selber die Schuld, weil es sein erster selbständiger Einsatz gewesen war. Michael erinnerte sich an die Tage auf Neuguinea und an Colin und fühlte sich genötigt, alles in seiner Macht Stehende zu tun, um den Mann zu trösten. Da ging aber nun die Flinte nach hinten los; der Feldwebel empfing ihn buchstäblich mit offenen Armen. Fünf furchtbare Minuten lang drehte Michael völlig durch. Der perfekte Soldat, der seinen Leidenschaften nie gestattete, Einfluß auf sein Tun zu nehmen, wurde von der Leidenschaft blindwütig gemacht. Er sah, daß alles wieder von vorne begann – die ungewünschte Liebe, die peinliche Verpflichtung und er als Opfer und Anlaß zugleich –, und er begann diesen Mann zu hassen, wie er nie zuvor einen Menschen gehaßt hatte. Wenn der Feldwebel sich nicht zuerst Colin unsittlich genähert hätte, nichts von allem wäre geschehen, denn Colin würde sicherlich nicht den Mut aufgebracht haben, sich durch eine Beichte zu erleichtern.

Zum Glück hatte Michael nur seine Hände, doch Training, Zorn und das Überraschungsmoment hätten genügt, wenn nicht der Feldwebel gerade noch vermocht hätte, um

Hilfe zu rufen, und wenn nicht Helfer ganz in der Nähe gewesen wären.

Als sich der Nebel der Tollheit hob, fand Michael sich als vernichteter Mensch wieder. In all den Jahren seines Dienstes in der Armee hatte ihn nie danach verlangt zu töten. Nie hatte er Befriedigung aus dem Geschäft des Tötens gezogen, nie seine Feinde wirklich gehaßt. Doch als er die Hände um die Kehle des Feldwebels schloß, da hatte er es genossen wie einen sexuellen Höhepunkt und war im schieren Hochgefühl vergangen, mit den Daumen den Adamsapfel seines Gegners nach innen zu drücken, getrieben von jener blinden, geistlosen Sinnlichkeit, die er stets an anderen so verabscheut hatte.

Er allein wußte um seine Gefühle während dieser Sekunden wilder Gewalttätigkeit. Und weil er es wußte, zog er es vor, nichts zur Abwendung der Konsequenzen zu unternehmen. Er lehnte es ab, seine Tat zu rechtfertigen, und machte keinerlei Aussage außer der, daß er in Tötungsabsicht gehandelt habe.

Der Bataillonskommandeur, einer der besten, die man haben konnte, nahm sich Michael in einem privaten Gespräch vor. Nur der Regimentsarzt, ein erstklassiger Arzt und ein Menschenfreund, war noch anwesend. Die beiden informierten Michael dahingehend, daß der Fall über ihre Köpfe hinweg bereits ans Divisionskommando weitergegeben worden sei. Der Feldwebel bestehe auf einem Kriegsgerichtsverfahren und sei nicht bereit, die Affäre auf Bataillonsebene abblocken zu lassen.

»Dieser blöde Arsch«, sagte der Bataillonskommandant leidenschaftslos.

»Er ist in letzter Zeit etwas aus den Fugen«, sagte Michael, der gelegentlich noch immer gefährlich nahe an einem Weinkrampf war.

»Wenn Sie so weitermachen, wird man Sie einsperren«, sagte der Regimentsarzt. »Sie verlieren dann alles, was Sie nach dem Krieg mit Stolz auf der Brust tragen sollten.«

»Sollen Sie mich doch einsperren«, sagte Michael müde.

»Aaach, jetzt steigen Sie endlich runter, Mike!« sagte der Kommandeur. »Sie sind zehnmal soviel wert wie er, und das wissen Sie auch!«

»Ich will nur raus aus allem«, sagte Michael und schloß die Augen. »Oh, ich hab' so genug vom Krieg, den Männern, dem ganzen Scheiß!«

Die beiden Offiziere tauschten Blicke.

»Was Sie brauchen, ist Ruhe«, sagte der Arzt rasch. »Es ist alles vorüber, auch das Geschrei. Wie wär's denn mit einem netten, gepflegten Bett in einem netten, gepflegten Hospital mit einer netten, gepflegten Schwester, die sich um Sie kümmert?«

Michael hatte die Augen geöffnet. »Klingt nach Paradies«, sagte er. »Was muß ich tun, damit ich hinkomme?«

»Gehn Sie weiter rum wie ein Schlafwandler«, sagte der Regimentsarzt und grinste. »Ich schicke Sie wegen Verdachts auf geistige Verwirrung nach Stützpunkt 15. Auf Ihren Entlassungspapieren wird's nicht auftauchen, da haben Sie unser Wort. Das wird unseren Freund zwingen, sein Sirenengeheul einzustellen.«

Also wurde der Pakt besiegelt. Michael händigte sein Owen-Gewehr samt Munition aus, wurde mit einem Ambulanzwagen zum Flugfeld gefahren und von dort nach Stützpunkt 15 geflogen.

Ein nettes, gepflegtes Bett in einem netten, gepflegten Hospital, mit einer netten, gepflegten Schwester, die sich um ihn kümmerte. Aber paßte diese Bezeichnung auf Schwester Langtry? Er hatte sie sich mehr in den Vierzigern, dicklich, mütterlich im wahren Sinn vorgestellt. Nicht wie ein biegsames, feingliedriges Ding, kaum älter als er selbst, mit dem Auftreten eines Brigadiers und dem Scharfsinn eines Feldmarschalls . . .

Er erwachte aus seinen Träumereien, sah, daß Benedict ihn unverwandt anstarrte, und hatte ihm mit unverhohlener Sympathie zugelächelt, ehe die Alarmglocke bei ihm anschlug. Nein, nie wieder! Auch nicht bei diesem armen Teufel mit dem sehnsüchtigen halbverhungerten Blick des heimatlosen Straßenköters. Nie, nie wieder. Nun, wer gewarnt war, war gerüstet. Diesmal konnte er dafür sorgen, daß, was er an Freundschaft zu geben hatte, begrenzt sein würde. Nicht, daß er Benedict für homosexuell gehalten hätte. Ben brauchte nur dringend einen Freund, und von den anderen war keiner im mindesten an ihm interessiert. Kein Wunder. Diese Steifheit hatte Michael auch schon bei anderen Männern gesehen, und sie führte immer dazu, daß sie einsam blieben. Nicht so sehr deshalb, weil sie jeden, der sich ihnen näherte, zurückstießen, sondern weil sie so seltsam reagierten, etwa anfingen, sich über Religion auszulassen oder über sonst ein Thema, für das sich kaum jemand interessierte. Wahrscheinlich jagte er den Mädchen Todesangst ein, und sie ihm ebenfalls. Ben schien ihm zu jener Sorte Menschen zu gehören, deren Leben von geistiger Leere geprägt war und die von innen nach außen verdorrten. Nicht verwunderlich, daß er Schwester Langtry liebte; sie behandelte ihn normal, wohingegen die anderen ihn für einen armen Narren ansahen. Was sie bei ihm spürten, ohne es wirklich zu erkennen – da war Neil vielleicht der einzige, der genug Erfahrung hatte, um es eindeutig zu sehen –, das war seine Gewalttätigkeit. O Gott, was für ein Soldat mußte er gewesen sein!

In diesem Augenblick rührte sich Benedict. Sein Gesicht verzerrte sich, die Nüstern blähten sich, der Blick wurde glasig. Er wurde zu Stein.

Michael wandte den Kopf, um festzustellen, was Benedict gesehen hatte. Und da war Luce in der Ferne, kam vom anderen Ende des Strandes auf sie in geziertem Stechschritt zu, in der Pose des Rettungsschwimmers, seinen prächtigen Körper zur Schau stellend, den die Sonne golden färbte, seinen langen, dicken Penis als Herausforderung aller auf dem Strand Befindlichen vor sich hertragend.

»Aas!« sagte Neil und grub seine Zehennägel in den Sand, als begänne er sich im Sand einzugraben. »Gott, wenn ich nur genug Schneid hätte, ein Rasiermesser zu nehmen und an dem Ding herumzuschnipseln!«

»Wenn ich ihn nur einmal sehen könnte«, sagte Matt sehnsüchtig.

»Ein unvergeßlicher Anblick«, sagte Michael amüsiert.

Luce kam bei ihnen an, schwang graziös herum und stand thronend da, mit einer Hand geistesabwesend seine unbehaarte Brust liebkosend. »Tennis gefällig?« fragte er und schwang in der anderen Hand ein unsichtbares Rakkett.

»Ah, hier gibt's einen Tennisplatz?« fragte Michael ehrlich erstaunt. »Dann machen wir gleich ein Match.«

Luce starrte ihn mißtrauisch an. Langsam dämmerte ihm auf, daß das Angebot nicht ernst gemeint war. »Du willst mich wohl aufs Kreuz legen, du Witzbold?« fragte er erstaunt.

»Ob mir das gelingt?« sagte Michael grinsend. »Mit drei Beinen bist du standfest genug.«

Matt und Neil brüllten los. Benedict ließ sich zu einem schüchternen Gegacker herbei, von der Gruppe in der Nähe kam ein Echo. Sie hatten verbotenerweise gelauscht.

Luce stand verblüfft da, wußte nicht, was er tun oder sagen sollte. Eine Pause entstand, schien eine Ewigkeit zu dauern. Dann hob er die Schultern, ging aufs Wasser zu, als ob das seit je seine Absicht gewesen wäre. »Sehr gut, Mike«, sagte er über die Schulter hinweg. »Wirklich schön, daß er dir aufgefallen ist!«

»Wer kann einen solchen Bolzen schon übersehen? Hab' zuerst gedacht, er ist beim Bau der Sydney Harbor Bridge übriggeblieben!« rief ihm Michael nach.

Jetzt gab die Gruppe daneben jeden Anschein der Uninteressiertheit auf und ergab sich lautem Gelächter. Luces großer Auftritt wurde zur Farce. Neil nahm eine Handvoll Sand und schleuderte sie übermütig auf Michael. »Genau ins Schwarze, mein Sohn«, sagte er und wischte sich die Augen. »Mein Gott, wie gern hätte ich das gesagt!«

Als Schwester Langtry kurz nach fünf ihren Dienst antrat und feststellte, daß ihre übrigen Schutzbefohlenen eindeutig beschlossen hatten, Michael zu mögen, war ihr nach Jubel und Fahnenschwingen zumute. Es bedeutete ihr viel, daß sie ihn mochten, ihn, der ihnen im allerletzten Moment aufgedrängt worden war. Warum es ihr so wichtig war, hätte sie nicht zu sagen gewußt. Wahrscheinlich freute sie sich für ihn und nicht so sehr über die Haltung der anderen.

Wenn sie Zweifel gehabt hatte, ob er sich auf Station X würde einfügen können, so war es in erster Linie wegen

Neil gewesen, der auf X Leitbulle war. Neil hatte ihn nicht freundlich empfangen. Und Neil war, mochte er sich auch darüber lustig machen, eine Führernatur, der geborene Autokrat. Die anderen blickten zu ihm auf, selbst Luce, und so stand es in seiner Macht, Station X zu Himmel, Hölle oder Knast zu machen.

Benedict tauchte auf und war beglückt zu erfahren, daß Michael Schachspieler war. Schach war offenbar Bens einzige Schwäche. Neil langweilte Schach, und Nuggett jagte es einen Schrecken ein. Matt hatte gern gespielt, doch jetzt sei ihm, wie er sagte, das Im-Kopf-Behalten der Stellung der Figuren zu mühsam. Luce war ein guter Spieler, konnte es aber nicht lassen, jedes Spiel Weiß gegen Schwarz als symbolischen Kampf des Guten gegen das Böse umzudeuten, was Ben mehr verwirrte, als ihm nach Schwester Langtrys Meinung guttun konnte. Also hatte sie Ben verboten, mit Luce zu spielen.

Schwester Langtry beobachtete, wie Ben sich nach dem Abendessen vergnügt gegenüber von Michael auf die Bank setzte, vor sich das Brett mit den aufgestellten Figuren. Jetzt ist die Station in völliger Harmonie, dachte sie. Und ich hab' einen Bundesgenossen. Vielleicht gelingt es ihm, mit einem Patienten zurechtzukommen, der sich meinen Bemühungen bisher nicht zugänglich gezeigt hat.

3

Luce glich in mehr als einer Hinsicht einer Katze: er bewegte sich nicht nur so, er konnte auch im Dunkeln sehen. Daher hatte er keine Taschenlampe bei sich, als er barfuß zwischen verlassenen Gebäuden hindurchschritt und auf einen Punkt am Ende des Schwesternstrandes zuhielt, wo dieser jäh in den Felskopf endete, den Schwester Langtry Michael irrtümlich als Landzunge beschrieben hatte.

Die Militärpolizisten waren in letzter Zeit lax geworden, wie Luce sehr wohl wußte. Der Krieg war vorüber, Stützpunkt 15 war bereits jetzt ein Leichnam, und die Luft schien rein. Was die Militärpolizei anlangte, so meldeten Luces Antennen »Zero«.

Heute war er auf dem Weg zu einem wichtigen Stelldichein. Wie herrlich leicht und stark und fast schmerzhaft lebendig er sich fühlte. O ja, kleine Miß Bankdirektor! Es war nicht leicht gewesen, sie zu diesem Treffen zu überreden, und sie hatte erst nachgegeben, als sie erkannte, daß es nur zwei Möglichkeiten gab, ihn zu sehen: die verbotene und die vor aller Augen auf der Veranda der Schwesternmesse. Sie war im Offiziersrang, er ein Gemeiner, und während man den harmlosen Umgang zwischen alten Schulkameraden ohne weiteres zuließ, brachte jeder intimere Kontakt scharfen Tadel und disziplinäre Schritte von seiten der Oberschwester, die eine strenge Verfechterin der militärischen Konventionen war. Doch es war ihm gelungen, sie zu einem Rendezvous nach Einbruch der Dunkelheit zu überreden, und er hatte keinen Zweifel, wie die Sache laufen würde. Die größte Hürde lag ja bereits hinter ihm.

Kein Mondlicht verriet sie, nur ein schwacher silbriger Schimmer, unirdisch in seiner Helle, und das kalte Licht der Spiralnebel und Sternenhaufen entlang der Milchstraße, lagen über dem stillen Ort. Unschwer erkannte er ihre Gestalt vor den dunkleren Schatten und schritt rasch aus, bis er neben ihr stand.

Sie tat einen hastigen Atemzug. »Ich habe dich nicht gehört«, sagte sie und schauderte leicht.

»Dir kann unmöglich kalt sein in einer solchen Nacht«, sagte er und rieb über die Gänsehaut auf ihrem Handrükken.

»Das sind die Nerven. Ich bin es nicht gewohnt, mich so davonzustehlen – noch dazu wohne ich nicht in einem schönen, sicheren Schwesternheim in Sydney.«

»Beruhige dich, ist ja alles in Ordnung! Wir setzen uns da drüben hin und rauchen eine Zigarette.« Er ergriff sie am Ellenbogen und führte sie hinunter zum Strand. Dort setzte er sich weit genug von ihr nieder, um sie nicht zu ängstigen. »Ich bin nicht geizig, aber hast du zufällig Fabrikzigaretten?« sagte er, und seine Zähne schimmerten im fahlen Licht. »Ich kann dir eine drehen, aber vielleicht magst du den Geschmack nicht.«

Sie suchte mit der Hand in einer Tasche ihrer Buschjacke und brachte eine Packung Craven As zum Vorschein, die er nahm, ohne daß seine Finger die ihren berührten. Dann brachte er eine intime Note ins Spiel, indem er die Zigarette in seinem Mund entzündete und sie ihr dann reichte. Für sich zog er sein Rauchzeug hervor und begann, sich gemächlich eine Zigarette zu drehen.

»Wird man nicht die Glut sehen?« fragte sie.

»Könnte sein, aber es ist nicht wahrscheinlich«, sagte er sorglos. »Die Schwestern sind ein zahmer Verein, deshalb kümmern sich die MPs nicht um Plätze wie diesen.« Er wandte den Kopf ihrem Profil zu. »Wie geht's der alten Stadt?«

»Ein bißchen leer.«

Es kam ihm nur schwer über die Lippen. »Wie geht's meiner Mutter? Und den Schwestern?«

»Wann hast du zuletzt von ihnen gehört?«

»Vor ein paar Jahren.«

»Was? Schreiben sie nicht?«

»Oh, ununterbrochen! Ich lese nur ihre Briefe nicht.«

»Dann tu nicht, als ob es dich interessieren würde.«

Die gescheite Attacke überraschte ihn. »Wir haben etwas zu bereden, ist doch so?« sagte er sanft und tätschelte ihre Hand. »Du bist nervös.«

»Du bist so, wie du auch in der Schule warst!«

»Keine Spur. Seither ist zu viel Wasser unter der Sydney Harbor Bridge durchgeflossen.«

»War's schlimm?« fragte sie ihn. Er tat ihr leid.

»Du meinst den Krieg? Manchmal.« Er mußte an das Büro denken, in dem er gesessen hatte, an den schönen, sicheren Job bei dem Major mit der schwabbeligen Gallertfigur, der nominell sein Chef gewesen war; dabei hatte es sich in Wirklichkeit eher umgekehrt verhalten. Luce seufzte. »Ein Mann muß seine Pflicht tun, wie du weißt.«

»Oh, ich weiß.«

»Es tut gut, ein freundliches Gesicht zu sehen«, sagte er nach einem kurzen Schweigen.

»So geht's mir auch. Ich war so froh, als die Verhältnisse es möglich machten, daß ich in die Armee ging, aber es wurde überhaupt nicht das, was ich mir erwartet hatte. Natürlich würde es anders sein, wenn noch Krieg wäre. Aber Stützpunkt 15 ist ein ziemlich totes Nest, nicht wahr?«

Er lachte leise. »Eine treffende Beschreibung.«

Die Frage, die ihr auf den Lippen brannte, entschlüpfte ihr, bevor sie sie unterdrücken oder vorsichtig formulieren konnte. »Was machst du eigentlich auf Station X, Luce?«

Seine Antwort hatte er sich zurechtgelegt, seit für ihn feststand, was er mit Miß Bankdirektor vorhatte. »Kriegsmüdigkeit, so einfach ist das«, sagte er und holte tief Atem. »Passiert den besten Leuten.«

»Oh, Luce!«

Der schlechteste Dialog, der je geschrieben worden ist, dachte er. Aber das Leben ist so. Wozu Shakespeare verheizen, wenn Daggett reicht?

»Ist dir schon wärmer?« fragte er.

»Viel wärmer! Es ist heiß hier, nicht wahr?«

»Wie wär's mit einem Bad?«

»Jetzt? Ich hab' keinen Badeanzug dabei.«

Jetzt bis vier zählen, dann: »Es ist finster, ich kann dich gar nicht sehen. Und selbst wenn ich könnte, würde ich nicht hinsehen.«

Natürlich wußte sie so gut wie er, daß sie, indem sie bereit war, ihn hier zu treffen, auch bereit war, ihm zu erlauben, was er sich erlauben würde. Aber das Ritual verlangte Zug um Zug, einerseits zur Beruhigung des Gewissens, andererseits, um die Geister der Eltern günstig zu stimmen. Sie lechzte danach, und sie wollte ihn haben, aber er durfte nicht denken, sie sei ein leichtes Mädchen.

»Also gut. Aber nur, wenn du zuerst reingehst und versprichst, drinzubleiben, bis ich wieder aus dem Wasser bin und mich angezogen habe«, sagte sie zögernd.

»Schon geschehen!« rief er, sprang hoch und warf die Kleider mit der Schnelligkeit und Geschicklichkeit des gelernten Schauspielers von sich.

Sie wollte ihn im Wasser nicht aus den Augen verlieren und beeilte sich daher ebenfalls, doch mit Schuhen und Unterkleidung kam sie nicht so rasch zurecht.

»Luce! Wo bist du?« flüsterte sie und watete hinein, bis das Wasser ihre Knie umspülte. Sie befürchtete, er werde sie nun jeden Augenblick spielerisch packen, was sie unreif und kindisch gefunden hätte.

»Hier bin ich«, ertönte es beruhigend. Er war ganz in der Nähe, versuchte aber nicht, sie anzufassen.

Aufatmend watete sie weiter und tauchte ein, bis ihre Schultern unter Wasser waren.

»Ist es nicht schön?« fragte sie. »Komm, schwimm mit mir ein Stück hinaus.«

Sie folgte ihm im phosphoreszierenden Wasser mit kräftigen Schwimmstößen und erfuhr zum erstenmal im Leben das Gefühl des freien, unbekleideten, vom Wasser getragenen Körpers. Es erregte sie zu sehr; sie kehrte um und schwamm zurück, ohne darauf zu achten, ob er weiter hinausschwamm oder auch zum Ufer zurückkehrte.

Es war wie ein Traum, und ihre Gedanken eilten dem schwebenden Körper voraus, gaukelten ihr bereits Umarmung und körperliche Liebe vor. Sie war keine bebende Jungfrau, wußte, was geschehen würde und daß es schöner sein würde als je zuvor, weil sie es mit *ihm* tun würde.

Der Zauber fiel nicht ab, als sie ihn neben sich sah. Sie schwamm nun nicht mehr, ihre Füße fanden Grund, sie stand im Wasser und wartete auf seinen Kuß. Statt dessen umschlang er sie, hob sie empor und trug sie aus dem Wasser zu der Stelle, wo er seine Kleider gelassen hatte, und legte sie darauf. Sie hielt ihm die Arme entgegen, und er ließ sich neben ihr zu Boden sinken und grub sein Gesicht in ihren Hals. Als sie seine Zähne spürte, bäumte sich ihr Körper auf, und sie wimmerte vor Lust, doch aus dem Wimmern wurde ein unterdrückter Schmerzenslaut, denn das waren keine sanften, liebkosenden Bisse. Er biß sie wirklich, mit einer stummen Wildheit, die sie ertragen wollte, weil sie glaubte, er hungere nach ihrem Körper. Doch die Pein hörte nicht auf, wurde unerträglich, sie versuchte loszukommen, aber sein unglaublich starker Griff hielt sie fest. Doch er hatte Erbarmen, ließ von ihrem Hals ab, begann, jetzt weniger heftig, ihre eine Brust mit Bissen zu bedecken. Als die Bisse wieder stärker wurden, konnte sie den Angstschrei nicht mehr zurückhalten. Sie war plötzlich überzeugt, er wolle sie umbringen.

»Luce, bitte nicht! Bitte! Du tust mir weh!«

Ihre dünnen Klagelaute schienen nicht ungehört geblieben zu sein, denn er biß nun nicht mehr, begann ihre Brust zu küssen, aber die Küsse kamen automatisch, hörten bald auf.

Alles war wieder schön, ihre Jugendliebe, ihr Verlangen kehrten zurück, sie stöhnte, murmelte Worte. Er stützte sich über ihr auf, drückte gebieterisch ihre Knie auseinander und schob seine Beine zwischen die ihren. Als sie die Stöße fühlte, griff sie nach unten, um ihn zu führen, ließ mit einem Schauder los, als die richtige Stelle gefunden war, um seine Schultern zu umfassen, ihn zu sich herabzuziehen, sein Gewicht, seine Haut, seine Hände auf ihrem Rücken zu spüren. Aber er wollte nicht, blieb hoch aufgestützt. Hautkontakt nur mit ihrem Unterkörper haltend, als fürchte er, jede andere Berührung nähme ihm Energie, die er jetzt anderswo benötigte. Der erste starke Stoß ließ sie vor Schmerz aufstöhnen, doch sie blieb entspannt, war erregt, wollte es unbedingt haben. Sie ließ die Beine lang ausgestreckt auf dem Boden, damit er nicht so weit in sie eindringen könne, und nahm seinen Rhythmus auf.

Und es wurde schön, wenn sie ihn auch nicht umarmen konnte, weil er Abstand hielt. Seine kräfteraubende Stellung trieb ihre sexuelle Erregung nur langsam dem Höhepunkt zu, doch als sie kam, war es ein wilder, großartiger Höhepunkt, wie sie ihn nie erlebt hatte.

Sie war ihm dankbar dafür, daß er auf sie Rücksicht genommen hatte und erwartete jetzt, er werde gleich mit seinem Höhepunkt nachfolgen. Doch seine beharrlichen, wie von wildem Grimm getriebenen Stöße wollten nicht aufhören. Sie wurde schlaff und erschöpft, und weil sie nicht mehr naß war, begann es weh zu tun. Dann ertrug sie es nicht mehr.

»Um Gottes willen, Luce! Genug! Es ist genug!«

Er verließ sie sofort, ohne zum Höhepunkt gekommen

zu sein. Es war ein Schock für sie. Nie zuvor hatte sie sich freudloser gefühlt, so bar des süßen Triumphes. Sinnlos, ihn zu fragen, ob es für ihn schön gewesen sei. Es war fraglos nicht schön für ihn gewesen.

Aber es lag nicht in ihrer Art, sich wegen der Handlungen anderer in Depressionen zu stürzen; wenn er keine Befriedigung gefunden hatte, dann war das sein Problem, nicht ihres. Einen Augenblick lang blieb sie liegen, in der Hoffnung, er würde sie umarmen, küssen. Doch er tat es nicht. Vom Moment an, als er sie aus dem Wasser trug, bis jetzt hatte er sie nicht geküßt, als ob er fürchtete, die Berührung ihrer Lippen mit den seinen könnte sein Vergnügen beeinträchtigen. Vergnügen? Hatte er überhaupt Vergnügen daran gefunden? Mußte er wohl! Sein Glied war bis zuletzt steif gewesen.

Sie zog die Beine an, rollte sich zur Seite und stützte sich auf den Ellbogen auf. Sie begann nach ihren Zigaretten zu suchen. In dem Augenblick, als sie sie fand, streckte Luce die Hand nach einer aus. Sie reichte sie ihm und beugte sich vor, um ihm Feuer zu geben. Das Licht des brennenden Streichholzes ließ sein Gesicht erkennen, ausdruckslos, die langen dunklen Wimpern gesenkt, um die Augen zu verbergen. Er sog heftig an der Zigarette, und die Streichholzflamme erlosch, als er ebenso heftig ausatmete.

Nun, jetzt hat das blöde Stück sein Glück gefunden, dachte er, auf dem Rücken liegend, die Hände hinter dem Kopf verschränkt, die Zigarette zwischen den leicht geschlossenen Lippen. So lange bumsen, bis sie um Gnade flehten, dann hatten sie kein Recht mehr zur Klage oder Kritik. Auf die kam es ihm nicht an, er konnte, wenn nötig, die ganze Nacht bumsen. Der Akt widerte ihn an, sie widerten ihn an, und er verabscheute sich selber. Der Akt war ein Werkzeug, Werkzeug des Werkzeugs zwischen seinen Beinen, und er hatte sich lange geschworen, nie jemandes Werkzeug zu sein. Stets nur der Macher. Er war der Meister, sie die Diener, und die einzigen, die er nicht seinem Willen unterwerfen konnte, waren Leute wie die Langtry, die sich weder von Meistern noch von Dienern angezogen fühlten. Gott, was hätte er drum gegeben,

Schwester Langtry auf den Knien um ihrer aller Wohlergehen, des Meisters und der Diener, betteln zu sehen . . .

Er schaute auf die Uhr, sah, daß es nach halb neun war. Zeit zu gehen, oder er würde sich verspäten, und er war nicht bereit, Schwester Langtry die Genugtuung zu liefern, ihn bei »Kinnbacke« verpetzen zu können. Er streckte die Hand aus und gab dem neben ihm liegenden nackten Mädchen einen Klaps auf den Popo. »Komm, mein Schatz, ich muß gehen. Es ist spät.«

Er half ihr in die Kleider mit der gewissenhaften Fürsorge einer Kammerzofe, kniete nieder, um ihr die Schuhe zuzubinden und die Gamaschen anzulegen. Hernach klopfte er ihr den Sand ab, zupfte die graue Buschjacke zurecht, machte ihr die Gürtelschnalle zu und korrigierte den Sitz ihres Käppis. Seine eigenen Kleider waren naß geworden, aber er schlüpfte hinein, ohne darauf zu achten.

Dann ging er mit ihr bis zu den Schwesternunterkünften. Dabei hielt er sie am Ellbogen fest, um sie durch die Dunkelheit zu geleiten, tat das aber mit aufreizend wenig Beteiligung.

»Seh' ich dich wieder?« fragte sie, als er stehenblieb.

Er lächelte. »Das wirst du, mein Schatz.«

»Und wann?«

»In ein paar Tagen. Wir dürfen die Sache nicht forcieren, sonst werden wir geschnappt. Ich werde dir auf der Veranda eurer Messe meine Aufwartung machen, und dann können wir etwas verabreden. Gut so?«

Sie stellte sich auf die Zehenspitzen und drückte ihm einen scheuen Kuß auf die Wange, dann ging sie das letzte Stück zum Haus allein.

Er wurde sofort zur Katze, glitt in die Dunkelheit, mied jeden Lichtschein und hielt sich abseits aller Gebäude. Dabei dachte er wieder an denjenigen, an den er die ganze Zeit über gedacht hatte, als er mit ihr Liebe machte: an Sergeant Wilson, Kriegshelden und Schwuli. Er ging jede Wette ein, daß ihn ein in höchster Verlegenheit befindlicher Kommandeur abgeschoben hatte, damit ihm das Kriegsgericht erspart bliebe. Nun ja. Die Neuzugänge auf Station X wurden immer seltsamer.

Es war ihm nicht entgangen, daß Schwester Langtry den

Neuen für gesund und normal hielt. Der baute sie ungeheuer auf! Natürlich glaubte sie nicht, was in den Papieren stand, so was glaubt keine Frau – um so weniger, wenn es sich um einen starken, männlichen Typ handelt wie Sergeant Wilson, gewissermaßen die Erhörung der Gebete einer Jungfrau. Die Frage lautete: Waren mit Sergeant Wilson die Gebete Schwester Langtrys erhört? Luce hatte lange Zeit gedacht, diese Rolle würde Neil übernehmen, doch jetzt war er sich nicht mehr so sicher. Nun, er, Luce, würde selber ein wenig beten, daß die Langtry den Sergeant dem Captain vorzog. Wenn das der Fall war, würde er es leichter haben, seinen Plan auszuführen. Die Langtry sollte vor ihm im Dreck kriechen.

Seine Hoden schmerzten. Der Schmerz strahlte aus bis in seinen Kopf. Im Windschatten eines verlassenen Gebäudes blieb er stehen, um zu urinieren. Aber das Zeug wollte nicht fließen. Er brauchte stets eine Ewigkeit, bis er pissen konnte. Er fummelte an seinem Ding herum, hielt das verachtete Werkzeug zwischen den Fingern und schob in stummer Verzweiflung die Vorhaut vor und zurück. Zwecklos. Ein weiterer Blick auf die Uhr sagte ihm, daß er keine Zeit mehr zu verlieren hatte. Er würde den Schmerz noch einige Minuten aushalten müssen.

Drei

1

Michael war etwa zwei Wochen Patient auf Station X, als Schwester Langtry unter eigenartigen bösen Vorahnungen zu leiden begann. Es war eine krankhafte, schleichende Angst, von der sie heimgesucht wurde und für die jede reale Grundlage fehlte. Im Gegenteil: die Wirklichkeit schien ganz und gar vollkommen. Es gab keine Unterströmungen, jeder mochte Michael, und Michael mochte jeden. Die Männer waren locker und entspannt und hatten's jetzt sicher bequemer, denn Michael spielte für sie Mädchen für alles und tat es gern. Schließlich könne er nicht endlos lesen, erklärte er ihr, am Strand liege er ohnedies auf der faulen Haut und er brauche Bewegung in Form nützlicher Betätigung. Also reparierte er die Leitungsrohre, nagelte und hämmerte. Dank dieses Betätigungsdranges war jetzt an ihrem Bürostuhl an der Lehne ein Kissen festgemacht; die Fußböden glänzten, der Tagesraum war sauberer.

Doch ihre Unruhe wollte nicht weichen. Er ist irgendwie ein Katalysator, der Dinge ins Rollen bringt, dachte sie. Er selbst war seinem Wesen nach unproblematisch, aber man wußte nicht, was er auf Station X zu bewirken vermochte. Station X war seit seiner Ankunft verändert, doch sie hätte nicht sagen können, in welcher Weise. Es lag etwas in der Luft.

Die Hitze wurde drückender, die Luft dampfte. Die leiseste Bewegung ließ den Schweiß in Strömen fließen, das Wasser innerhalb des Riffs nahm eine grüne Färbung an, und der Horizont verschwamm im Dunst. Mit dem Vollmond kam der Regen. Zwei Tage lang goß es ununterbrochen, das Wasser band den Staub und verwandelte ihn schließlich in Schlamm. Schimmel überzog alles: Moskitonetze, Laken, Wandschirme, Bücher, Stiefel, Kleider, Holz, Brot. Doch jetzt, als der Strandbesuch ausfiel, rettete der Schimmel die Männer vor totaler Träge, denn Schwester Langtry spannte sie tüchtig ein und ließ sie mit alkoholgetränkten Lappen den Schimmel entfernen. Sie gab die Order aus, Schuhe und Stiefel müßten an der Vorder- oder Hintertür ausgezogen werden, doch wie durch Osmose drang der Schlamm in alle Winkel der Station, was die Männer auf den Plan brachte, erneut, diesmal bewaffnet mit Eimern, Scheuerlappen und Wischtüchern.

Zum Glück hatte der Regen nichts Deprimierendes an sich, bedeutete er doch nicht den Beginn der kalten Jahreszeit wie in den nördlicheren Breiten. Dieser Regen außerhalb der Regenzeit war erhebend, vermittelte einem das Gefühl der Macht. Wenn aber die Regenzeit einsetzte, wenn der echte Monsunregen kam, dann hatte das verheerende Wirkung, denn dieser Dauerregen war gnadenlos und erdrückend und machte die Menschen zu hilflos umherkriechenden Ameisen.

Aber für den Monsunregen war es noch zu früh, und als der Regen wieder aufhörte, da sahen selbst die graugelben Gebäude von Stützpunkt 15 aus wie blankpoliert.

Ach ja, das war's also! dachte Schwester Langtry und fühlte sich ungeheuer erleichtert. Der Regen war schuld! Er drückt immer auf ihre Stimmung und diesmal auch auf meine.

»Wie dumm«, sagte sie zu Michael und reichte ihm einen Eimer mit Schmutzwasser.

Er legte letzte Hand an die Spülküche, nachdem die Putzkolonne die Arbeit eingestellt hatte und sich die wohlverdiente Ruhe auf der Veranda leistete.

»Was ist dumm?« fragte er, leerte das Wasser in den Abfluß und wischte mit einem Lappen über das Zinkblech.

»Ich hatte das Gefühl, daß sich etwas zusammenbraute. Was sich zusammenbraute, war der Regen, glaub' ich. Nach all den Jahren in den Tropen hätte ich es eigentlich besser wissen müssen.« Sie lehnte sich gegen den Türpfosten und sah ihm zu, wie er mit betonter Gründlichkeit hantierte.

Nachdem der Lappen zum Trocknen über den Rand des

Eimers gehängt war, richtete er sich auf, wandte sich ihr zu und sah sie belustigt an. »Das hätten Sie.« Er griff an ihr vorbei, holte sein Hemd von einem Nagel hinter der Tür und zog es an. »Nach einiger Zeit schafft es einen, nicht wahr? Hier gibt's keine halben Sachen. Ich erinnere mich nicht, je über ein paar Tage Regenwetter zu Hause ins Zittern geraten zu sein, und hier hab' ich erlebt, daß es zu Mord und Totschlag führte.«

»War das auch bei Ihnen der Fall?«

Das Lächeln verschwand kurz und kam dann wieder. »Nein.«

»Wenn nicht der Regen, was war es dann?«

»Das geht nur mich was an«, sagte er, immer noch freundlich.

Ihre Wangen röteten sich. »Es geht auch mich was an, wenn man die Umstände bedenkt. Warum wollen Sie nicht einsehen, daß es besser ist, sich auszusprechen? Sie sind genauso reserviert wie Ben!«

Das Hemd wurde zugeknöpft, in die Hose gesteckt, alles mit größter Selbstverständlichkeit. »Geraten Sie nicht aus der Fassung, Schwester. Und machen Sie sich um mich keine Sorgen.«

»Ich mache mir nicht die geringsten Sorgen um Sie. Aber ich bin lange genug auf Station X, um zu wissen, daß es für meine Patienten besser ist, wenn sie über die Dinge reden.«

»Ich bin nicht Ihr Patient«, sagte er so gelassen, als erwarte er jeden Augenblick, daß sie das Feld räume.

Doch das tat sie nicht. Sie blieb, wo sie stand, eher erbittert als zornig. »Michael, natürlich sind Sie mein Patient! Ein Patient in äußerst stabiler Verfassung, zugegeben, aber man hat Sie nicht ohne guten Grund in Station X eingewiesen!«

»Sie hatten einen sehr guten Grund. Ich wollte einen Kerl umbringen«, sagte er ruhig.

»*Warum?*«

»Die Gründe sind in meinen Unterlagen angeführt.«

»Für mich ist das kein ausreichender Grund.« Ihr Mund wurde schmal. »Ich werde aus Ihren Unterlagen nicht klug. Sie sind nicht homosexuell.«

»Und wie wollen Sie das wissen?« fragte er kühl.

Sie atmete tief ein, hielt aber seinem Blick stand. »Ich weiß es«, sagte sie.

Er lachte, warf den Kopf zurück. »Nun, Schwester, es ist mir egal, warum ich hier bin, warum also sollte es nicht auch Ihnen egal sein? Ich weiß nur eines: Ich bin froh, daß ich hier bin.«

Sie machte von der Tür einige Schritte in den Raum. »Sie weichen mir aus«, sagte sie langsam. »Was wollen Sie verbergen? Welches Geheimnis ist so tief, daß Sie es mir nicht anvertrauen wollen?«

Für einen Augenblick schien es, als würde er seine stete Wachsamkeit aufgeben, und sie konnte sein Gesicht ohne Maske sehen, das Gesicht eines Mannes, der müde und etwas verwirrt war und sich innerlich mit etwas abquälte. Und damit war ihr jede Waffe aus der Hand geschlagen.

»Nein, bemühen Sie sich bitte nicht um eine Antwort«, sagte sie und lachte ihn kumpelhaft an.

Seine Züge wurden weich. »Was mich angeht, Schwester, so bin ich kein großer Redner. Ich *kann* nicht reden.«

»Haben Sie Angst, ich sitze über Sie zu Gericht?«

»Aber nein. Beim Reden muß ich die richtigen Worte finden, und ich finde sie eben nie. Oder zumindest nicht im richtigen Augenblick. Um drei Uhr morgens sind sie dann alle da, ganz wie ich sie brauche.«

»Das geht jedem so. Sie müssen nur einmal damit anfangen! Ich helfe Ihnen dann weiter. Denn ich will Ihnen helfen.«

Er schloß die Augen, stöhnte. »Schwester, ich brauche keine Hilfe!«

Sie gab es auf – vorläufig. »Dann sagen Sie mir, was Sie über Benedict denken.«

»Warum fragen Sie mich über Benedict?«

»Weil Sie mit ihm vorankommen. Ich hatte nie Erfolg mit ihm. Bitte, glauben Sie jetzt nicht, daß mich das ärgert. Ich bin ja froh darüber. Aber es interessiert mich.«

»Benedict.« Er senkte den Kopf und dachte nach. »Ich sagte Ihnen schon, daß ich mit Worten nicht umgehen kann. Was denke ich von ihm? Ich mag ihn. Er tut mir leid. Es geht ihm nicht gut.«

»Seit jenem Überfall auf das Dorf?«

Michael schüttelte bestimmt den Kopf. »O nein! Das geht viel weiter zurück.«

»Ist es vielleicht deswegen, weil er früh seine Eltern verlor? Oder wegen der Großmutter, die ihn aufzog?«

»Kann sein. Schwer zu sagen. Ben ist sich über sich selbst nicht im klaren. Und wenn er es ist, dann weiß er nicht, was er damit anfangen soll. Ich weiß nicht. Ich bin kein Psychiater.«

»Ich auch nicht«, sagte sie traurig.

»Sie machen's schon richtig.«

»Wenn ich ehrlich bin, dann ist Ben der einzige, dessen Fall mich auch später noch bedrücken wird.«

»Sie meinen, wenn er die Armee verläßt.«

»Ja.« Sie suchte nach Worten, wollte Michael, der sich so um den Jungen kümmerte, nicht kränken. »Sehen Sie, ich bin nicht sicher, ob Ben imstande sein wird, selbständig zu werden, so daß er nicht in einer Art geschlossener Anstalt zu leben braucht. Und doch finde ich es nicht fair, seine Einweisung zu empfehlen.«

»In ein Irrenhaus?« fragte er ungläubig.

»So etwas Ähnliches. Wir haben für Leute wie Ben nichts anderes. Aber ich zögere, es zu veranlassen.«

»Es wäre falsch!« rief er.

»Sehr gut möglich. Deshalb zögere ich ja.«

»Es würde ihn umbringen.«

»Ja.« Ihre Augen blickten ihn traurig an. »Sie sehen, mein Job ist kein reines Vergnügen.«

Er legte ihr die Hand auf die Schulter, schüttelte sie leicht. »Tun Sie bloß nichts Voreiliges! Und unternehmen Sie nichts, ohne vorher mit mir zu reden!«

Die Hand lag schwer auf ihr. Sie drehte den Kopf und blickte darauf. »Bens Zustand bessert sich. Das ist Ihnen zu verdanken. Deshalb rede ich jetzt mit Ihnen. Also keine Sorge!«

Neil stand an der Tür. »Wir haben schon gedacht, ihr beide seid in den Ausguß gefallen«, sagte er leicht.

Schwester Langtry trat von Michael weg, der die Hand von ihrer Schulter genommen hatte, als er Neil erblickte. »Nicht gerade in den Ausguß«, sagte sie und lächelte Neil wie um Verzeihung bittend an. Es ärgerte sie sogleich, daß sie sich rechtfertigen zu müssen glaubte.

Michael blieb stehen und sah zu, wie Neil mit einer Art Besitzerpose Schwester Langtry aus der Spülküche geleitete. Er seufzte und folgte ihnen hinaus auf die Veranda. Station X war für ein Privatgespräch ungefähr so geeignet wie ein Promenadenweg. Jeder kontrollierte jeden, und das galt besonders für Schwester Langtry. Wenn sie nicht wußten, wo sie war und mit wem sie war, hatten sie keine Ruhe, bis sie sie fanden. Und bisweilen trieben sie ein wenig geistige Arithmetik, um sicherzugehen, daß sie ihre Zeit gerecht unter sie aufteilte – genauer: unter jene, die zählten. Und Neil war ein Meister in geistiger Arithmetik.

2

AM MORGEN DES NÄCHSTEN Tages war das Wetter von berauschender Milde, was jedermann in beschwingte Stimmung brachte. Nach der Putzarbeit versammelten sich die Männer auf der Veranda, während Schwester Langtry in ihr Büro ging, um dort ihren Papierkram zu erledigen. Am Nachmittag würde der Strand relativ gut besucht sein. Nur solange sie nicht hingehen durften, wurde den Männern bewußt, was es ihnen bedeutete, Kleider und Sorgen von sich werfen zu können, zu schwimmen, in der Sonne zu liegen und sich seliger Betäubung hinzugeben.

Da der halbe Vormittag bereits vorüber war, fehlte die übliche nagende Apathie, und jeder freute sich auf den Strand. Luce legte sich auf eines der Verandabetten, um ein Schläfchen zu machen, Neil lud Nuggett und Benedict ein, mit ihm Karten zu spielen, und Michael nahm Matt mit sich ans andere Ende der Veranda, wo direkt unter dem rückwärtigen Fenster von Schwester Langtrys Büro einige Stühle standen, abgeschieden genug, um jeder Störung zu entgehen.

Matt wollte einen Brief an seine Frau diktieren, und Michael hatte sich bereit erklärt, als Schreiber zu fungieren. Bis jetzt wußte Mrs. Sawyer nichts von Matts Erblindung; er hatte darauf bestanden, daß man es vor ihr geheimhielt, weil er es ihr selbst sagen wollte und weil keiner das Recht hatte, ihm das zu verweigern. Aus Mitleid hatte Schwester Langtry zugestimmt. Sie wußte, der wahre Grund war die verzweifelte Hoffnung Matts, noch vor seiner Heimkehr zu seiner Frau werde ein Wunder geschehen und er werde von seiner Blindheit geheilt sein.

Als sie fertig waren, las Michael Matt den Brief langsam vor:

». . . und da meine Hand noch nicht ganz geheilt ist, hat mein Freund Michael Wilson sich zur Verfügung gestellt, für mich zu schreiben. Aber du brauchst dich nicht zu sorgen, alles ist bestens. Ich weiß, du bist vernünftig genug, um zu wissen, daß sie mich längst nach Sydney zurückgeschickt hätten, wenn die Verwundung ernster Natur wäre. Bitte mach dir meinetwegen keine Sorgen. Gib Margaret, Mary, Joan und der kleinen Pam einen Kuß von Papa und sag ihnen, ich bleib' nicht mehr lange weg. Schau auf dich und die Mädchen. Dein dich liebender Mann Matthew.«

Alle Briefe dieser Art waren steif und unnatürlich abgefaßt, ihr Autoren hatten nie gedacht, sie würden einmal so weit weg von zu Hause sein, daß sie sich der Feder als Mitteilungsmittel bedienen müßten. Außerdem las die Zensur alles, und wer wußte schon, wer die Zensoren waren. Also blieb man kühl und distanziert und widerstand der Versuchung, sich seine Leiden und seinen Kummer von der Seele zu schreiben. Die meisten schrieben regelmäßig nach Hause, wie Kinder, die man in ein Internat verbannt hat, das sie hassen. Wenn man glücklich ist und eine Beschäftigung hat, schwindet der Wunsch, mit seinen Lieben zu verkehren, sehr rasch.

»Wird das genügen?« fragte Matt etwas bang.

»Ich denke schon. Ich stecke ihn jetzt gleich in einen Umschlag und gebe ihn der Schwester noch vor dem Mittagessen... Mrs. Ursula Sawyer... Wie lautet die Adresse, Matt?«

»97 Fingleton Street, Drummoyne.«

Luce kam herbeigeschlendert und warf sich in einen Korbstuhl. »Nein, wenn das nicht Lord Fauntleroy ist, der eben wieder eine seiner guten Taten tut«, sagte er spitz.

»Wenn du nur in Shorts hier in der Sonne sitzt, wirst du Streifen kriegen wie ein Sträfling«, sagte Michael und ließ Matts Brief in seine Tasche gleiten.

»Ach, scheiß' auf die Streifen!«

»Bitte verkneif dir solche Ausdrücke!« sagte Matt und deutete auf die offenen Jalousien von Schwester Langtrys Büro.

»Warte noch, Mike! Ich hab' da einen Brief an Matts Frau, den du auch gleich mitnehmen kannst«, sagte Luce, diesmal so leise, daß nur sie drei es hören konnten. »Soll ich ihn vorlesen? Sehr geehrte Mrs. Sawyer, haben Sie ge-wußt, daß Ihr Mann stockblind ist?«

Ehe man ihn zurückhalten konnte, war Matt aus dem Stuhl, aber Michael trat zwischen die Wütenden und sei-nen Peiniger. Er hielt Matt fest. »Ist schon gut, Kamerad! Er ist wieder einmal ekelig. Beruhige dich jetzt! Alles ist in Ordnung, glaub mir! Er könnte es nicht tun, selbst wenn er wollte. Die Zensoren würden den Brief abfangen.«

Luce genoß die Szene und machte keine Anstalten, seine Beine einzuziehen, als er sah, daß Michael Matt zu den anderen an den Tisch führen wollte. Michael küm-merte sich nicht darum, führte Matt um die ausgestreck-ten Beine herum, und sie entfernten sich ohne ein weite-res Wort.

Nachdem sie weg waren, Matt drüben am Tisch, Mi-chael im Inneren des Hauses, stand Luce auf, ging zum Geländer der Veranda, lehnte sich dagegen, reckte den Kopf und belauschte die aus dem offenen Fenster dringen-den leisen Stimmen von Michael und Schwester Langtry. Obwohl nichts an seiner Stellung und seinem Gehabe ver-riet, daß er zuhörte, bekam er alles mit. Dann wurde drin-nen die Bürotür zugemacht, und alles war wieder still. Luce glitt an den Kartenspielern vorbei und ging hinein.

Er fand Michael im Tagesraum, Butterbrote streichend. Frisches, knuspriges Brot war die einzige Gaumenfreude, die Stützpunkt 15 zu bieten hatte, und das auch erst seit kurzem. Patienten und Personal verschlangen bei jeder Gelegenheit riesige Mengen davon, denn es schmeckte in der Tat ausgezeichnet. Bis neun Uhr abends, zur letzten Schale Tee, war jedes Krümelchen der gar nicht karg bemessenen Tagesration verzehrt.

Der Tagesraum war alles in einem: Küche, Speisekammer und Aufbewahrungsort aller Putzutensilien. Es gab da eine roh behauene Anrichte samt Aufsatz unter einer der mit Lüftungsklappen versehenen Öffnungen an der Wand zur Spülküche. Neben dem Fenster war ein Wasserhahn, und in einiger Entfernung davon stand auf der Anrichte ein Spirituskocher. Kühlmöglichkeit gab es nicht, aber an einem vom Dachgebälk herabhängenden Seil hing ein aus Drahtmaschen verfertigter Fleischbehälter und baumelte träge hin und her wie ein chinesischer Lampion.

Ganz am Ende der Bank stand der kleine, mit Spiritus beheizbare Sterilisator, in dem Schwester Langtry ihre Injektionsgeräte und sonstigen Instrumente auskochte, die sie vermutlich nie brauchen würde. Wie sie es gelernt hatte, hielt sie zwei Spritzen, Injektionsnadeln, Nadeln zum Vernähen von Wunden, die dazugehörigen Halter, gebogene und gerade Pinzetten stets sterilisiert in Bereitschaft, für den Fall, daß ein Patient sich verletzte, rasch eine schmerzstillende Injektion benötigte, von jemandem verletzt wurde oder einen Selbstmordversuch machte. Als Station X eingerichtet wurde, hatte man heiße Debatten darüber geführt, ob die Patienten ihre Rasierklingen, Gürtel und anderen Selbstmordinstrumente behalten sollten und ob man die Küchenmesser unter Verschluß halten müßte. Schließlich einigte man sich, daß das unpraktisch sei, und erst einmal hatte ein Patient, glücklicherweise ohne Erfolg, ein solches Selbstmordwerkzeug benützt. Gewalttätigkeit eines Patienten gegenüber einem anderen war nie vorsätzlich geplant gewesen, so daß man diese Meinung hätte revidieren müssen. Leute, derer man auf Station X nicht Herr wurde, blieben ohnedies nicht dort.

Nach Einbruch der Dunkelheit wimmelte es im Tagesraum von Schaben. Alle hygienischen Maßnahmen dieser Welt wären nicht imstande gewesen, diese Tierchen auszurotten. Sie kamen durchs Fenster hereingeflogen, krochen durch den Abfluß, fielen vom Dach, kamen aus dem Nichts. Wer eine sah, machte sie tot, doch schon war eine andere an ihrer Stelle. Neil organisierte einmal die Woche eine Großjagd, bei der man von jedem, Matt ausgenommen, erwartete, daß er mindestens zwanzig zur Strecke bringe, was wahrscheinlich der Grund dafür war, daß sich die Schabenbevölkerung zahlenmäßig in Grenzen hielt. Jedenfalls war der trübselige kleine Raum stets rein und sauber, so daß es für jede Art Getier nur karge Mahlzeit gab.

Luce stand im Türrahmen und beobachtete Michael eine Weile. Dann holte er aus der Tasche seiner Shorts sein Rauchzeug und begann sich eine Zigarette zu drehen. Obwohl Michael um einen halben Kopf kleiner war als Luce mit seinen 1,85, waren sie einander körperlich durchaus ebenbürtig, breit in Hüften und Oberkörper, ohne Bauchansatz.

Den Kopf nach links drehend, überzeugte Luce sich, daß die Tür zu Schwester Langtrys Büro gegenüber dem Tagesraum geschlossen war.

»Ich geh' dir wohl nie auf die Nerven, oder?« fragte er, während er aus den Tabakfasern gemächlich einen Zylinder drehte. Ein Stück Zigarettenpapier hing an seiner Oberlippe und flatterte auf und nieder, als er sprach.

Als Michael keine Antwort gab, wiederholte er die Frage in einem Ton, der jeden hätte hochgehen lassen. »*Ich geh' dir wohl nie auf die Nerven, oder?*«

Michael ging nicht hoch, sondern sagte: »Warum solltest du das?«

»Weil ich den Leuten gern auf die Nerven geh'! Hab' es gern, wenn sie sich krümmen und winden. Vertreibt die gottverdammte Langeweile.«

»Es wäre besser, du würdest dich damit beschäftigen, einen angenehmen und nützlichen Zeitgenossen abzugeben.« Die beißende Art, in der Michael das sagte, verriet seinen noch schwelenden Ärger wegen Matt.

Die halbgedrehte Zigarette fiel achtlos zu Boden, das Zigarettenpapier flatterte fort, als er es von sich spie. Luce durchquerte mit einem Satz den Tagesraum, packte Michael fest am Oberarm und riß ihn herum.

»Was glaubst du, wer du bist? Wag es ja nicht, mich wie dein Kind zu behandeln!«

»Das klingt so, als ob es in einem deiner Rollenbücher gestanden hätte«, sagte Michael und sah Luce fest an.

Sekundenlang standen sie unbeweglich und fixierten einander.

Dann entspannten sich Luces Finger, doch er nahm die Hand nicht von Michaels Oberarm, sondern strich statt dessen kosend über die geröteten Stellen, wo er zugegriffen hatte.

»In dir sitzt ein Wurm. Unser Michael hat einen Wurm, nicht wahr?« flüsterte Luce. »Schwesterchens kleiner blauäugiger Darling hat einen Wurm, den sie nicht ein bißchen mögen würde. Aber ich weiß, was für ein Wurm es ist, *und* ich weiß auch, was man dafür tun kann.«

Die Stimme klang heimtückisch, fast hypnotisch, und die Hand glitt Michaels Oberarm hinab, über seine Faust, entwand ihr sanft das Buttermesser. Keiner der beiden schien zu atmen. Dann, als Luces Kopf näher kam, öffneten sich Michaels Lippen, er holte zwischen zusammengebissenen Zähnen zischend Luft, und seine Augen loderten auf.

Sie hörten beide zugleich das Geräusch und wandten sich um. Schwester Langtry stand im Türrahmen.

Luce ließ wie beiläufig die Hand sinken, nicht zu rasch, damit es nicht aussah, als fühlte er sich ertappt, dann erst trat er einen Schritt zurück.

»Noch nicht fertig, Michael?« fragte Schwester Langtry. Ihre Stimme klang etwas anders als sonst, im übrigen schien sie unverändert; selbst ihre Augen verrieten keinerlei Unruhe.

Michael nahm das Buttermesser wieder auf. »So gut wie, Schwester.«

Luce verließ seinen Platz, schnitt Schwester Langtry, als er an ihr vorbeiging, eine boshafte Fratze und verließ den Raum. Der Luftzug hinter ihm bewegte das Zigarettenpapier und die Tabakfasern.

Tief einatmend, betrat Schwester Langtry den Raum, und es war ihr gar nicht bewußt, daß sie unablässig mit den Handflächen, wie um sie zu trocknen, über ihr Schwesternkleid strich. Sie blieb stehen, wo sie Michael im Profil vor sich hatte und zusehen konnte, wie er die bestrichenen Brote in schmale Segmente schnitt und diese auf einem Teller aufhäufte.

»Was war hier los?« fragte sie.

»Nichts.« Es klang unbeteiligt.

»Sind Sie sicher?«

»Ganz sicher.«

»Er hat nicht . . . versucht, Sie zu attackieren?«

Michael wandte sich dem Spirituskocher zu. Das Wasser im Teekessel brodelte heftig. O Gott, warum ließ man ihn nicht in Ruhe? »Versucht, mich zu attackieren?« wiederholte er stumpf, in der Hoffnung, es würde sie ablenken.

Sie versuchte ihre Gedanken und Gefühle in eine Ordnung zu zwingen, weil sie wußte, kaum je so außer Fassung gewesen zu sein. »Ich sage Ihnen was, Michael«, begann sie ohne Zittern in der Stimme. »Ich bin jetzt ein großes Mädchen, und ich mag es nicht, wenn man mich wieder zum kleinen Mädchen macht. Warum müssen Sie mich dauernd behandeln, als wäre alles, was Ihnen im Kopf rumgeht, zu hoch für mich? Ich frag' Sie nochmals – ist Ihnen Luce irgendwie zu nahe gekommen? *Ja oder nein?*«

Michael ließ einen brodelnden Wasserstrom vom Kessel in den wartenden leeren Topf fließen. »Nein, Schwester, ist er wirklich nicht. Das war nur einer der typischen Luce-Auftritte.« Ein schwaches Lächeln entstand in seinem Mundwinkel. Er stellte den Teekessel auf den Kocher, machte die Flamme aus und drehte sich zu ihr um. »Es ist ganz einfach. Er wollte bloß rauskriegen, wie man mich reizen kann. So hat er es zumindest ausgedrückt. Aber es gelang ihm nicht. Leute wie Luce sind mir schon begegnet. Egal wie sehr man mich provoziert, ich werde nie wieder die Kontrolle über mich verlieren.« Er ballte die eine Hand zur Faust. »Ich kann und darf nicht! Ich habe Angst vor dem, was ich dann vielleicht tue.«

Der *Wurm* in ihm. Komisch, daß Luce es gerade so formuliert hatte. Ihr Blick blieb auf seiner nackten Schulter und den blonden Haarbüscheln auf seiner Brust haften; sie war sich nicht sicher, ob die Wasserperlen, die auf der Haut saßen, vom Schweiß oder vom Dampf des Teewassers herrührten. Plötzlich hatte sie Angst davor, seinem Blick zu begegnen, es wurde ihr leicht in Kopf und Magen, sie fühlte sich wieder so hilflos und unzulänglich wie damals, als sie sich als kleines Mädchen zum erstenmal in irgendeinen hoch in den Wolken thronenden Erwachsenen verknallte.

Die Farbe war aus ihrem Gesicht gewichen, sie schwankte. Er reagierte schnell, weil er dachte, sie sei einer Ohnmacht nahe, legte ihr den Arm um die Mitte und hielt sie fest, ja hob sie beinahe, so daß sie kein Gewicht mehr in den Beinen spürte. Sie fühlte nichts als die Berührung seines Armes und seiner Schulter, und plötzlich stieg eine Welle in ihr hoch, floß in Kopf und Brüste, schwoll erschreckend.

»O Gott, nein!« rief sie, wand sich los, rettete sich in einen warnenden Protest gegen Luce, indem sie mit der Faust auf die Anrichte hieb. »Er ist gefährlich!« sagte sie. »Er tötet, wo er kann, nur um zusehen zu können, wie das Leben zuckend entweicht.«

Nicht nur sie war in höchster Erregung. Michaels Hand, die den Schweiß vom Gesicht strich, zitterte, und er mußte sich abwenden und sich zwingen, ruhig zu atmen.

»Es gibt nur ein Mittel, mit Luce fertig zu werden«, sagte er, »und das ist, sich nicht von ihm reizen zu lassen.«

»Was er braucht, sind sechs Monate harter Arbeit mit Pickel und Spaten.«

»So was würde ich auch brauchen. Jeder auf der Station.« Er sprach wieder ruhig und weich, fand die Kraft, das Tablett aufzunehmen. »Kommen Sie, Schwester. Nach einem Täßchen Tee fühlen Sie sich gleich besser.«

Sie brachte eine Art Lächeln zuwege und sah ihn an, wußte nicht, ob sie sich schämen oder freuen solle, suchte in seinem Gesicht nach der Antwort, doch außer in den Augen war da nichts zu sehen; nur die geweiteten Pupillen ließen auf den hohen Grad seiner Erregung schließen.

Luce ließ sich weder im Stationsgebäude noch auf der Veranda blicken. Die Kartenspieler beendeten beim Anblick des Teetopfes, dessen Ankunft sie seit einiger Zeit erwarteten, dankbar ihr Spiel.

»Je mehr ich schwitze, desto mehr Tee trinke ich«, sagte Neil, leerte seine Schale mit einem Zug und hielt sie hin, um noch mehr zu bekommen.

»Zeit, die Salztablette zu nehmen, mein Bester«, sagte Schwester Langtry bemüht heiter und unbeschwert.

Neil warf ihr einen schnellen Blick zu; die anderen desgleichen.

»Ist etwas, Schwester?« fragte Nuggett besorgt.

Sie lächelte, schüttelte den Kopf. »Ein leichter Anfall von Luce-Allergie. Wo ist er übrigens?«

»Ich hab' das Gefühl, er hat sich in Richtung Strand verzogen.«

»Vor eins? Das sieht ihm nicht ähnlich.«

Nuggett grinste, dabei verstärkten seine zwei vorstehenden oberen Schneidezähne den Eindruck der Nagetierhaftigkeit. »Hab' ich gesagt, er ist schwimmen gegangen? Hab' ich gesagt, zu welchem Strand? Bloß ein kleiner Spaziergang, und wenn er dabei zufällig eine junge Dame trifft – nun, dann werden die beiden ein bißchen miteinander plaudern, das ist alles.«

Michael seufzte hörbar und sah Schwester Langtry an, als wollte er sagen: Siehst du, ich hab' ja gesagt, es ist kein Grund zur Sorge. Bequem lehnte er sich zurück und verschränkte die Arme hinter dem Kopf, seine Brustmuskeln spannten sich, in den Achselhöhlen klebten die schweißnassen Haare an der Haut.

Wieder spürte sie, daß die Farbe aus ihrem Gesicht wich. Mit großer Anstrengung brachte sie ihre Schale auf die Untertasse zurück, ohne Tee zu verschütten. Das ist lächerlich! schalt sie sich eigensinnig. Ich bin kein Schulmädchen mehr, sondern eine erwachsene, erfahrene Frau!

Neil, steifer denn je, streckte die Hand aus und legte sie beruhigend auf die ihre. »Nur ruhig! Was ist los, Schwester? Kriegen Sie Fieber?«

Sie erhob sich, ohne zu schwanken. »Muß wohl so sein. Kommen Sie zurecht, wenn ich früher gehe? Oder soll ich lieber die Oberschwester bitten, nach dem Mittagessen Ersatz zu schicken?«

Neil geleitete sie ins Gebäude hinein, während die anderen am Tisch sitzen blieben und betreten dreinsahen.

»Schicken Sie uns um Gottes willen keinen Ersatz, tun Sie uns das nicht an!« bettelte Neil. »Wenn Sie das tun, drehn wir glatt durch. Kommen Sie allein wieder in Ordnung? Ich glaube, es ist besser, wenn ich Sie zu Ihrem Quartier begleite.«

»Nein, Neil, wirklich nicht. Es kann nichts anderes sein, als daß ich heute eben nicht ganz in Ordnung bin. Vielleicht das Wetter. Versprach kühl und trocken zu werden, und jetzt ist es die reinste Waschküche. Wenn ich mich am Nachmittag etwas hinlege, wird's mir besser gehen.« Sie teilte den Fadenvorhang und lächelte ihn über die Schulter hinweg an. »Wir sehen uns heute abend.«

»Aber nur, wenn es Ihnen besser geht, Schwester. Wenn nicht, dann machen Sie sich keine Sorgen. Und bitte, kein Ersatz. Hier ist es friedlich wie in einem Grab.«

3

Schwester Langtrys Unterkunft war ein Ein-Zimmer-Apartment mit Veranda davor. Man hatte zehn davon in einer Reihe im typischen Stützpunkt-15-Baustil errichtet, und jedes dieser rachitischen Bauwerke befand sich auf Pfählen drei Meter über dem Erdboden. Vier Monate lang war sie nun schon die einzige Bewohnerin des Blocks, nicht aus Ungeselligkeit, sondern aus dem Gefühl heraus, daß ein erwachsener Mensch auch einmal ganz für sich sein mußte. Seit dem Eintritt in die Armee 1940 hatte sie stets ihre Unterkunft mit jemandem teilen müssen; im Feldlazarett hatten vier ein kleines Zelt gemeinsam bewohnt. Verglichen damit, war Stützpunkt 15 ein kleines

Paradies. Sie hatte wohl anfangs ihr Zimmer, dasselbe, das sie jetzt bewohnte, mit jemandem teilen müssen, und der Zehnerblock summte und vibrierte damals noch von einer zahlreichen, eng beieinander lebenden weiblichen Bewohnerschaft. Kein Wunder, daß mit dem Schrumpfen des Pflegepersonals jeder trachtete, möglichst großen Abstand vom anderen zu halten und alle im Luxus des Alleinseins schwelgten.

Schwester Langtry schloß auf und ging sofort zu ihrem Schreibtisch. Sie öffnete die oberste Lade und entnahm ihr ein Fläschchen mit Nembutaltabletten. Auf dem Schreibtisch stand eine Karaffe mit abgekochtem Wasser, über deren Hals ein billiges Glas gestülpt war. Sie hob das Glas ab, goß Wasser ein und schluckte eine Tablette, ehe sie es sich anders überlegen konnte. Aus dem verblichenen Spiegel über dem Schreibtisch blickten sie leere, dunkel umrandete Augen an. Sie zwang sich, den Blick auszuhalten, bis das Nembutal zu wirken begann.

Mit geübter Hand fand und löste sie die beiden Klammern, die ihren Schleier hielten, nahm das ganze Bauwerk von ihrem schweißnassen Haar und legte es auf einen Stuhl, wo es steif und ohne Inhalt lag und sich über sie lustig zu machen schien. Sie ließ sich auf dem Bettrand nieder, schnürte ihre Schuhe auf, zog sie aus und stellte sie säuberlich nebeneinander auf den Boden, weit genug entfernt, damit sie nicht beim Aufstehen darauftrete. Dann stand sie auf, um Uniform und Unterkleider auszuziehen.

Hinter der Tür hing ein Baumwollbademantel mit Orientmuster. Sie legte ihn um und ging, um im feuchtkalten nüchternen Badehaus zu duschen. Erfrischt und mit einem losen Baumwollpyjama bekleidet, legte sie sich aufs Bett und schloß die Augen. Das Nembutal wirkte, sie fühlte sich schwindlig und verspürte leichte Übelkeit, wie nach zuviel Gin. Aber wenigstens wirkte es. Sie seufzte, wollte dem Zugriff des Bewußtseins entkommen, dachte, liebe ich ihn, oder ist es etwas ganz anderes als Liebe? Oder bin ich des normalen Lebens völlig entwöhnt, habe zu brutal meine normalen Gefühle unterdrückt? Ja, das könnte es sein. Hoffentlich ist es das. Nicht Liebe. Nicht hier. Nicht mit ihm. Er scheint gar nicht der Typ Mann zu sein, dem Liebe was bedeutet . . .

Die Bilder verschwammen, verwackelten, lösten sich auf. Sie überließ sich dankbar dem Schlaf, im Wunsche, nie wieder aufwachen zu müssen . . .

4

ALS SIE AM ABEND GEGEN sieben die Rampe zu Station X hinaufschritt, begegnete sie Luce in der Tür. Er wollte flink an ihr vorbei, doch sie trat ihm in den Weg und setzte eine grimmige Miene auf.

»Ich habe mit Ihnen zu reden.«

Er rollte die Augen. »Ach, Schwester, seien Sie gütig! Ich hab' eine Verabredung!«

»Lassen Sie sie sausen. Im Haus, Sergeant.«

Luce stand da und sah ihr zu, wie sie ihr Käppi mit dem rotgestreiften grauen Band abnahm und dort aufhängte, wo tagsüber ihr roter Überwurf hing. Im soldatengrünen Zeug gefiel sie ihm besser.

Als sie sich hinter ihren Schreibtisch gesetzt hatte, sah sie, daß er mit verschränkten Armen an der Wand gleich neben der Tür lehnte, bereit, schnell abzuhauen.

»Kommen Sie herein, schließen Sie die Tür und nehmen Sie Haltung an, Sergeant«, sagte sie knapp und wartete, bis er ihr gehorcht hatte. Dann fuhr sie fort. »Ich möchte, daß Sie mir genau erklären, was heute morgen im Tagesraum zwischen Ihnen und Sergeant Wilson vorgefallen ist.«

Er hob die Schultern, schüttelte den Kopf. »Nichts, Schwester.«

»Nichts, *Schwester*. Nach nichts hat es nicht ausgesehen.«

»Nach was hat es denn ausgesehen?« Er grinste, schien eher erheitert als beunruhigt.

»Nach einer Art homosexueller Annäherung an Sergeant Wilson.«

»War es auch«, sagte er einfach.

Sie war so verblüfft, daß sie erst nach Worten suchen mußte, ehe sie sagen konnte: »Aber warum?«

»Oh, es war bloß ein Experiment. Der is' ein Schwuler. Ich wollte sehen, was er macht.«

»Das ist Verleumdung.«

Er lachte. »Soll er mich doch verklagen! Ich sag' Ihnen, der is' total schwul.«

»Was noch nicht erklärt, daß Sie ihm Avancen machten, oder? Lassen wir doch einmal Sergeant Wilson aus dem Spiel. Sie sind nicht das kleinste bißchen homosexuell.«

So schnell, daß sie unwillkürlich zurückwich, saß er seitlich auf dem Tischrand und ließ sich auf die Hüfte gleiten, so daß sein Gesicht dem ihren ganz nah war. Sie konnte sogar die außergewöhnliche Farbstruktur seiner Iris wahrnehmen, diese Vielfalt von Streifen und Flecken, die die Augen nie in gleicher Farbe zeigten. Seine Pupillen waren vergrößert und reflektierten das Licht. Ihr Herz klopfte rascher, da war wieder jener Effekt von damals, in den ersten zwei Tagen. Sie fühlte sich müde, wie in Hypnose. Aber was er nun sagte, riß sie aus dem Zauber.

»Süße, ich bin was Besonderes«, sagte er weich. »In jeder Hinsicht! Jung, alt, männlich, weiblich – für mich ist alles Fleisch.«

Ihr Ekel ließ sie keuchend Atem holen. »Hören Sie auf. Sagen Sie nicht solche Dinge! Sie sind ein Scheusal!«

Sein Gesicht kam noch näher, der wohlriechende, gesunde Atem umspielte ihre Wangen. »Kommen Sie, Schwester, versuchen Sie's mit mir! Wissen Sie, was Ihr Problem ist? Sie haben's noch mit keinem versucht. Warum fangen Sie nicht mit dem Besten an? Und hier bin ich der Beste, wetten? Ach, Mädchen, ich mach' dir 'ne Gänsehaut, du wirst schreien und um mehr betteln! Du ahnst gar nicht, was ich mit dir alles mache. Komm, Schwesterchen, und versuch's! Versuch's einmal! Wirf dich nicht einem Schwuli an den Hals oder diesem falschen Fuffziger, der so müde ist, daß er ihn nicht mehr hochkriegt! Nimm *mich*! Ich bin hier der Beste!«

»Gehen Sie«, sagte sie. Ihre Nasenlöcher waren ganz schmal.

»Ich küsse sonst nicht gern, aber dich küß ich. Komm, Schwester, küß mich!«

Sie konnte nirgends hin, die Lehne ihres Stuhls war so nahe an der Mauer, daß gerade Raum genug war, um sich zu setzen. Und doch stieß sie den Stuhl so heftig zurück, daß er gegen das Fensterbrett knallte. Ihr Körper bäumte sich in einem Krampf nach hinten; ihre Wut war unmißverständlich.

»Hinaus, Luce! *Sofort!*« Wie um gegen einen Brechreiz anzukämpfen, preßte sie ihre Hand gegen den Mund, die Augen starr auf dieses Gesicht vor ihr gerichtet.

»Also gut, du wirfst dich weg«, sagte er und glitt vom Tisch. »So ein Dummchen! Spaß wirst du mit keinem von den beiden haben. Das sind keine Männer. Der einzige Mann hier bin ich!«

Nachdem er gegangen war, starrte sie auf die geschlossene Tür, richtete ihre Aufmerksamkeit auf jede Einzelheit von Konstruktion und Maserung, bis sie fühlte, daß Schrecken und Angst abebbten, wollte weinen und konnte den Tränenstrom nur zurückhalten, indem sie weiter die Tür ansah.

Sie hatte zu spüren gekriegt, welche Stärke in ihm war, welcher Wille, sich zu holen, was er haben wollte, um welchen Preis auch immer. Was Michael wohl gefühlt haben mochte, als er im Tagesraum diesen geilen Blick auf sich gerichtet sah?

Neil klopfte, trat ein und schloß die Tür, die eine Hand hinter seinem Rücken verborgen. Bevor er sich in den Besucherstuhl setzte, nahm er seine Zigarettendose heraus und hielt sie ihr über den Tisch hinweg hin. Es bildete einen Teil ihres Rituals, daß sie zuerst einmal dankend ablehnte, aber diesmal nahm sie sofort eine Zigarette und beugte sich vor, um sich Feuer geben zu lassen, so als müsse sie dringend rauchen.

Ihre Stiefel scharrten auf dem Boden. Neil hob eine Augenbraue.

»Ich habe nie erlebt, daß Sie sich niedergesetzt hätten,

ohne die Stiefel auszuziehen. Geht es Ihnen wirklich gut? Fieber? Kopfschmerzen?«

»Kein Fieber, kein Kopfschmerz, Doktor, mir geht es gut. Die Stiefel hab' ich noch an, weil ich, als ich kam, Luce abfing, der gerade weggehen wollte. Ich hatte ein Wort mit ihm zureden. Darüber habe ich meine Stiefel vergessen.«

Er stand auf, ging um den Schreibtisch herum, kniete in dem engen Zwischenraum zwischen ihrem Stuhl und der Wand nieder und schlug mit der flachen Hand gegen seinen Schenkel. »Los, Fuß in die Höhe.«

Die Schnallen der Gamaschen waren fest zu, so daß er zu tun hatte, bis er sie aufhatte. Dann löste er die Schnürriemen, bis er den Stiefel vom Fuß ziehen konnte. Denselben Vorgang wiederholte er am anderen Fuß. Dann setzte er sich auf die Fersen und drehte den Oberkörper, mit den Augen dabei nach dem Paar Leinenschuhe suchend, die sie auf der Station trug.

»Oberstes Regal«, sagte sie.

»So ist es gleich besser«, sagte er, als er die Leinenschuhe zu seiner Zufriedenheit geschnürt hatte. »Angenehm?«

»Ja, danke.«

Er kehrte zu seinem Stuhl zurück. »Sie sehen mir immer noch etwas krank aus.«

Sie schaute auf ihre Hände nieder, die immer noch zitterten. »Ich habe den Zitterich«, sagte sie und schien erstaunt.

»Warum gehen Sie nicht in die Ambulanz?«

»Es sind nur die Nerven, Neil.«

Sie rauchten schweigend. Sie blickte angelegentlich aus dem Fenster, er betrachtete sie aufmerksam. Als sie ihre Zigarette ausdrückte, legte er das Papier, das er hinter dem Rücken verborgen hatte, vor ihr auf den Tisch.

Michael! So, wie auch sie ihn sah, kräftig, gutaussehend, mit diesem offenen, festen Blick, der es einem unmöglich machte, dahinter Mangel an Männlichkeit zu vermuten.

»Ihr bestes Bild, sogar besser als das von Luce«, sagte sie und hoffte, er habe nichts von ihrer Erregung gemerkt.

Sie nahm es vorsichtig in die Hand und reichte es ihm dann wieder. »Hängen Sie es bitte auf?«

Er gehorchte, befestigte es an jeder Ecke mit einem Reißnagel, ganz rechts in der Mittelreihe, gleich neben dem seinen. Es war viel besser als sein Selbstbildnis. Für die Selbstdarstellung hatte ihm die nötige Distanz gefehlt, das Gesicht war blaß im Ausdruck, der Strich merklich bemüht.

»Wir sind komplett«, sagte er und setzte sich wieder. »Da, nehmen Sie sich noch eine Zigarette.«

Sie griff fast so hastig zu wie zuvor, sog heftig, und während sie den Rauch von sich blies, sagte sie schnell und gekünstelt: »Michael ist für mich das Rätsel Mann in Person.« Dabei zeigte sie auf die Zeichnung.

»Jetzt verwechseln Sie aber etwas, Schwester«, sagte er lässig und gab nicht zu erkennen, daß er wußte, wie schwer es ihr fiel, das Thema Michael anzuschneiden, und daß er selbst große Abneigung hatte, mit ihr über Michael zu reden. »Die Frauen sind das Rätsel. Fragen Sie jeden von Shakespeare bis Shaw.«

»Nur für die Männer. Und Shakespeare und Shaw waren Männer. Immer ist das andere Geschlecht die terra incognita. Es stimmt also beides. Wenn ich glaube, ich hätte das Rätsel Mann gelöst, dann windet und dreht ihr euch und seid mir wieder entschlüpft. Schwimmt in entgegengesetzter Richtung davon.« Sie klopfte die Asche von ihrer Zigarette und lächelte ihn an. »Ich glaube, der Hauptgrund, warum ich diese Station allein führe, ist der, weil es mir die ausgezeichnete Gelegenheit verschafft, eine Gruppe Männer zu studieren, ohne daß andere Frauen sich einmischen.«

Er lachte. »Ein sehr klinischer Gesichtspunkt. Sagen Sie das mir, gut, aber sagen Sie es ja nicht Nuggett, denn nächstens kommt er mit einer Kombination von Beulenpest und Milzbrand daher.« Leichter Unwille zeigte sich in ihrem Blick, als wollte sie erwidern, er habe sie völlig mißverstanden, aber noch bevor sie etwas sagen konnte, fuhr er eilig fort. »Männer sind im Grunde die einfachsten Kreaturen. Vielleicht nicht ganz so niedrige Lebewesen wie die Protozoen, aber bestimmt nicht in jenen geistigen

Höhen angesiedelt wie die berühmten Engel im Rätsel, die auf Stecknadelköpfen Platz haben.«

»Ach was! Ihr seid ein größeres Rätsel als die Engel auf dem Stecknadelkopf, und weit bedeutender! Nehmen wir einmal Michael . . .«

Nein, das konnte sie nicht. Sie konnte nicht über das sprechen, was zwischen Michael und Luce im Tagesraum vorgefallen war. Dabei war sie auf dem Weg zur Station zur Erkenntnis gekommen, Neil wäre der einzige, der ihr helfen könnte. Aber plötzlich wurde ihr klar, daß sie sich selbst bloßstellte, wenn sie über die beiden redete, und das konnte sie nicht. Und dann war da auch noch die häßliche Szene mit Luce. Es würde damit enden, daß sie auch die beichtete, und dann gab's Mord und Totschlag.

»Also gut, nehmen wir Michael«, sagte Neil, als hätte sie eine Meinung und nicht einen Vorschlag geäußert. »Unser Diener und Helfer Michael, was ist so Besonderes an ihm? Wie viele Michaels haben Platz auf einem Stecknadelkopf?«

»Wenn Sie so reden wie Luce Daggett, dann, das schwöre ich, sage ich kein Wort mehr!«

Er war so überrascht, daß ihm die Zigarette aus der Hand fiel. Er beugte sich hinunter und hob sie auf. Dann saß er da und betrachtete sein Gegenüber konsterniert und voll Mißtrauen. »Was in aller Welt hat Sie so aufgebracht?« fragte er.

»Der Teufel soll diesen elenden Kerl holen!« war alles, was sie sagen wollte. »Der macht einen ganz verrückt.«

»Schwester, zählen Sie mich zu Ihren Freunden? Ich meine, gehöre ich zu denen, die wirklich auf Ihrer Seite sind, zu jeder Zeit?«

»Natürlich! Das müssen Sie mich nicht fragen.«

»Ist es nun wirklich Luce, der Ihnen Schwierigkeiten macht, oder ist es Mike? Ich habe drei Monate unter Luce gelitten, ich kenne ihn zur Genüge. Aber das war anders als jetzt – genauer, seit Michael hier ist. In diesen zwei Wochen scheint dieser Ort zu einem Dampfkessel geworden zu sein, der jeden Augenblick explodieren kann. Der Druck steigt und steigt, und dann fällt er wieder. Aber es ist nicht angenehm, warten zu müssen, daß etwas explodiert, von dem man weiß, daß es explodieren wird. Man fühlt sich an die Front zurückversetzt.«

»Ich habe schon gewußt, daß Sie etwas gegen Michael haben, es war mir aber nicht klar, daß Ihre Abneigung so groß ist«, sagte sie mit verkniffenem Mund.

»Ich habe nichts gegen Michael! Er ist ein patenter Kerl. Aber daß hier jetzt alles anders ist, daran ist Michael schuld, nicht Luce. Michael.«

»Aber das ist doch lächerlich! Warum sollte sich durch Michael alles geändert haben? Er ist doch so – so ruhig und zurückhaltend.«

Von der Seite ist nichts zu machen, dachte er und beobachtete sie genau. Wußte sie wirklich nicht, was mit ihr, mit ihm, mit allen geschah?

»Vielleicht liegt es daran, weil *Sie* verändert sind. Seit Michael da ist«, sagte er fest. »Es muß Ihnen doch klar sein, daß wir dazu neigen, unsere Stimmungen und Haltungen nach Ihnen zu richten. Selbst Luce tut das. Und seit Michael hier ist, sind Sie ein anderer Mensch – andere Stimmungen, andere Haltung.«

O Gott! Bleib gelassen, Schwester Langtry, laß dir ja nichts anmerken. Und es gelang. Mit gewissermaßen höflichem Interesse, glatt und ruhig und unbeteiligt erwiderte sie seinen Blick. In ihrem Gehirn rasten die Gedanken, suchten nach dem richtigen Weg, dieses bedeutsame Gespräch weiterzuführen und zugleich eine Verhaltensweise an den Tag zu legen, die ihm, wenn sie ihn schon nicht beruhigte, doch als folgerichtig erscheinen würde. Man mußte von dem ausgehen, was er über sie wußte. Und er wußte mehr über sie, als sie vermutet hatte, das hatte er eben zu erkennen gegeben. Alles, was er sagte, stimmte, doch das durfte sie nicht zugeben, dazu war er zu labil und von ihr abhängig. Zu dumm, daß er jetzt eine Entscheidung erzwingen wollte, wo sie selbst noch zu keinem Entscheid fähig war!

»Ich bin müde, Neil«, sagte sie, und ihr Gesicht zeigte alle Anstrengungen eines langen, harten Tages. »Es dauert nun schon zu lange. Oder es zeigt sich, daß ich zu schwach bin. Ich weiß es nicht. Ich wüßte es gern.« Sie befeuchtete ihre Lippen. »Geben Sie nicht allein Michael die

Schuld. Es ist alles zu kompliziert, als daß man es so vereinfacht sehen könnte. Wenn ich anders bin, dann liegt es an mir. Wir nähern uns einem Ende, etwas Neues wird beginnen. Ich glaube, darauf beginne ich mich einzustellen, und ihr wahrscheinlich auch. Und ich bin müde. Machen Sie es nicht schwerer, als es ist. Helfen Sie mir.«

Etwas Eigenartiges ging in ihm vor. Er konnte es fast körperlich fühlen, während er ihr zuhörte und sie ihre Niederlage so gut wie eingestand. Es war, als gewänne er daraus neue Kräfte. Als nährte er sich von ihrem Anblick. Ja, das war es, jubelte er innerlich: sie war plötzlich ein Mensch wie er, dessen Energien und dessen Ausdauer Grenzen gesetzt waren und der fehlbar war. Daß er sie jetzt so sah, machte ihm seine eigene vorhandene Stärke bewußt, anstatt daß ihn wie bisher ihre Stärke entmutigte.

»Als ich Sie kennenlernte«, sagte er langsam, »dachte ich, Sie wären aus Eisen. Hätten alles, was ich nicht hatte. Sie verlieren im Kampf einige Ihrer Männer? Nun, es betrübt Sie, ja, aber man muß Sie deshalb nicht an einen Ort wie Station X schicken. Nichts in der Welt bringt Sie an einen Ort wie diesen hier. Und ich nehme an, damals waren Sie genau der Mensch, den ich brauchte. Wenn ich das nicht gebraucht hätte, hätten Sie mir nicht helfen können. Aber Sie halfen mir. Und nicht wenig. Ich will nicht, daß Sie jetzt zerbrechen. Und ich werde alles tun, was in meiner Macht steht, um es zu verhindern. Aber es ist schön, zu sehen, daß die Waagschale sich zur Abwechslung mal ein bißchen auf meine Seite senkt!«

»Das kann ich verstehen«, sagte sie lächelnd. Sie ließ einen Seufzer los. »Oh, Neil . . . Es tut mir leid. Sie wissen, ich leide unter dem Wetter. Nicht, daß ich es als Entschuldigung gebrauchen will. Nein. Was meine Stimmungen und mein Verhalten betrifft, haben Sie recht. Aber damit kann ich fertig werden.«

»Warum ist Michael bloß auf X?« fragte er.

»Sie wissen genau, daß Sie das nicht fragen dürfen!« sagte sie befremdet. »Ich kann nicht mit Patienten die Fälle anderer Patienten besprechen!«

»Es sei denn, sie heißen Benedict oder Luce.« Er zuckte die Achseln. »Nun ja, es war einen Versuch wert. Ich habe nicht aus reiner Neugier gefragt. Der Mann ist gefährlich. Der ist mir zu unversehrt!« Im Augenblick, da es raus war, bedauerte er, es gesagt zu haben, weil er nicht wollte, daß sie sich von ihm zurückzog, jetzt, da sie ihm so nah gekommen war.

Doch sie wich nicht zurück, nahm auch nicht abwehrende Haltung an, wenn sie sich auch erhob. »Höchste Zeit, daß ich mich auf der Station sehen lasse. Das ist kein Rausschmiß, Neil. Ich habe Ihnen sehr zu danken.« An der Tür blieb sie stehen, um ihn vorbeizulassen. »Ich bin Ihrer Meinung, Michael ist ein gefährlicher Mann. Aber das sind Sie auch, und Luce – und auch Ben, was das betrifft. Jeder wahrscheinlich auf andere Weise – aber doch, gefährlich seid ihr alle.«

5

Sie verliess an diesem Abend die Station etwas früher als gewöhnlich. Neils Anerbieten, sie zu begleiten, hatte sie abgelehnt. Langsam ging sie in Richtung ihres Quartiers. Schrecklich, niemanden zu haben, an den man sich wenden konnte. Wenn sie sich jetzt an »Kinnbacke« wandte, würde der sie für eine Untersuchung ihres Geisteszustandes vormerken. Und was die Oberschwester betraf . . . Es gab also niemanden, nicht einmal unter ihren Kolleginnen. Diejenigen, zu denen sie engere Beziehungen unterhalten hatte, waren weg, seit man Stützpunkt 15 teilweise stillgelegt hatte.

Der heutige Tag war der verheerendste ihres ganzen Lebens gewesen, eine zermürbende Reihe von Auftritten, die Qual, Verwirrung, Sorge und Überdruß hinterlassen hatten. Michael, Luce, Neil und sie selbst waren in mitunter grotesker Verzerrung auf den Plan getreten, wie die in die Länge oder Breite verzogenen Figuren in den Spiegeln eines Lachkabinetts.

Wahrscheinlich gab es für fast alles, was sie im Tagesraum gesehen hatte – oder zu sehen glaubte –, eine logische Erklärung. Was Michael anlangte, wies ihr Gefühl sie in die eine Richtung, sein Verhalten im Tagesraum und seine Äußerungen in die andere. Warum hatte er Luce nicht einfach von sich gestoßen oder ihn sogar niedergeschlagen? Warum stand er da wie ein Tölpel, eine Ewigkeit lang, und ließ diesen schrecklichen Körperkontakt zu? Weil, als er zuletzt jemanden wegstieß, daraus ein Kampf auf Leben und Tod wurde und er in Station X landete? Wäre möglich. Doch wußte sie nicht, warum jener Kampf entstanden war. Seine Papiere enthielten keine genauen Angaben darüber, und er schwieg sich aus. Warum stand er da und ließ sich von Luce betätscheln? Er hätte doch bloß hinauszugehen brauchen. Und als er sie stehen und die Szene beobachten sah, da war in seinen Augen der Ausdruck des Ekels und der Scham gewesen, und danach kapselte er sich völlig ab. Weder das eine noch das andere ergab einen Sinn. Luces flüsternde Stimme. Ich bin was Besonderes. In jeder Hinsicht ... Jung, alt, männlich, weiblich – für mich ist alles Fleisch ... Ich bin hier der Beste ... Daß es Leute wie Luce geben könnte, die sexuell auf jeder Ebene funktionierten, als eine Art Mittel zum Zweck, wäre ihr nie in den Sinn gekommen. Wie wurde man so? Wieviel Leid war nötig, um aus einem Menschen so etwas zu machen? Dabei hatte er so vieles, gutes Aussehen, Intelligenz, Gesundheit und seine Jugend. Und doch war er nichts, war er innerlich leer.

Neil hatte diesmal die Führung übernommen und ihr Geständnisse entlockt, über deren Inhalt sie selbst noch nicht Klarheit gefunden hatte. Neil war ihr in ihrer langen, engen Beziehung nie als von Natur aus stark erschienen. Dabei war er es sicherlich. Einer von den ganz harten Typen. Gnade dem, den er nicht mochte oder der seine Zuneigung zurückwies. Diese sonst sanften blauen Augen hätten lodernde Blicke geschossen.

Dann der Schock über die starke, ganz spontane Reaktion auf Michael, diese Schwäche, dieses aufwallende Gefühl, die sie überfielen, ehe sie Zeit hatte, einen klaren Gedanken zu fassen. Nie zuvor, selbst im wildesten Taumel dessen, was sie für echte und eigentliche Liebe gehalten hatte, hatte sie solche Gefühle erlebt. Hätte Michael sie geküßt, sie würde sich ihm an Ort und Stelle hingegeben haben wie eine Dirne . . .

In ihrem Zimmer fiel ihr erster Blick auf das Fläschchen mit den Nembutaltabletten auf dem Schreibtisch, doch sie widerstand der Versuchung und ließ es unberührt. Einige Stunden zuvor war es unumgänglich nötig gewesen, eine Tablette zu nehmen; sie hatte gewußt, keine zehn Ochsen würden sie dazu bringen, auf die Station zu gehen, wenn sie nicht am Nachmittag ein Schläfchen machen konnte. Schocktherapie. Doch der Schock war vorüber, selbst wenn ihm einige andere gefolgt waren. Sie hatte ihre Arbeit getan, war zurückgekehrt, zurück in den Alptraum, zu dem X geworden war.

Neil hatte natürlich recht. *Sie* hatte sich verändert. Michael war daran schuld, und es hatte eine nachteilige Wirkung auf alle anderen. Närrin, die sie war, nicht zu erkennen, daß ihr Vorgefühl kommenden Unheils nichts mit der Station oder den Patienten als solchen zu tun hatte. Es begann in ihr und endete in ihr. Und daher mußte es ein Ende damit haben. *Mußte! Mußte! Mußte!* . . . O Gott, ich bin verrückt, ich bin ebenso krank wie alle, die je auf Station X gewesen sind. Und was wird nach X? Wohin, lieber Gott, wird es führen?

Auf einem der Fußbodenbretter in der Ecke war ein Fleck. Dort hatte sie einmal ihr Feuerzeugbenzin verschüttet. Sie war damals außer sich gewesen, erinnerte sie sich. Und jetzt prangte der Fleck als häßliches Memento ihrer Ungeschicklichkeit. Schwester Langtry holte Eimer und Bürste, ließ sich auf die Knie nieder und schrubbte die Stelle, bis das Holz helle Färbung annahm. Nun wirkte im Vergleich dazu der übrige Boden schmutzig, und so arbeitete sie weiter, Bodenbrett für Bodenbrett, bis der ganze Fußboden rein und gebleicht war. Jetzt fühlte sie sich besser. Besser, als wenn sie Nembutal genommen hätte. Und sie hatte jetzt die nötige Bettschwere.

6

»ICH SAG' DIR, IRGENDWAS stimmt nicht mit ihr!« beharrte Nuggett und schüttelte sich. »O Gott, ist mir mies!« Ein tiefsitzender Husten packte ihn, er räusperte sich, spuckte über Matts Schulter hinweg und traf mit erstaunlicher Genauigkeit den Stamm einer Palme hinter ihm.

Alle sechs hockten sie auf dem Strand nackt im Kreise. Aus der Ferne sahen die bewegungslosen braunen Gestalten wie die Steine eines Orakels aus. Der Tag war ideal, weder zu heiß noch zu kühl und ohne hohe Luftfeuchtigkeit. Doch heute lockten weder See noch Sand, noch Palmen. Ihr Interesse war auf ein menschliches Problem gerichtet.

Gegenstand der Diskussion war Schwester Langtry. Neil hatte eine Ratssitzung einberufen, und sie waren mitten in ihrer Beratung. Matt, Benedict und Luce fanden, sie sei körperlich ein bißchen vom Wetter abhängig, ansonsten aber in Ordnung, Nuggett und Neil meinten, irgend etwas sei ganz und gar nicht in Ordnung. Und Michael enthielt sich jeder Äußerung, wenn er gefragt wurde, was Neil rasend machte.

Wie viele von uns sind ehrlich? fragte sich Neil. Da steuern wir jeder unserer Theorie bei, von Darminfektion über Malaria bis hin zu Frauenleiden, als ob wir überzeugt wären, es sei nur ihr Körper nicht in Ordnung. Und ich für meinen Teil bin auch nicht bereit, etwas andres als Ursache anzuführen als den Körper. Ich wünschte, ich könnte Michael aufknacken wie eine Nuß. Dabei habe ich bei ihm noch nicht einmal eine Ritze gefunden. Er liebte sie nicht. Ich liebe sie, er nicht. Ist das fair, daß sie mich seinetwegen übersieht? Warum liebt er sie nicht? Was er ihr da antut, dafür könnte ich ihn umbringen.

Es war keine hitzige Debatte, sie vollzog sich in Schüben, mit längeren Pausen dazwischen. Denn sie hatten Angst. Sie bedeutete ihnen viel, und sie hatten nie Anlaß gehabt, sich aus irgendeinem Grund um sie Sorgen zu machen. Sie war jener unerschütterliche Fels im unbekannten

Meer, dem sie sich anvertraut hatten und auf dem sie jeden Sturm aushielten, bis die See wieder ruhig war. Und jeder von ihnen verband mit ihrer Schutzfunktion seine eigenen Vorstellungen, hatte seinen eigenen Grund, sie zu lieben.

Für Nuggett war sie der einzige Mensch außer seiner Mutter, der sich je genug um ihn gekümmert hatte, um auch an seinem unstabilen Gesundheitszustand Anteil zu nehmen. Als er unter großem Hallo der gesamten Belegschaft die Magen-Darm-Station verließ und auf X transferiert wurde, verließ er eine geschäftige, übelriechende, laute Welt, wo keiner je Zeit gehabt hatte, ihm zuzuhören, und er gezwungen gewesen war, zu schreien, um sich Gehör zu verschaffen. Er war krank, aber sie glaubten es ihm nicht. Als er auf Station X eintraf, hatte er Kopfschmerzen, zugegeben, es war nicht eine seiner füchterlichen Migränen gewesen, aber ein pochender Schmerz, verursacht von einer Verspannung der Halsmuskeln, und als solcher schlimm genug. Und sie saß am Bettrand und hörte ihm hingebungsvoll zu, als er ihr den Schmerz beschrieb, voll Interesse und Mitgefühl. Und je lyrischer er bei seiner Beschreibung wurde, desto mehr Interesse und Mitgefühl zeigte sie. Kalte Umschläge wurden gemacht, ein reiches Angebot der verschiedensten Pillen herbeigeschafft. Und welche Seligkeit! – mit ihr vernünftig darüber diskutieren zu können, welche medikamentöse Behandlung die richtige war bei dieser oder jener Art von Kopfschmerzen ... Natürlich war ihm klar, daß das ihre Methode war. So blöd war er, Nuggett, nicht. Auch die Beurteilung seines Falles änderte sich damit nicht. Aber sie kümmerte sich wirklich um ihn, widmete ihm ihre kostbare Zeit, und das war für ihn das einzige Kriterium der Fürsorge. Sie war so schön, so vollkommen als Mensch; und dabei sah sie ihn immer so an, als bedeute er ihr etwas.

Für Benedict stand sie hoch über allen anderen Frauen, wobei er streng zwischen Frauen und Mädchen unterschied. Weibliche Wesen waren eins wie das andere, sie änderten sich nicht. Mädchen fand er abstoßend. Sie lachten über sein Aussehen, quälten und neckten ihn mit derselben Grausamkeit wie Katzen. Frauen andererseits waren ruhige Wesen, die Hüterinnen der Gattung, die Lieblinge Gottes. Männer mochten morden, verstümmeln und huren; Mädchen mochten die Welt entzweien; die Frauen aber waren Leben und Licht. Und Schwester Langtry war die vollkommenste aller Frauen. Immer wenn er sie sah, verspürte er das Verlangen, ihr die Füße zu küssen, für sie zu sterben, falls nötig. Nie wollte er schmutzig von ihr denken, das wäre ihm wie Verrat vorgekommen, aber manchmal erschien sie ungebeten in seinen Träumen, durchschritt die Szene, die voll war von Brüsten und behaarten Körperstellen, und das allein genügte, um ihn zu überzeugen, daß er ihrer unwürdig war. Er konnte nur Buße tun, wenn er die Antwort fand, und irgendwie hatte er immer das Gefühl, Gott habe ihm Schwester Langtry geschickt, um ihm die Antwort zu zeigen. Noch entzog sich ihm diese Antwort, doch wenn Schwester Langtry da war, fühlte er sich nicht mehr so isoliert, glaubte er, er gehöre dazu.

Bei Michael erging es ihm ebenso. Seit Michaels Ankunft waren Schwester Langtry und Michael wie eine Person, unteilbar und über alles gut und edel.

Der Rest von Station X hingegen war wie die übrige Welt, eine Ansammlung von Dingen. Nuggett war ein Wiesel oder ein Hermelin oder ein Frettchen oder eine Ratte. Er wußte, es war töricht, sich vorzustellen, daß Nuggett, wenn er sich den Bart stehen ließe, Schnurrbarthaare wie ein Nagetier bekommen würde. Aber dennoch stellte er es sich vor, und immer, wenn er Nuggett im Badehaus beim Rasieren zusah, wollte er ihn drängen, doch ein Rasiermesser zu verwenden und die Barthaare noch kürzer zu rasieren, weil die Schnurrbarthaare schon durch die Haut lugten. Matt war ein Klumpen, eine Perle, ein mattfarbener Stein, ein Augapfel, eine Rosine, ein nach außen gestülpter Polyp, dem man die Fangarme abgeschnitten hatte, eine einzelne Träne, eben alles, was rund, glatt und durchsichtig war, und Tränen waren auch durchsichtig, kamen von nichts und führten zu nichts. Neil war ein alter, vom Regen aufgeweichter Berghang, eine geriffelte Säule, zwei Bretter, die mit Nut und Feder aneinandergepaßt waren, die auf einem Pfeiler aus Ton hinterlassenen Kratzer gepeinigter Finger, eine schlafende Samenhülse, die sich nicht öffnen konnte, weil Gott ihre Ränder mit Himmelsleim zusammengeklebt hatte und nun Neil auslachte. Auslachte! Luce war Benedict, ein Benedict, wie Gott ihn geformt hätte, wäre Benedict mehr nach seinem, Gottes Sinn gewesen: Licht und Leben und Lied. Und doch war Luce böse, ein Verrat an Gott, eine Lästerung Gottes, eine Umkehrung seiner Absichten. Und wenn Luce so war, was wurde damit aus Benedict?

Neil war verzweifelt. Sie entglitt ihm, und das war nicht zu ertragen. Um keinen Preis. Nicht gerade jetzt, wo er anfing, sich richtig zu sehen, nach allem, was in Melbourne mit seinem Vater vorgefallen war. Er fühlte seine Kräfte in sich wachsen und genoß es. Verrückt, daß es eines Michaels bedurft hatte, um den Spiegel vorgehalten zu bekommen, der ihm zum erstenmal sein eigentliches Bild zeigte. Sich durch einen Menschen zu erkennen, der einem gleichzeitig die Grundlage dafür raubte, daß man so begierig gewesen war, alles über sich zu erfahren . . . Schwester Langtry gehörte zu Neil Parkinson, und er würde sie nicht gehen lassen. Es mußte einen Weg geben, der sie zu ihm zurückführte. Es mußte!

Für Matt war sie das Bindeglied zur Heimat, eine Stimme aus der Finsternis, teurer als alle anderen. Er wußte, er würde nie mehr sehen können, und des Nachts lag er wach im Bett und versuchte sich die Stimme seiner Frau und die dünnen Glockentöne der Stimmen seiner Töchter ins Gedächtnis zu rufen, aber es gelang ihm nicht. Wohingegen Schwester Langtrys Stimme in seinem Gehirn eingegraben war für immer, einziges Echo anderer Zeiten, anderer Orte, als wäre diese Stimme Kristallisationspunkt des Vergangenen. Doch seine Liebe für sie war nicht körperlicher Natur. Für ihn, der sie nie gesehen hatte, war sie körperlos. Irgendwie war ihm die Kraft körperlichen Verlangens abhanden gekommen, selbst in seiner Vorstellung. Das Wiederzusammensein mit Ursula war ein er-

schreckender Gedanke; sie würde von ihm Leidenschaft-
lichkeit erwarten, über die er nicht mehr verfügte. Allein
die Vorstellung, den Körper seiner Frau zu umarmen, verursachte ihm Übelkeit. Wie eine Schnecke oder eine
Schlange oder Seetang, die sich ziel- und zwecklos um das
erstbeste Hindernis wanden! Ursula gehörte zur Welt, die
er gesehen; Schwester Langtry war das Licht in der Welt
der Finsternis. Kein Gesicht, kein Körper. Nur die Rein-
heit des Lichts.

Luce bemühte sich, überhaupt nicht an sie zu denken. Er
konnte den Gedanken an sie nicht ertragen, denn sooft ihr
Bild vor sein inneres Auge trat, hatte sie jenen Ausdruck
des Ekels auf ihrem Gesicht. Was zum Teufel war los mit
dem Weibsbild? Wenn sie ihn nur einmal richtig ansah,
mußte sie doch wissen, wie es mit ihm sein würde. Sie
sollte ihm doch die Chance geben, zu beweisen, was sie
versäumte, indem sie ihn nicht beachtete. Dabei fehlte ihm
gerade diesmal die zündende Idee, wie er die Frau dazu
überreden sollte, es doch auf einen Versuch ankommen zu
lassen. Gewöhnlich war das so einfach! Er begriff das alles
nicht. Aber er haßte sie. Und er wollte ihr diesen Blick,
diesen Abscheu, diese eiserne Ablehnung heimzahlen.
Anstatt also an sie zu denken, dachte er an die Einzelhei-
ten der süßen Rache, die er nehmen wollte. Und irgendwie
endete sie immer damit, daß er sie zu seinen Füßen knien
sah, daß sie zugab, sich geirrt zu haben und um eine neue
Chance bettelte.

Michael kannte sie noch nicht gut genug, doch der Gedanke, sie näher kennenzulernen, war stets von angenehmen Gefühlen begleitet. Was ihm gar nicht gefiel. Vom
Sex abgesehen, war seine Kenntnis des anderen Ge-
schlechts begrenzt. Die einzige Frau, die er wirklich gekannt hatte, war seine Mutter gewesen, und sie war gestorben, als er sechzehn Jahre alt war. Sie war gestorben,
weil sie plötzlich zur Erkenntnis kam, es gäbe nichts mehr,
für das es sich zu leben lohnte. Für ihn und seinen Vater
ein schwerer Schlag, denn sie fühlten sich schuldig, wenn
sie auch nicht wußten, wie sie hätten verhindern können,

daß sie des Lebens müde wurde. Seine Schwester war zwölf Jahre älter als er, und er kannte sie daher überhaupt nicht. Noch während der Schulzeit hatte er sowohl mit Scheu als auch mit Faszination zur Kenntnis genommen, daß die Mädchen ihn interessant und attraktiv fanden. Doch seine Erkundungsversuche auf diesem Gebiet waren nie besonders befriedigend ausgefallen. Die Mädchen waren stets auf seine »lahmen Enten« eifersüchtig gewesen, die er immer bevorzugt behandelte. Eine lange Freundschaft hatte es mit einem Mädchen aus Maitland gegeben, die sich ausschließlich auf Sex in allen Varianten gründete. Ihm hatte es behagt so, denn sie wollte nichts anderes von ihm, also durfte er sich frei fühlen von sonstigen Verpflichtungen ihr gegenüber. Der Krieg machte der Sache ein Ende, und bald nachdem er in den Nahen Osten gegangen war, heiratete sie einen anderen. Es hatte ihm nicht wehgetan. Zudem war er zu sehr damit beschäftigt, am Leben zu bleiben, so daß ihm keine Zeit blieb, darüber zu brüten. Am merkwürdigsten war, daß ihm der Sex nicht zu fehlen schien, ja daß er sich ohne ihn stärker und vollkommener fühlte. Vielleicht gehörte er zu den Glücklichen, die in dieser Hinsicht ganz abschalten konnten. Er wußte es nicht, kümmerte sich auch nicht darum.

Das dominierende Gefühl gegenüber Schwester Langtry war das der Sympathie, und mehr Klarheit darüber gewann er selbst dann nicht, als ihre Beziehung persönlicheren, intimeren Charakter anzunehmen begann. Jener Vorfall im Tagesraum war ein Schock gewesen. Luce, der auf warmer Bruder spielte, und er, der so lange kühl bleiben wollte, bis er sich sicher sein konnte, daß seine entfesselte Wut nicht zum Totschlag führen würde. Und der Augenblick war schon da; er hatte buchstäblich schon den Mund geöffnet, um Luce zu sagen, was er ihn könne, als sie an der offenen Tür das Gräusch verursachte. Zuerst hatte das Gefühl der Scham ihn fast überwältigt – wie mußte die Szene wirken? Wie könnte er es erklären? Und so hatte er erst gar nicht zu erklären versucht. Dann hatte er sie berührt, und etwas war mit ihnen beiden geschehen. Er wußte, daß es sie ebensosehr traf wie ihn; dazu brauchte es keiner Worte und keiner Blicke. O Gott, warum konnte diese Schwester auf Station X nicht jener nette mittelalterliche Drachen sein, wie er ihn sich vor seiner Ankunft vorgestellt hatte? Es hatte keinen Zweck, zu Schwester Langtry persönliche Beziehungen zu knüpfen, denn wohin konnte das führen? Und doch … O ja, der Gedanke war wunderbar, das erregende Versprechen, das er in sich trug, hatte nichts zu tun mit ihren Körpern. Zum erstenmal, wurde ihm klar, erlag er dem Zauber einer Frau.

»Überlegt doch eines«, sagte Neil, »haltet euch doch vor Augen: Schwester Langtry ist seit einem Jahr auf Station X, und es ist nur logisch, daß sie von Stützpunkt 15, von Station X und von uns genug hat. Sie sieht niemanden außer uns. Mike, du bist am wenigsten lange hier, was denkst du?«

»Daß ich von uns allen am ungeeignetsten bin, ein Urteil abzugeben. Also frage ich statt dessen Nuggett. Nuggett, was meinst du?«

»Das gibt es nicht!« sagte Nuggett heftig. »Wenn die Schwester von uns die Nase voll hätte, würde ich der erste sein, der es weiß.«

»Sie hat nicht die Nase voll, sie ist nur müde! Das ist ein Unterschied«, sagte Neil geduldig. »Sind wir nicht alle müde? Warum sollte es bei ihr anders sein? Glaubt ihr wirklich, sie wacht am Morgen auf und springt mit einem Freudengeheul aus dem Bett, weil sie weiß, in wenigen Minuten ist sie wieder auf Station X, wieder mit uns zusammen? Komm schon, Mike, ich will von dir eine Meinung hören und nicht von Nuggett oder einem der anderen. Du bist der Neue, du bist noch nicht so drin hier, daß du nicht mehr klar urteilen kannst. Meinst du, sie wünscht es sich, mit uns zusammen zu sein?«

»Ich weiß es nicht. Hab' ich doch gesagt! Frag Ben«, sagte Michael und hielt Neils Blick stand. »Du bellst den falschen Baum an, Kumpel.«

»Schwester Langtry ist viel zu gut, als daß sie je von uns genug haben könnte«, sagte Benedict.

»Sie ist frustriert«, sagte Luce.

Matt kicherte. »X kann einen auch frustrieren.«

»Nicht auf diese Weise, du Heini! Ich meine, sie ist eine Frau und kriegt's nicht verpaßt, oder?«

Luce schien ihre bohrenden Blicke zu genießen. Er grinste sie alle an.

»Das weißt du doch, Luce, daß du so tief unten bist, daß du eine Leiter brauchst, wenn du einer Schlange in den Arsch schauen willst«, sagte Nuggett. »Du bringst mich jedesmal zum Speien!«

»Sag mir etwas, was dich nicht zum Speien bringt«, sagte Luce spöttisch.

»Bleib schön bescheiden, Luce«, sagte Benedict sanft. »Immer schön bescheiden bleiben! Alle Menschen sollten Demut lernen, ehe sie sterben. Und keiner von uns weiß, wann er sterben wird. Es kann morgen oder in fünfzig Jahren sein.«

»Halt keine Predigt, Langbein!« knurrte Luce. »Wenn du so weitermachst, bist du daheim spätestens nach einer Woche in der Klapsmühle.«

»Das erlebst du nicht, daß du mich dort siehst«, sagte Benedict.

»Dort seh' ich dich auch nicht, das schwör' ich! Als berühmter Mann werd' ich anderes zu tun haben.«

»Nicht für mein Geld«, sagte Matt. »Nicht einmal um dich pissen zu sehen, zahl' ich einen Pfennig.«

Luce prustete los. »Wenn du mich pissen sehen kannst, zahl' *ich* dir den beschissenen Pfennig!«

»Neil hat recht!« sagte Michael plötzlich laut.

Das Gezänk verstummte. Alle drehten die Köpfe nach ihm, denn so hatte er noch nie gesprochen – heftig, fast wütend, befehlend.

»Natürlich ist sie es müde, und kann man es ihr vorwerfen? Tag für Tag dasselbe, Luce hackt auf allen herum, alle hacken auf Luce herum. Warum zum Teufel kann nicht jeder jeden in Ruhe lassen, und ganz besonders sie? Was mit ihr los ist, geht nur sie was an! Wenn sie meint, daß es auch euch was angeht, wird sie es sagen. Laßt sie in Ruh! Bei euch muß man ja zum Alkoholiker werden!« Er stand auf. »Komm mit, Ben, ins Wasser! Wasch dich sauber. Ich werd's auch versuchen, aber bei dem vielen Dreck, der hier in der Luft liegt, kann's eine Woche dauern.«

Jetzt hat sich ein kleiner Spalt in seiner Rüstung aufgetan, dachte Neil ohne jede Begeisterung, während er beobachtete, wie Michael und Ben zum Wasser gingen. Michael hielt den Rücken gerade. Verdammt, er macht sich was aus ihr! Die Frage ist, ob sie's weiß? Ich glaube nicht, und wenn ich kann, werd' ich dafür sorgen, daß es so bleibt.

»Das erlebe ich zum ersten Mal, daß dir der Geduldsfaden reißt«, sagte Benedict, als sie ins Wasser wateten.

Michael blieb im hüfthohen Wasser stehen und blickte in das schmale Gesicht des Jungen, der ihn besorgt ansah. Er selbst konnte sich seine Besorgnis nicht verhehlen. »Es war dumm von mir«, sagte er. »Es ist immer dumm, halbgar loszulegen. Ich hab' ein ruhiges Gemüt, und deshalb hasse ich es, wenn die Leute mich in so etwas treiben. Es ist so sinnlos! Deshalb bin ich gegangen. Wäre ich geblieben, ich hätt' bloß einen Narren aus mir gemacht.«

»Du bist stark und widerstehst jeder Versuchung«, sagte Benedict sehnsüchtig. »So würde ich auch gern sein.«

»Jetzt mach einen Punkt, Kamerad, du bist ohnehin der Beste in dem Haufen«, sagte Michael mit Wärme.

»Meinst du wirklich, Mike? Ich geb' mir Mühe, aber es ist so schwer. Ich hab' zu viel verloren.«

»Du hast *dich* verloren, Ben, sonst nichts. Es ist alles da und wartet darauf, daß du es wiederfindest.«

»Der Krieg ist schuld. Er hat mich zum Mörder gemacht. Aber es ist mir klar, daß das nur eine Ausrede ist. Nicht der Krieg ist es, sondern ich bin's selber. Ich war nicht stark genug, um die Prüfung, die Gott mir auferlegte, zu bestehen.«

»Nein, es ist der Krieg«, sagte Michael und ließ die Hände auf der Wasseroberfläche kreisen. »Er hinterläßt bei jedem etwas, nicht nur bei dir. Wir alle sind auf X wegen etwas, was der Krieg uns angetan hat. Ohne Krieg wären wir alle in Ordnung. Es heißt, der Krieg ist etwas Natürliches, aber ich kann das nicht einsehen. Natürlich vielleicht für den Staat, natürlich für die Alten, die ihn anzetteln, aber für die Männer, die ihn führen müssen – nein,

Krieg ist die unnatürlichste Art zu leben für einen Mann.«

»Aber Gott ist auch da gegenwärtig«, sagte Benedict, tauchte ins Wasser ein, bis seine Schultern bedeckt waren, und kam wieder hoch. »Es muß etwas Naturgegebenes sein. Gott hat mich in den Krieg geschickt. Ich wollte nicht freiwillig gehen, habe gebetet, und Gott sagte mir, ich solle warten; wenn er der Meinung wäre, ich bedürfe der Prüfung, werde er mich senden. Und er tat es. Also muß es etwas Natürliches sein.«

»So natürlich wie Geburt und Heirat«, sagte Michael und schnitt ein Gesicht.

»Wirst du einmal heiraten?« fragte Benedict und reckte den Kopf, als wolle er die Antwort ja nicht versäumen.

Michael mußte an Schwester Langtry denken, gut erzogen, aus guter Familie, im Offiziersrang, eine Dame. Mitglied einer Gesellschaftsschicht, mit der er vor dem Krieg keinerlei Berührung gehabt hatte und im Krieg jede Berührung vermieden hatte. »Nein«, sagte er knapp. »Ich glaube, ich habe nicht mehr genug zu bieten. Ich bin nicht mehr der, der ich einmal war. Vielleicht weiß ich zuviel über mich. Mit einer Frau zu leben und Kinder großzuziehen, dazu muß man sich über sich selbst noch Illusionen machen können. Und ich habe keine Illusionen in dieser Hinsicht. Ich bin fortgegangen und wiedergekommen, aber wo ich jetzt stehe, würde ich nicht stehen, wenn es keinen Krieg gegeben hätte. Das hört sich doch vernünftig an, oder?«

»O ja!« stimmte Benedict eifrig zu, um seinem Freund zu gefallen. Aber er hatte nichts verstanden.

»Ich habe Menschen getötet. Ich habe sogar einen Kameraden zu töten versucht. Das alte ›Du sollst nicht‹ mahnt nicht mehr so mächtig wie vor dem Krieg. Warum sollte es auch? Ich habe Männer klumpenweise aus Flugzeugkanzeln über die Erde gestreut, weil für ein ordentliches Begräbnis nicht mehr genug von ihnen übrig war. Ich habe bis zu den Waden in Blut und Innereien gestanden und nach Erkennungsmarken gefischt. In keinem Schlachthaus hätte es schlimmer sein können. Ich habe solche Angst ausgestanden, daß ich dachte, ich würde mich nie mehr aus meiner Schreckensstarre lösen können.

Ich habe viel geweint. Und ich denke mir: Soll ich einen Sohn aufziehen, damit er das durchmacht? Nicht einmal dann, wenn ich der letzte Mensch auf Erden bin.«

»Es ist die Schuld«, sagte Benedict.

»Nein, es ist das Leid«, sagte Michael.

7

DA ES SCHON NACH VIER WAR, als Schwester Langtry das Schwesternzimmer betrat, hielt sich dort so gut wie niemand auf. Es war ein großer Raum, der genug Luft bekam, denn es gab da auf jeder Seite große französische Fenster mit Veranden davor und an allen Fensteröffnungen Gitter, ein unglaublicher Luxus, über den auch noch die Messe nebenan verfügte. Wer auch immer für die Einrichtung verantwortlich war, er mußte etwas für Krankenschwestern übriggehabt haben. Alle Rohrsofas waren mit Kissen belegt, und man hatte mit Hilfe von Chintz alles versucht, um Gemütlichkeit zu schaffen. Dem tat es nicht allzusehr Abbruch, daß der Moder längst die Chintzmuster verdorben und häufiges Waschen alle Farben ausgebleicht hatte. Der Raum strahlte Weite und Heiterkeit aus und hatte die entsprechende Wirkung auf die Schwestern, die hier aus und ein gingen.

Schwester Langtry sah, daß sich außer ihr nur Schwester Sally Dawkin von der Neurologie im Raum befand, eine mürrische Dame mittleren Alters im Majorsrang, ebenso wie Schwester Langtry ohne Armeeausbildung und chronisch überarbeitet. Eine arme Seele. Die Neurologie war bekanntermaßen ein hartes Los. Kein Zweig der Medizin konnte deprimierender sein als die Neuro mit ihren schaurigen Prognosen und den unglaublichen Fällen, wo Leute allen Naturgesetzen zum Trotz am Leben blieben und vor sich hin vegetierten. Ein Arm wuchs nicht wieder nach, doch der Organismus fand sich damit ab. Auch Gehirn- und Nervenmasse wurde nicht ersetzt, aber was dann fehlte, war nicht ein Werkzeug, sondern der, der das Werkzeug bediente. Die Neuro war jener Ort, wo man, gleichgültig, ob man religiös war oder nicht, manchmal den Wunsch hatte, Euthanasie mit der humanitären Ethik vereinbaren zu können.

Schwester Langtry wußte: das Ärgste, was ihr X bescheren mochte, würde sie aushalten, die Neuro nicht. Schwester Dawkin dachte genau umgekehrt. Und das war gut so. Sie waren als Schwestern beide ausgezeichnet, jede hatte andere Vorzüge.

»Tee, frisch gebraut – ist doch nicht schlecht«, sagte Schwester Dawkin, blickte auf und strahlte. »Schön, Sie zu sehen.«

Schwester Langtry ließ sich am Korbtisch nieder und griff sich eine saubere Schale mit Untertasse. Sie goß zuerst Milch in die Schale, ließ dann den Strom dunklen, aromatischen Tees folgen, der noch nicht bitter war vom langen Ziehen und sie nicht allzusehr aufputschen würde, lehnte sich zurück und zündete sich eine Zigarette an.

»Sie sind heute spät dran, Sally«, sagte sie.

Schwester Dawkin grunzte. »Ich komme überall zu spät. Muß an dem Umgang liegen, den ich habe.«

Sie beugte sich hinunter, um ihre Schuhriemen aufzuknüpfen. Dann schob sie den Uniformrock in die Höhe und löste die Spangen ihres Strumpfbandgürtels von den Strumpfenden. Schwester Langtry erhaschte einen Blick auf die allgemein als »Liebestöter« bezeichneten Armee-Unterhosen, bis die Strümpfe abgestreift und auf einen leeren Stuhl geworfen worden waren.

»Die meiste Zeit, mein Schatz, wenn ich an Sie denke, wie Sie dort hinten auf dem Gelände mit einem halben Dutzend Übergeschnappter zusammengesperrt sind, allein und ohne Hilfe, beneide ich Sie kein bißchen. Da sind mir meine mehr als dreißig Neuro-Fälle und die kleine Weiberschar lieber. Aber heute ist ein Tag, an dem ich gern mit Ihrem Platz tauschen würde.«

Zwischen Schwester Dawkins bloßen Füßen, die sich nun ungeschützt dem Auge darboten, kurz, breit, mit Ballen und extrem abgeplatteter Sohle, stand ein häßlicher verzinkter Eimer mit Wasser. Während Schwester Langtry amüsiert und zugleich gerührt zusah, ließ Schwester Dawkin beide Füße in den Eimer plumpsen, wobei das Wasser hochspritzte und zugleich in Strömen über den Rand schwappte.

»Ooooh, ist das schööön! Ehrlich, ich hätte keinen ordentlichen Schritt mehr mit ihnen tun können.«

»Sie haben Hitzeödeme, Sally. Nehmen Sie lieber Kaliumzitrat, ehe es schlechter wird«, sagte Schwester Langtry.

»Was ich brauche, sind achtzehn Stunden flach im Bett, die Beine hoch«, sagte die Leidende und kicherte. »Klingt doch schön, wenn man es so ausdrückt, nicht wahr?« Sie zog einen Fuß aus dem Eimer und drückte mit mitleidslosen Fingern an der roten Schwellung oberhalb des Knöchels herum. »Sie haben recht, der ist rot aufgegangen wie ein Bischof im Mädchenpensionat. Ich werde nicht jünger, das ist mein eigentliches Problem.« Das Kichern wiederholte sich. »Das war übrigens auch das Problem des Bischofs.«

Die wohlbekannten festen Schritte waren an der Tür zu hören. Die Oberschwester kam hereingesegelt, ihr gestärkter weißer Schleier auf dem Rücken perfekt zur Raute geformt, die unglaublich gestärkte Uniform ohne eine Falte, die Schuhe von blendender Politur. Als sie die beiden am Tisch sitzen sah, stahl sich ein frostiges Lächeln auf ihre Lippen, und sie beschloß, zu ihnen hinzugehen.

»Einen schönen Nachmittag, Schwestern«, dröhnte es.

»Ebenfalls, Oberschwester!« riefen sie im Chor wie gehorsame Schulmädchen, wobei Schwester Langtry sich aus Rücksicht auf Schwester Dawkin, die nicht aufstehen konnte, nicht erhob.

Die Oberschwester erblickte den Eimer und prallte zurück. »Sie glauben hoffentlich nicht, daß es sehr schicklich ist, an einem öffentlichen Ort die Füße einzuweichen?«

»Ich glaube, es hängt von dem Ort und den Füßen ab, Ma'am. Sie müssen mir vergeben, ich bin von Moresby nach Stützpunkt 15 gekommen, und in Moresby gab es nicht allzuviele Annehmlichkeiten.« Schwester Dawkin holte einen Fuß aus dem Eimer und untersuchte ihn mit medizinischer Genauigkeit. »Ich muß zugeben, es ist kein sehr schicklicher Fuß. Kam außer Fasson im Dienste der guten alten Florence Nightingale. Andererseits wiederum«, fuhr sie im selben Ton fort, setzte dabei den Fuß ins Wasser zurück und plantschte fröhlich darin herum, »ist eine personell gravierend unterbesetzte Neurologie auch kein sehr *schicklicher* Ort.«

Die Oberschwester nahm alarmierend starre Haltung an, verkniff sich die Antwort, weil Schwester Langtry als Zeugin anwesend war, drehte sich scharf auf dem Absatz um und marschierte hinaus.

»Alte Ziege!« sagte Schwester Dawkin. »Ich werd' ihr zeigen, was schicklich ist! Die liegt mir schon die ganze Woche tonnenschwer auf dem Gemüt, weil ich die Verwegenheit hatte, sie in Gegenwart eines auf Besuch weilenden amerikanischen Sanitätsgenerals um zusätzliches Personal zu bitten. Nun, Tage vorher hatte ich sie schon unter vier Augen darum gebeten, was hatte ich also zu verlieren? Ich hab' vier Fälle von Tetraplegie, sechs mit Schüttellähmung, neun halbseitig Gelähmte, drei im Koma, und dazu der Rest vom Schützenfest. Und ich sag' Ihnen, Schwester, wenn nicht die drei, vier Burschen wären, die bei klarem Verstand und fit genug sind, um einzuspringen, mein Schiff wäre vor vierzehn Tagen auf Grund gegangen.« Sie stieß mit einem verächtlichen Laut den Atem aus. »Wie sie die Moskitonetze immer hochwirft! Ich warte nur darauf, daß sie mir sagt, die Netze auf Station D wären nicht schicklich. In derselben Sekunde nehm' ich eins dieser kostbaren Netze, schlinge es ihr um den Hals und stranguliere sie damit!«

»Sie verdient einiges, aber Erwürgen? Sally, ich muß schon bitten!« sagte Schwester Langtry, die die funkensprühende Sally Dawkin sichtlich genoß.

»Diese alte Kuh! Die trifft nicht einmal mit einer Handvoll Weizen den Arsch eines Stiers!«

Aber das vielversprechende Feuerwerk der Dawkin erlosch wie unter einem Wasserschwall, als Schwester Sue Pedder bei der Tür hereinkam. Jede weitere Eruption verbot sich von selbst. Es war etwas anderes, vor Schwester

Langtry gehörig Dampf abzulassen, die, wenn sie schon nicht zur selben Altersgruppe gehörte, so doch zumindest eine erstklassige Pflegerin mit langjähriger Erfahrung war. Im Vergleich zu Schwester Pedder waren sie beide schon Oberhaus. Außerdem hatten sie von Neuguinea bis Orotai zusammen gedient und waren Freunde. Die Pedder war vergleichsweise noch ein Kind, nicht älter als die Helferinnen vom Pflegeorden, die in Moresby oft achtundvierzig Stunden durchgearbeitet hatten. Und das war's vielleicht! Niemand konnte sich vorstellen, Schwester Pedder würde je achtundvierzig Stunden durcharbeiten.

Sie war noch keine zweiundzwanzig, außergewöhnlich hübsch und lebhaft; sie arbeitete auf der Chirurgie, aber sie gehörte noch nicht lange zum Personal von Stützpunkt 15. Und der Witz machte die Runde, daß sogar der alte Carstairs, Urologe der chirurgischen Abteilung, gewiehert und mit dem Fuß den Boden gescharrt habe, als die Pedder in den OP reingeschwebt sei. Dabei hatten Schwestern und Patienten darauf gewettet, Major Carstairs sei längst tot und habe nur nicht genügend Anstand, sich hinzulegen.

Die Schwestern, die bis zur Auflösung von Station 15 hier bleiben sollten, waren sämtlich Dschungelveteraninnen. Bis auf Schwester Pedder, die nicht als zur Gruppe gehörig angesehen wurde und der man einiges an Ressentiments entgegenbrachte.

»Hallo, meine Damen!« sagte Schwester Pedder munter und kam an den Tisch. »Ich muß sagen, ich bekomme in letzter Zeit wenig von den Stars auf 15 zu Gesicht. Wie geht's auf den Stationen?«

»Ein großes Quentchen härter als auf der Chirurgie, wo man den Chirurgen schöne Augen machen kann«, sagte Schwester Dawkin. »Aber genießen Sie's nur, solange Sie können. Wenn's nach mir ginge, wären Sie weg von der Chirurgie und längst auf der Neurologie.«

»O nein!« quietschte Schwester Pedder ganz erschreckt. »Ich kann die Neurologie nicht ausstehn!«

»Wie schade«, sagte Schwester Dawkin ungerührt. »Ich würde es da auch nicht aushalten«, sagte Schwester Langtry, um dem armen Mädchen beizustehen. »Da braucht man ein starkes Rückgrat, einen guten Magen und einen unbeugsamen Willen. Ich selbst muß in allen drei Punkten passen.«

»Ich auch!« stimmte Schwester Pedder eifrig zu. Sie nahm einen Schluck Tee, merkte, daß er schal und bitter war, schluckte ihn aber, weil sie keine andere Wahl hatte. Eine unbehagliche Stille war eingetreten, die ihr mehr Angst machte als der Gedanke, auf die Neurologie versetzt zu werden.

Schwester Langtry richtete sich in ihrem Stuhl auf und sah Schwester Pedder forschend an, eine Reaktion, die Schwester Pedder wohl nicht erwartet hatte.

»Das Bankdirektorstöchterchen!« sagte sie langsam. »Gott und allen Heiligen sei Dank! Ich frage mich schon seit Tagen, wen von uns er wohl meinen könnte, aber an Sie habe ich nicht gedacht.«

»Oh, Luce Daggett!« sagte Schwester Dawkin, und ihr dämmerte etwas. Sie faßte Schwester Pedder fest ins Auge. »Wenn Sie sich heimlich mit ihm treffen, Baby, dann ziehen Sie am besten Ihre Blechunterhosen an und passen ja auf, ob er nicht seine Blechschere rausnimmt.«

Schwester Pedder wurde rot und fühlte sich zutiefst beleidigt. Sich bloß vorzustellen, mit diesem Drachen auf der Neuro zusammengesperrt zu sein!

»Machen Sie sich bloß keine Gedanken um mich«, sagte sie blasiert. »Luce und ich kennen uns, seit wir Kinder waren.«

»Wie war er denn, Sue?« fragte Schwester Langtry.

»Ach, er hat sich nicht verändert.« Da Schwester Langtry Interesse für sie zeigte, gab Schwester Pedder ihre abwehrende Haltung auf. »Die Mädchen waren alle verrückt nach ihm. Er sah gut aus. Aber seine Mutter brachte sich mit Waschen durch, und das machte die Sache schwierig. Meine Eltern hätten mich umgebracht, wenn ich einen Blick auf ihn riskiert hätte. Gottseidank war ich einige Jahre jünger als Luce, und als ich die Schule verließ, da war er schon nach Sydney gegangen. Wir verfolgten alle mit Interesse seine Karriere. Ich versäumte kein Stück, das er im Rundfunk machte, denn unsere lokale Station sendete alles. Aber als er im ›Royal‹ in jenem Stück spielte, hab' ich ihn nicht gesehen. Einige der Mädchen fuhren nach Sydney, aber mein Vater ließ mich nicht.«

»Und wie war *sein* Vater?«

»Ich erinnere mich wirklich nicht mehr an ihn. Er war Stationsvorsteher und starb bald nach Beginn der Wirtschaftskrise. Luces Mutter war eine stolze Frau, deshalb wollte sie nicht stempeln gehen. Das war der Grund, daß sie anderer Leute Wäsche wusch.«

»Hat er Brüder? Oder Schwestern?«

»Keine Brüder. Zwei ältere Schwestern, sehr hübsche Mädchen. Eine Familie von Schönheiten war das, bekannt im ganzen Bezirk, aber aus den Mädchen wurde nichts. Die eine trinkt, und über ihr Liebesleben redet man besser nicht. Die andere kam in andere Umstände und wohnt immer noch bei der Mutter. Sie hat ein Kind, ein Mädchen, bei sich.«

»War er gut in der Schule?«

»Sehr helle. Das waren sie alle.«

»Kam er gut mit den Lehrern aus?«

Schwester Pedder lachte schrill. »Guter Gott, nein! Die Lehrer verabscheuten ihn. Er war so sarkastisch und dabei so aalglatt; sie konnten ihn nie so weit festnageln, daß sie Grund gehabt hätten, ihn zu bestrafen. Außerdem zahlte er es jedem Lehrer heim, der ihn bestrafte.«

»Nun, er hat sich nicht sehr verändert«, sagte Schwester Langtry.

»Er ist hübscher geworden! Ich glaube, ich habe in meinem ganzen Leben keinen gesehen, der besser aussah«, sagte Schwester Pedder mit träumerischer Miene.

»Hoppla! Gleich wird sie vom Pferd fallen und sich den Hals brechen!« Schwester Dawkin gluckste und zwinkerte ihr nicht unfreundlich zu.

»Hören Sie nicht auf sie, Sue«, sagte Schwester Langtry, im Bemühen, ihre Informationsquelle in Stimmung zu halten. »Die Oberschwester sitzt ihr im Nacken, und sie hat Hitzeödeme an den Füßen.«

Schwester Dawkin nahm die Füße aus dem Eimer, trocknete sie nicht allzu sorgsam mit einem Handtuch ab und zog dann Strümpfe und Schuhe an.

»Nicht nötig, über mich zu reden, als ob ich gar nicht

hier wäre«, sagte sie. »Ich bin hier, mit allen Pfunden. Ah, meine Füße fühlen sich besser! Trinkt kein Wasser aus dem Eimer, da ist Bittersalz drin. Jetzt geh' ich und mach' ein kleines Schläfchen.« Sie zog ein Gesicht. »Es sind diese blöden Stiefel, die wir nachts tragen müssen, die meinen Füßen den Rest geben.«

»Haben Sie das Fußende Ihres Bettes angehoben?« rief ihr Schwester Langtry nach.

»Vor Jahren schon, Schätzchen!« kam die schwache Antwort. »So kann man leichter unters Bett schauen, ob da die Schuhe stehen, die nie dort stehen. Und damit meine ich nicht meine eigenen!«

Das hatte natürlich Gelächter zur Folge, aber nach diesem Heiterkeitsausbruch herrschte wieder unbehagliches Schweigen zwischen den beiden, die nun alleine am Tisch zurückblieben.

Schwester Langtry fragte sich, ob es ratsam sei, Schwester Pedder vor Luce zu warnen. Ob sie zumindest den Versuch machen sollte. Schließlich kam sie zu dem Schluß, das sei wohl ihre Pflicht, und dachte im gleichen Augenblick, wie wenig angenehm Pflichterfüllung meistens war. Sie war sich der Schwierigkeiten bewußt, denen sich Schwester Pedder auf Stützpunkt 15 gegenübersah. Ohne freundschaftliche Beziehungen mußte sie sich im Kreis der älteren Schwestern recht isoliert fühlen. Es gab nicht einmal mehr einige der jungen Leute vom Pflegeorden hier, zu denen sie hätte Kontakt finden können. Aber Luce war eine echte Gefahr, und Schwester Pedder war im mannstollen Alter und daher reif für jede Dummheit. Da Luce für sie ein Stück Heimat bedeutete, würde sie jede Vorsicht fallenlassen.

»Ich will hoffen, daß Luce Ihnen nicht das Leben schwer macht, Sue«, begann sie schließlich. »Er kann sehr schwierig sein.«

»Nein!« Schwester Pedder erwachte mit einem Ruck aus ihrer Betäubung.

Schwester Langtry nahm Zigaretten und Streichhölzer vom Tisch und ließ sie in den Korb zu ihren Füßen fallen. »Nun ja, ich bin sicher, Sie sind lange genug Krankenschwester, um allein auf sich aufzupassen. Bedenken Sie nur, daß Luce Patient auf Station X ist, weil er unter einer Verhaltensstörung leidet. Wir haben das im Griff, aber wir haben *Sie* nicht im Griff, wenn die Sache sich selbständig macht.«

»Das klingt ja so, als hätte er den Aussatz!« sagte Schwester Pedder verärgert. »Schließlich ist Kriegsmüdigkeit keine Schande. Passiert den besten Leuten!«

»Das hat er Ihnen gesagt?« fragte Schwester Langtry.

»Ja, und es stimmt auch«, sagte Schwester Pedder und ließ gerade so viel Zweifel in ihrer Stimme mitklingen, daß Schwester Langtry denken mußte, etwas sei geschehen, was Schwester Pedder Anlaß zum Nachdenken gegeben habe. Interessant!

»Nein, das stimmt nicht. Luce war der Front nie näher, als das Schreibstuben zu sein pflegen.«

»Und warum ist er dann auf X?«

»Ich darf nur soviel sagen, daß er einige eher unangenehme Eigenschaften an den Tag legte, was seine Vorgesetzten zur Überzeugung gelangen ließ, er wäre an einem Ort wie Station X besser aufgehoben.«

»Er ist manchmal merkwürdig«, sagte Schwester Pedder und dachte an das scheußliche, leidenschaftslose, unablässige Geramme und die wilden Bisse. Ihr Hals war so mitgenommen, die Haut stellenweise derart verletzt, daß sie dem Himmel dankte, der sie im Laden der amerikanischen Marketenderei in Port Moresby auf dem Weg hierher eine Dose festes Puder-Makeup hatte kaufen lassen.

»Dann lassen Sie sich von mir den Rat geben, ihn nicht mehr zu treffen«, sagte Schwester Langtry, nahm ihren Korb auf und erhob sich. »Wirklich, Sue, ich vertrete hier weder die Oberschwester noch halte ich eine Predigt. Ich habe nicht die leiseste Absicht, mich in Ihre privaten Angelegenheiten zu mischen, aber Luce ist nun einmal in jeder Hinsicht meine dienstliche Angelegenheit. Halten Sie sich von ihm fern.«

Das war zuviel für Schwester Pedder. Sie fühlte sich gezüchtigt und gedemütigt. »Ist das ein Befehl?« fragte sie, blaß bis in die Lippen.

Schwester Langtry war überrascht, sogar leicht amüsiert.

»Nein. Befehle hat hier nur die Oberschwester zu geben.«

»Dann stecken Sie sich Ihren verdammten Rat irgendwo hin!« Schwester Pedder gab jede Zurückhaltung auf. Doch dann hielt sie erschrocken inne. Zu frisch war noch die Erinnerung an die Vorschriften und die Disziplin während ihrer Ausbildung, als daß ihr nicht angesichts ihrer eigenen Kühnheit das Herz in die Hosen gefallen wäre.

Aber ihre Antwort war ins Leere gegangen, denn Schwester Langtry hatte den Raum verlassen. Offenbar hatte sie ihre Worte gar nicht mehr gehört.

Sie blieb eine Weile sitzen und nagte an ihrer Unterlippe, ganz dem Widerstreit ihrer Gefühle hingegeben: der Anziehung, die Luce auf sie ausübte, und der immer klarer werdenden Überzeugung, daß Luce keinen Deut für sie übrighatte.

Vier

1

Es DAUERTE FAST EINE WOCHE, bis Schwester Langtry ihre
gewaltsam unterdrückte Verwirrung und Verlegenheit
über jenen Augenblick der Schwäche im Tagesraum über-
winden konnte. Michael schien Gott sei Dank nichts zu
argwöhnen, denn er war freundlich und hilfsbereit wie immer – was ihrem Stolz guttat, andererseits anderen wunden Punkten ihres Innenlebens keine Linderung verschaffte. Immerhin, jeder Tag, den sie weiterlebte, bedeutete einen Tag weniger auf Station X, einen Tag näher der
Freiheit.

Als sie eines Nachmittags, etwa zwei Wochen nach jenem
Vorfall im Tagesraum, die Station betrat, stieß sie beinahe
mit Michael zusammen, der eben eilig aus der Spülküche
kam, in der Hand eine alte, zerbeulte Metallschüssel.

»Michael, decken Sie das bitte zu«, sagte sie automatisch. Er blieb stehen, einerseits von Eile getrieben, andererseits durch ihren höheren Rang aufgehalten. »Es ist wegen Nuggett«, erklärte er. »Er hat arge Kopfschmerzen und
fühlt sich elend.«

Schwester Langtry ging an ihm vorbei, griff durch die
Türöffnung der Spülküche, wo auf dem Regal dahinter ein
ausgebleichtes, jedoch sauberes Tuch lag. Sie nahm Michael die Schale aus der Hand und hüllte sie in das Tuch.

»Dann hat Nuggett also seine Migräne«, sagte sie ruhig.
»Er kriegt sie nicht oft, aber wenn, dann ist er ordentlich
im Tief, der arme Kerl.«

Sie ging in den Saal, warf einen Blick auf Nuggett, der
mit einem kalten Umschlag quer über den Augen still auf
dem Bett lag, und zog sich geräuschlos einen Stuhl zum
Bettrand.

»Kann ich etwas für Sie tun, Nuggett?« fragte sie ihn sanft und stellte die Schale behutsam auf das Schränkchen.

Seine Lippen bewegten sich kaum. »Nein, Schwester.«

»Wie lange wird's dauern?«

»Noch Stunden«, flüsterte er, und zwei Tränen kamen unter dem Tuch aus seinen Augen hervorgeflossen. »Es hat gerade erst angefangen.«

Sie berührte ihn nicht. »Keine Angst, bleiben Sie bloß ruhig liegen. Ich bin hier und habe ein Auge auf Sie.«

Sie blieb ungefähr eine Minute neben ihm sitzen, dann stand sie auf und ging in ihr Büro.

Michael wartete dort und machte ein besorgtes Gesicht. »Sind Sie sicher, daß es nichts Ernstes ist, Schwester? So still habe ich ihn nie liegen sehen! Er hat nicht einmal einen Muckser gemacht.«

Sie lachte. »Es geht ihm gut! Es ist bloß eine rechtschaffene Migräne, das ist alles. Der Schmerz ist so akut, daß er es nicht wagt, sich zu bewegen oder Lärm zu machen.«

»Gibt es nichts, was Sie ihm geben könnten?« fragte Michael, von ihrer Herzlosigkeit etwas aus der Fassung gebracht. »Wie wär's mit etwas Morphium? Das hilft immer.«

»Nicht bei Migräne«, sagte sie bestimmt.

»Sie sind also nicht bereit, etwas zu unternehmen?«

Sein Ton ärgerte sie. »Nuggett ist in keinerlei Gefahr. Er fühlt sich nur lausig. In etwa sechs Stunden wird er erbrechen, und das wird den ärgsten Schmerz vertreiben. Glauben Sie mir, er tut mir leid, weil er das durchmachen muß, aber ich gehe nicht das Risiko ein, ihn drogenabhängig zu machen! Sie sind jetzt lange genug hier, um zu wissen, was ihm wirklich fehlt, warum also wollen Sie aus mir die böse Hexe vom Dienst machen? Ich bin nicht unfehlbar, keineswegs, aber ich lasse mir nicht von Patienten sagen, was ich zu tun habe!«

Er lachte herzlich, ergriff ihren Arm und schüttelte ihn freundschaftlich. »Ein Punkt für Sie, Schwester!« sagte er, und dabei kam in seine grauen Augen ein warmes Leuchten.

Auch ihre Augen begannen zu glänzen. Eine Welle der

Dankbarkeit stieg in ihr hoch. Dieser Blick war unmißverständlich. In diesem Augenblick lösten sich alle ihre Zweifel; sie wußte, daß sie ihn liebte. Keine Trübsal mehr und keine Selbsterforschung. Sie liebte ihn, fühlte sich wie am Ende einer Reise, die sie gar nicht hatte antreten wollen.

Er suchte in ihrem Gesicht, dann öffneten sich seine Lippen, wollten Worte formen. Stumm vor Sehnsucht wartete sie. Aber die Worte kamen nicht. Sie sah, wie es in seinem Gehirn arbeitete, wie er das aufkommende Gefühl vertrieb – aus Angst? Aus Vorsicht? Der Griff seiner Hand auf ihrem Arm veränderte sich, wurde von der Liebkosung wieder zur freundschaftlichen Berührung.

»Ich sehe Sie später«, sagte er und ging hinaus.

Luce ließ ihr keine Zeit zum Nachdenken. Sie stand immer noch da wie betäubt, als er hereinkam.

»Ich muß mit Ihnen reden, Schwester, und zwar jetzt gleich«, sagte er. Er war bleich.

Sie befeuchtete ihre Lippen. »Bitte«, vermochte sie zu sagen und verbannte Michael aus ihren Gedanken.

Luce machte einige Schritte, bis er vor ihrem Schreibtisch stand. Sie ging zu ihrem Stuhl und setzte sich.

»Ich hab' mit Ihnen ein Hühnchen zu rupfen.«

»Dann setzen Sie sich«, sagte sie ruhig.

»Es wird nicht lange dauern, Kleines«, sagte er und entblößte die Zähne. »Warum vermiesen Sie mir meine kleine Miß Bankdirektor?«

Schwester Langtry machte große Augen. »Tu' ich das?«

»Sie wissen verdammt genau, daß Sie das tun! Alles lief so glatt, und jetzt plötzlich erklärt sie mir aus heiterem Himmel, sie fände es nicht richtig, sich mit so was wie Sergeant Luce Daggett abzugeben, das Gespräch mit Ihnen habe ihr die Augen geöffnet.«

»Außerdem ziemt es sich nicht für euch beide, heimlichen Umgang miteinander zu haben«, sagte Schwester Langtry. »Offiziere haben zu Gemeinen keine intimen Beziehungen zu unterhalten.«

»Ach, steigen Sie runter, Schwester! Sie wissen genauso wie ich, daß diese Vorschrift an diesem Scheißort Nacht für Nacht verletzt wird! Wer ist denn hier außer Gemeinen? Die Sanitätsoffiziere? Von denen, die hier auf Stütz-punkt 15 sind, kriegt ihn selbst für Betty Grable keiner mehr hoch! Die Offiziere unter den Patienten? Lauter Ruinen, die ihn für die Jungfrau Maria nicht mehr hochkriegen!«

»Wenn Sie schon vulgär sein müssen, dann unterlassen Sie wenigstens jede Lästerung!« fiel sie ihm ins Wort. In ihrem Gesicht regte sich kein Muskel, die Augen blickten hart und ohne Glanz.

»Aber es handelt sich um ein vulgäres Thema, Süße, und mir ist noch nach weit Ärgerem zumute. Eine alte Jungfer wie Sie muß wohl etepetete sein! Kein Klatsch in der Schwesternmesse über Schwester Langtry, nicht der kleinste, oder?«

Er beugte sich über den Tisch, die Hände umklammerten den Tischrand, sein Gesicht war dem ihren wieder ganz nahe, wie schon einmal, doch diesmal mit ganz anderem Ausdruck.

»Ich sag' Ihnen was! Kommen Sie mir ja nicht in die Quere, oder Sie werden sich wünschen, Sie wären nie geboren worden! Haben Sie verstanden? Ich habe Miß Bankdirektor in mehrfacher Hinsicht genossen, doch das werden Sie nie begreifen, Sie ausgetrockneter Scheuerbesen!«

Der Vergleich saß. Dabei hatte er nicht ahnen können, womit er sie am besten treffen könnte. Er sah, wie Schmerz und Entrüstung in ihr um sich griffen, und wollte diesen unerwarteten Vorteil mit allem Gift, daß er verspritzen konnte, weiter nützen.

»Sie sind staubtrocken, oder?« nölte er. »Sie sind keine Frau, sondern ein armseliger Frauenersatz. Da stehen Sie und lechzen danach, mit Mike ins Bett zu gehen, dabei können Sie das arme Schwein nicht einmal wie einen Mann behandeln! Jeder hält ihn für Ihr Schoßhündchen! Hier, Mike, Platz, Mike! Glauben Sie wirklich, der macht Männchen vor Ihnen und bettelt darum? Er ist nicht genug daran interessiert, Süße.«

»Mich bringen Sie nicht aus der Fassung«, sagte sie kalt. »Ich ziehe es vor, Ihre persönlichen Anwürfe als ungeschehen anzusehen. Nichts auf der Welt ist so sinnlos wie eine Leiche zu öffnen. Und das ist es, was Sie machen. Sie öffnen eine Leiche. Wenn Schwester Pedder über die Verbindung mit Ihnen jetzt anders denkt, dann freut es mich für euch beide, besonders aber für sie. Mich zu beschimpfen wird keinen Einfluß darauf haben, wie Schwester Pedder denkt.«

»Sie sind kein Eisberg, Schwester Langtry, denn Eis schmilzt. Sie sind aus Stein! Aber ich werde schon eine Möglichkeit finden, es Ihnen heimzuzahlen. O ja, das werd' ich! Und Sie werden blutige Tränen weinen!«

»Was für ein idiotisches Rührstück!« sagte sie verächtlich. »Vor Ihnen hab' ich keine Angst, Luce. Sie ekeln und öden mich an, das ja. Aber Angst, nein. Und Ihr Bluff verfängt bei mir nicht wie bei den anderen. Ich durchschaue Sie, habe Sie immer schon durchschaut. Sie sind nur ein kleiner Bauernfänger!«

»Aber ich bluffe nicht«, sagte er von oben herab und richtete sich auf. »Sie werden schon sehen! Ich hab' was gefunden, von dem Sie glauben, es gehört Ihnen, und das werd' ich mit dem größten Vergnügen kaputtmachen.«

Michael. Sie und Michael. Aber Luce konnte das nicht kaputtmachen. Nur Michael konnte es. Oder sie.

»Ach, gehen Sie doch, Luce!« sagte sie. »Gehen Sie bloß! Sie stehlen mir die Zeit.«

»Dreckstück!« sagte Luce, blickte auf seine zu Fäusten geballten Hände, als hätte er sie noch nie gesehen, auf das Bett, auf dem Benedict apathisch kauerte, und auf den Saal, der ihn zu drängen schien. »Dieses Dreckstück!« sagte er noch einmal, diesmal lauter und direkt zu Ben gewandt. »Weißt du, von wem ich rede, du Blödmann, ahnst du das? Von deinem Edelstein, der Langtry, diesem Dreckstück!« Er war außer sich und so besessen von seinem Haß, daß er gar nicht daran dachte, daß Ben nicht der Mann war, den man so leicht provozieren konnte. Er wollte einfach auf jemanden eindreschen, und Ben war der einzige in der Nähe. »Du denkst, sie macht sich was aus dir, oder?« fragte er. »Also, nicht das kleinste bißchen! Sie macht sich aus keinem was außer unserem Helden und Wundersergeant Wilson! Ist es nicht zum Lachen? Die

Langtry verliebt sich in einen Bubi, der dir den Arsch hin-hält!«

Ben kam langsam auf die Beine. »Sag so was nicht, Luce. Laß dein dreckiges Maul von ihr und Mike.« Er sprach ganz sanft.

»Spiel dich nicht auf, du blöder Arsch! Muß ich dir's erst ausdividieren? Die Langtry, die blöde alte Jungfrau, hat sich in den größten Schwuli der Armee verliebt!« Er durchmaß den Raum zwischen seinem Bett und dem Benedicts mit langsamen, tänzelnden Seitwärtsschritten, die ihn stark und gefährlich erscheinen ließen. »Ein Schwuli, Ben! Mike, sag' ich dir, ist ein Schwuli!«

Die Wut sammelte sich in Ben, und wenn er wütend war, wuchs auch er, aus seinem Gesicht verschwanden der Ausdruck der Niedergeschlagenheit und der Bußfertig-keit, und wie die blanken Knochen am Grund einer tiefen Wunde kam etwas bei ihm zum Vorschein, was tiefer saß und Böses, Entsetzliches verhieß. »Laß sie in Frieden, Luce«, sagte er ruhig. »Du weißt nicht, wovon du redest.«

»Oh, und ob ich das weiß! Es steht in seinen Papieren! Dein Liebling ist 'n Schwuli!«

Zwei kleine Bläschen bildeten sich in Bens Mundwin-keln, dick und glitzernd. Ben begann zu zittern, es schüt-telte ihn in schnellen, kleinen Stößen. »Du Lügner!«

»Warum sollte ich lügen? Es steht alles in seinen Papie-ren – der hat das halbe Bataillon in den Arsch gefickt!« Luce machte hastig einen Schritt zurück, weil er fand, es wäre besser, Ben jetzt nicht zu nahe zu sein. »Wenn Mike ein Schwuli ist«, spöttelte er, nicht mehr imstande, sich Einhalt zu gebieten, »was bist dann du?«

Ein dünner, wimmernder Klagelaut entrang sich Bene-dict, ein leiser, sanfter Schrei, doch noch ehe seine krampf-artig gespannten Muskeln dem Trieb der Gewalttätigkeit, der ihm wie ein großer Schatten voranging, folgen konnte, gab Luce stakkatoartige Töne von sich, die geradezu un-heimlich an das Tacken eines Maschinengewehrs erinner-ten. Benedict wurde hin und her geworfen, sein Körper bewegte sich ganz im Rhythmus dieser Laute.

»Tack-tack-tack-tack-tack-tack-tack! Hörst du das, mein Sohn? Erinnerst du dich? Natürlich erinnerst du dich! Das ist dein Maschinengewehr, wie es all die unschuldigen Menschen totmacht! Denk an sie, Ben! Dutzende Frauen und Kinder und alte Männer, alle tot! Du hast sie kaltblütig umgebracht. Und jetzt bist du hier auf X gelandet und sitzt mit solchem Abschaum wie Mike Wilson an einem Tisch!«

Benedicts Wut erstickte in der anderen, größeren Qual. Er sank auf sein Bett, den Kopf auf dem Kissen, die Augen geschlossen, die Wangen überflutet von einem Tränenstrom, ein Bild menschlicher Verzweiflung.

»Geh raus hier, Luce!« ertönte Matts Stimme hinter Luce.

Luce tat einen Sprung vorwärts, doch als ihm bewußt wurde, daß Matt nichts sah, drehte er sich um und wischte mit der Hand über sein schweißnasses Gesicht. »Geh zur Hölle!« sagte er, stieß Matt roh zur Seite und schnappte sich im Vorbeigehen sein Käppi vom Bett. Er setzte es mit einer nonchalanten Geste auf und schritt durch den Saal zur Vordertür.

Matt hatte fast alles mitangehört, doch solange er gewärtig war, daß jeden Augenblick Handgreiflichkeiten ausbrechen konnten, hatte er nicht gewagt, sich einzumischen, überzeugt, er würde die Sache nur verschlimmern, wenn er sich zwischen die beiden warf. Zudem wußte – und hoffte – er, daß Ben seinem Widersacher durchaus gewachsen sein würde.

Er tastete nach dem Bettende, fand es, setzte sich und glitt weiter, bis seine suchenden Hände einen Arm umschlossen. Er seufzte. »Ist ja alles gut, Ben«, sagte er sanft, er tastete die Nässe und das Gesicht darunter. »Komm schon, ist ja alles gut. Das Schwein ist weg und wird dich nicht mehr quälen. Armer Kerl!«

Aber Benedict schien nichts zu hören. Sein Tränenstrom war versiegt, er hatte die Arme um den Körper gelegt und bewegte den Körper in wiegendem Rhythmus hin und her.

Außer Matt hatte niemand die Szene im Saal mitbekommen. Nuggett kümmerte sich nie um etwas, Michael war zur nächsten Station gegangen, um sich etwas Milchpulver zu besorgen, und Neil war in Schwester Langtrys Büro gestürzt, kaum daß Luce herausgeschossen war. Er fand Schwester Langtry auf ihrem Stuhl, das Gesicht in den Händen vergraben.

»Was ist? Was hat der Kerl Ihnen angetan?«

Sie nahm die Hände sofort vom Gesicht. Auf diesem zeigten sich weder Tränen noch die Anzeichen großen Kummers, lediglich der Ausdruck der Ruhe und Beherrschtheit. »Er hat nichts getan«, sagte sie.

»Doch, er muß etwas getan haben! Ich konnte ihn bis in den Saal hinein hören.«

»Komödie, das ist alles. Er ist eben ein Schauspieler. Er hat nur etwas Dampf abgelassen, weil ich einer kleinen Liebesromanze, die er mit einer der Schwestern hatte, einen Riegel vorschob. Das Mädchen aus seiner Schule, die Tochter des Bankdirektors, Sie erinnern sich?«

»Ich erinnere mich gut«, sagte er, setzte sich, und sein Atem ging ruhiger. »Das war übrigens das einzige Mal, daß ich in Gefahr kam, Luce zu mögen.«

Er holte seine Zigaretten hervor. Sie nahm hastig eine und sog gierig den Rauch ein.

»Sein Interesse an dem Mädchen hat natürlich nur mit seinen Rachegefühlen zu tun«, sagte sie und blies den Rauch von sich. »Ich habe das sofort erkannt, als ich merkte, was vorging. Ich glaube nicht, daß sie ihn in seinen Phantasien beschäftigte, aber als sie plötzlich fleischlich vor ihm auftauchte, da wußte er gleich, wie er sie benützen könnte.«

»O ja«, sagte Neil und schloß die Augen. »Lucius Ingham, der berühmte Schauspieler, und Rhett Ingham, der Hollywood-Star, zeigt den Bewohnern seiner Heimatstadt die lange Nase.«

»Ich nehme an, Bankdirektors Töchterchen verehrte Luce, als sie Kinder waren, doch möcht' ich wetten, sie war viel zu hochnäsig, um das den Sohn der Wäscherin merken zu lassen. Und auch noch zu jung, um mit ihm zu flirten. Daher gibt es ihm jetzt viel, sie bloßzustellen.«

»Natürlich.« Neil öffnete die Augen und sah sie forschend an. »Also ist anzunehmen, daß es ihm nicht gefallen hat, daß man ihm in die Quere kam?«

Sie lachte kurz. »Das kommt der Sache ziemlich nahe.«

»Ich dachte mir's. Ich konnte nicht hören, was er sagte, aber ich habe seine Stimme gehört.« Er studierte eingehend die Spitze seiner Zigarette. »Ich möchte so weit gehen, zu behaupten, daß unser Luce ganz schön wütend ist. Hat er Ihnen gedroht?«

»Nicht direkt. Es ging ihm mehr darum, mir meine Unzulänglichkeiten als Frau vor Augen zu führen.« Angeekelt verzog sie das Gesicht. »Pah. Wie dem auch sei, ich hab' ihn einfach merken lassen, daß das, was er sagte, für mich blanker Unsinn ist.«

»Keine Drohungen also?« fragte Neil noch einmal.

Sie schien seines Verhörs müde, denn aus ihren Worten war Ungeduld herauszuhören. »Was könnte er mir antun, Neil? Mich überfallen? Mich umbringen? Hören Sie auf damit! So etwas passiert im Roman, nicht im Leben. Es fehlt auch die Gelegenheit. Außerdem wissen Sie, daß ihm nichts wichtiger ist, als seine Haut zu retten. Er würde nie was tun, wofür er bestraft werden kann. Er breitet bloß seine dunklen Schwingen aus und läßt unsere Phantasie für ihn die schmutzige Arbeit tun. Nur, ich falle auf seine Tricks nicht rein.«

»Hoffentlich haben Sie recht, Schwester.«

»Neil, solange ich auf diesem Stuhl sitze, *darf* ich mir von keinem Patienten Angst einjagen lassen«, sagte sie ernst.

Er hob die Schultern, wollte die Sache auf sich beruhen lassen. »Ich werde also mit typisch Neil Parkinsonscher Lässigkeit das Thema wechseln und teile Ihnen mit, daß mir heute ein Gerücht zu Ohren gekommen ist. Nun, es ist wohl mehr Tatsache als Gerücht, nehme ich an.«

»Für das erstere danke ich«, sagte sie aufrichtig. »Und was das letztere betrifft: Was für ein Gerücht?«

»Mit diesem Ort geht's endlich in die Zielgerade.«

»Also, wo haben Sie das gehört? Bis zu den Schwestern ist es noch nicht gedrungen.«

»Vom guten alten Colonel ›Kinnbacke‹ persönlich.« Er grinste. »Ich ging heute nachmittag zufällig an seinem Quartier vorüber, und da stand er auf seinem Balkon wie Julia nach einem Besuch ihres Romeo, in Ekstase versetzt vom Gedanken, in die Macquarie Street zurückzukehren. Er lud mich auf einen Drink ein und sagte mir, sozusagen ein Offizier und Gentleman dem anderen, daß wir wahrscheinlich keinen Monat mehr hier sind. Kam heute morgen vom Divisionshauptquartier rein.«

Ihr Gesicht zeigte Bestürzung. Was Luce nicht fertiggebracht hatte, das gelang Neil mit dieser Mitteilung. »O Gott! Nur noch einen Monat?«

»Auf eine Woche auf oder ab kommt's nicht an. Wir werden uns einfach vor der Regenzeit davonstehlen, so sieht's aus.« Er sah sie betroffen an und runzelte die Stirn. »Sie überraschen mich in der Tat. Das letzte Mal, als wir einander unser Herz ausschütteten, da saßen Sie da, düster wie der Sensenmann, und fragten sich, wie Sie das hier bis zum Ende durchhalten würden. Und jetzt sitzen Sie genauso düster da, weil das Ende in Sicht ist.«

»Mir ging's damals nicht gut«, sagte sie mühsam.

»Wenn Sie mich fragen, dann glaub' ich nicht, daß es Ihnen jetzt gutgeht.«

»Sie verstehen mich nicht. Ich werde Station X vermissen.«

»Auch Luce?«

»Auch Luce. Wenn Luce nicht wäre, würde ich die anderen nicht halb so gut kennen.« Sie brachte ein schiefes Lächeln zustande.

»Und mich selbst natürlich auch nicht.«

Es klopfte, und Michael steckte den Kopf zur Tür herein. »Ich hoffe, ich störe nicht – der Tee ist fertig.«

»Haben Sie Milch gekriegt?«

»Kein Problem.«

Sie stand sofort auf, erleichtert, auf so natürliche Weise das Gespräch mit Neil beenden zu können. »Na, dann kommen Sie, Neil. Nehmen Sie die Kekse, ja? Sie können sie besser erreichen als ich.«

Sie wartete, bis er die Dose genommen hatte, trat zurück, um ihn vor sich durch die Tür zu lassen, und folgte dann den beiden Männern in den Saal.

2

Als sie zu Nuggetts Bett kamen, machte sie Neil und Michael Zeichen, weiterzugehen, und schlüpfte unter dem Netz durch, das heruntergelassen worden war. Er lag bewegungslos und nahm von ihr keine Notiz. Sie wechselte daher nur das Tuch über seinen Augen gegen ein frisches aus und ließ ihn allein.

Am Eßtisch entdeckte sie, daß Luce fehlte, schaute auf die Uhr und war überrascht, wie spät es war.

»Wenn Luce nicht aufpaßt, wird er schließlich doch noch seinen guten Ruf zunichte machen. Weiß jemand, wo er ist?«

»Ist weggegangen«, sagte Matt schroff.

»Er hat gelogen«, sagte Benedict, sich hin und her wiegend.

Schwester Langtry nahm Ben genauer in Augenschein. Er machte einen merkwürdigen Eindruck, schien abgekapselter als sonst. Und diese wiegenden Bewegungen waren neu an ihm.

»Geht's dir gut, Ben?«

»Alles in Ordnung. Nein, nichts in Ordnung. Er hat gelogen. Unter seiner Zunge wohnt eine Schlange.«

Schwester Langtry und Michael tauschten einen Blick. In stummer Frage hob sie eine Braue, doch er, ebenso ratlos wie sie, schüttelte schnell den Kopf. Neil runzelte die Stirn, er war ebenfalls verdutzt.

»Was ist nicht in Ordnung, Ben?« fragte sie.

»Alles. Lügen. Er hat längst seine Seele verkauft.«

Neil beugte sich vor und tätschelte die schmale, gebeugte Schulter. »Laß dir von Luce nicht Angst machen, Ben!«

»Er ist *böse*!«

»Hast du geweint, Ben?« fragte Michael und setzte sich neben ihn.

»Er hat über dich geredet, Mike. Schmutzige Dinge.«

»Über mich kann man nichts Schmutziges sagen, Ben. Also warum quälst du dich?« Michael stand auf, holte das

Schachbrett und begann die Figuren aufzustellen. »Heute spiele ich mit Schwarz«, sagte er.

»*Ich* bin Schwarz.«

»Also gut, ich spiele mit Weiß, und du kannst mit Schwarz spielen. Mein Vorteil«, sagte Michael fröhlich.

Benedicts Gesicht verzerrte sich, er schloß die Augen, warf den Kopf zurück, und Tränen glitzerten an seinen Wangen. »Oh, Mike, ich hab' nicht gewußt, daß auch Kinder darunter waren!« rief er.

Michael schenkte ihm keine Beachtung. Statt dessen rückte er mit seinem Königsbauern zwei Felder vor und blieb einfach sitzen und wartete. Nach einer Weile öffneten sich Bens Augen, er sah durch den Tränenschleier den Eröffnungszug und rückte schnell seinen Königsbauern vor, dabei schniefte er wie ein Kind und wischte mit dem Handrücken über seine Nase. Michael rückte mit dem Damenbauern auf, und wieder machte Ben denselben Gegenzug. Seine Tränen waren getrocknet. Als Michael nun den Springer aus dem Königsflügel nahm und ihn vor den Läufer setzte, kicherte Ben und schüttelte den Kopf. »Du lernst es wohl nie?« fragte er und zog lässig seinen Läufer vor.

Schwester Langtry tat einen großen Seufzer, erhob sich, lächelte jeden zum Abschied an und ging. Neil erhob sich ebenfalls, ging jedoch um den Tisch herum zu Matt, den man in der gespannten Situation ganz vergessen hatte.

»Komm. Wir plaudern noch ein wenig in meinem Zimmer«, sagte Neil und berührte Matt leicht am Arm. »›Kinnbacke‹ hat mir heute nachmittag etwas gegeben, woran du auch teilhaben sollst. Es hat ein schwarzes Etikett, ganz wie Luce, aber innen – ah! Da ist es pures, unverfälschtes Gold.«

Matt schaute etwas verwundert. »Ist noch nicht Nachtruhe?«

»Offiziell schon, glaub' ich, aber wir alle sind heute abend ein bißchen überdreht. Deshalb hat uns wahrscheinlich die Schwester allein gelassen, ohne uns in die Betten zu stecken. Außerdem, Ben und Mike sind in ihre Schachpartie vertieft. Und vergiß Nuggett nicht – wenn wir schlafen gehen, bevor er seine Bauchschmerzen hat, dann weckt er uns nur unnötig auf.«

Matt erhob sich etwas zittrig, doch seine Miene war eitel Sonnenschein. »Ich komm' gern auf einen Schwatz. Und um dein Rätsel zu lösen. Schwarzes Etikett und innen pures Gold?«

Neils Kammer war zwei mal zweieinhalb Meter groß, ein Bett, ein Tisch und ein Stuhl hatten gerade darin Platz, neben mehreren Wandbrettern, die eher behelfsmäßig an einer Stelle an die Wand genagelt waren, wo nicht zu befürchten war, daß er aufstand und mit dem Kopf gegen sie stieß. Überall lagen Malutensilien verstreut, doch jeder, der etwas davon verstand, konnte unschwer erkennen, daß der Künstler sich bei seiner Tätigkeit auf Techniken beschränkte, die weniger dauerhaft, aber dafür auch weniger mit Schmutz verbunden waren als die Ölmalerei. Bleistifte, Papier, Kohlestifte, Pinsel, Schalen mit schmutzigem Wasser, kleine Zinnbehälter mit Wasserfarben, wie sie Kinder verwenden, Tuben mit Deckfarbe, Farbstifte und Pastellstifte. Es war absolut keine Ordnung in diesem Chaos erkennbar. Schwester Langtry hatte es längst aufgegeben, ihn dazu zu bringen, seine Kammer in Ordnung zu halten, und ertrug die endlosen Vorhaltungen der Oberschwester wegen des Zustands von Captain Parkinsons Zimmer mit Gelassenheit. Glücklicherweise war es ihm gegeben, mit seinem Charme die Vögel von den Ästen zu locken, selbst eine, wie er sich höchst despektierlich ausdrückte, blöde alte Wachtel wie die Oberschwester.

Als perfekter Gastgeber ließ er Matt bequem auf dem Bett Platz nehmen, fegte allen möglichen Kram vom Stuhl und setzte sich. Zwei Zahnputzgläser und zwei Flaschen Johnny Walker Black Label standen auf dem Tisch. Neil brach das Siegel und entkorkte die Flasche sorgfältig. Dann goß er in jedes Glas eine reichlich bemessene Portion.

»Auf dein Wohl!« sagte er und nahm einen tüchtigen Schluck.

»Spucke mit Fliegenschiß«, sagte Matt und tat desgleichen. Wie zwei Schwimmer, die nach einem Sprung in unerwartet kaltes Wasser an die Oberfläche kommen, holten sie beide tief Luft.

»Ich bin zu lange trocken gewesen«, sagte Neil. Seine Augen tränten. »Herrgott, dieser Stoff haut einen um.«

»Schmeckt himmlisch«, sagte Matt und trank ein zweites Mal.

Sie schwiegen, atmeten tief und kosteten die Wirkung aus.

»Irgendwas muß heute abend geschehen sein, um Ben aus den Pantinen zu kippen«, sagte Neil. »Weißt du was?«

»Luce hat ein Maschinengewehr nachgemacht und hernach Ben verspottet, er habe Zivilisten getötet. Der arme Ben fing zu heulen an. Luce, dieses Schwein! Er sagte zu mir, ich solle zur Hölle gehen, stieß mich zur Seite und ging. Ich glaub', der Mann ist vom Teufel besessen.«

»Oder er ist der Teufel in Person«, sagte Neil.

»Ah, der ist aus Fleisch und Blut.«

»Dann eben aus reiner Vorsicht. Man könnte ja seine Sterblichkeit testen.«

Matt lachte, streckte die Hand mit dem Glas aus. »Dazu melde ich mich freiwillig.«

Neil goß Matt und sich selbst nach. »Gott, hab' ich das dringend gebraucht! ›Kinnbacke‹ muß Gedanken lesen können.«

»Das hast du wirklich von ihm bekommen? Ich dachte, du machst Spaß.«

»Nein. Direkt von ihm.«

»Aber warum nur?«

»Ach, ich nehme an, das stammt aus seinen geheimen Beständen, und er hat sich ausgerechnet, wieviel er selbst saufen kann, bevor Stützpunkt 15 eingeht. Also beschloß er, Weihnachtsmann zu spielen und den Überschuß wegzugeben.«

Matts Hand zitterte leicht. »Wir fahren nach Hause?«

Neil verfluchte die zungenlösende Wirkung des Whiskys, sah Matt an und legte alle Güte in diesen Blick. Doch damit konnte er keine Blindheit durchbrechen, weder eine echte noch eine eingebildete. »Noch etwa einen Monat, mein Alter.«

»So bald? Sie wird's erfahren.«

»Früher oder später muß sie es erfahren.«

»Ich hab' gedacht, mir bleibt noch mehr Zeit.«

»Matt . . . Sie wird es verstehen.«

»Wird sie? Neil, ich hab' kein Verlangen mehr nach ihr! Ich kann an das nicht einmal mehr denken! Sie wartet darauf, daß sie ihren Mann wiederbekommt. Und was kriegt sie? Keinen Mann.«

»Jetzt und hier kannst du das nicht sagen. Brich nicht alle Brücken ab – du weißt nicht, was kommt. Aber je mehr du darüber brütest, desto schlimmer wird es.«

Matt seufzte und leerte sein Glas. »Bin ich froh, daß du den Stoff bei der Hand hattest. Wirkt wie eine Narkose.«

Neil wechselte das Thema. »Luce muß heute in seiner lausigsten Stimmung gewesen sein. Bevor er sich an Ben machte, versuchte er's mit Schwester Langtry.«

»Ich weiß.«

»Das hast du auch gehört?«

»Ich hab' gehört, was er zu Ben sagte.«

»Heißt das, da war noch was außer dem Maschinengewehr?«

»Noch einiges. Er kam tobend aus dem Zimmer der Schwester gerannt, und nahm sich Ben vor, weil er wußte, daß der was dagegen hatte, wenn man die Schwester schlechtmachte. Was Ben aber umhaute, das war das, was er über Mike sagte.«

Neils Kopf vollführte eine Drehung. »Was sagte er über Mike?«

»Oh, daß er ein Schwuler ist. Hast du je so was Blödes gehört? Er blieb dabei. Er hat's in Mikes Papieren gelesen, sagt er.«

»So ein Schwein!«

Oh, wie gnädig war das Schicksal manchmal! So etwas durch einen Blinden zu erfahren, der nicht sehen konnte, welchen Effekt seine Mitteilung hatte . .

»Hier, Matt, trink noch was.«

Der Whisky stieg Matt schnell zu Kopf, wenigstens dachte das Neil, der dann mit einem Blick auf seine Uhr feststellte, daß es einiges über elf war. Er stand auf, legte sich Matts Arm um seine Schultern und hievte ihn auf die

Beine, wobei er feststellte, daß er auf seinen eigenen nicht mehr allzu sicher stand.

»Komm, mein Alter, Zeit fürs Bett.«

Benedict und Michael schoben eben das Schachbrett zur Seite. Michael kam Neil sofort zu Hilfe, und gemeinsam zogen sie Matt Hosen, Hemd und Unterwäsche aus und kippten ihn aufs Bett, für dieses Mal ohne Pyjama.

»Ende der Vorstellung«, sagte Michael lächelnd.

Als Neil das ruhige, ungemein energische Gesicht vor sich sah, dieses Gesicht, dem er, wie er wußte, unendlichen Schmerz zufügen würde, da regte sich in seinem durch den Whisky rührselig gewordenen Gemüt ein Gefühl der Zuneigung für Michael. Er schlang die Arme um Michaels Hals, ließ den Kopf auf seine Schulter sinken und war den Tränen nah.

»Komm und trink einen mit mir«, sagte er traurig. »Du und Ben, kommt und trinkt einen mit einem alten Mann. Wenn ihr nicht mitgeht, werde ich weinen, denn ich bin der Sohn meines alten Vaters. Wenn ich an dich, an ihn und an sie denke, muß ich weinen. Komm mit und trink einen.«

»Wir können dich nicht weinen lassen«, sagte Michael und machte sich los. »Komm, Ben, wir sind eingeladen.«

Benedict hatte das Schachspiel im Schrank verstaut und kam herüber. Neil streckte den Arm aus und hängte sich bei ihm ein.

»Kommt und trinkt einen«, sagte er. »Es sind noch eine und eine halbe Flasche übrig. Ich muß aufhören, aber ich kann doch diesen herrlichen Stoff nicht ungetrunken stehenlassen, oder?«

Benedict wich zurück. »Ich trinke nicht«, sagte er.

»Heute wird's dir guttun«, sagte Michael entschieden. »Komm jetzt, spiel nicht den Heiligen.«

So gingen sie also quer durch den Saal, Michael und Benedict hatten Neil zwischen sich und stützten ihn. Wo der Korridor einmündete, griff Michael nach oben, um die Lampe über dem Eßtisch auszuschalten. Der Fadenvorhang schepperte. Luce kam herein, nicht verstohlen, sondern herausfordernd, als erwarte er, Schwester Langtry liege auf der Lauer.

Die drei standen da und sahen ihn an, und Luce ließ seinen Blick vom einen zum andern wandern. Michael fluchte innerlich, daß er zwischen sich und Benedict die schwere Last Neils hatte, in der Befürchtung, der Anblick von Luce könnte Ben neuerlich in Wut bringen. Doch in diesem Augenblick machte Nuggett seinem Kopfschmerz durch Erbrechen ein Ende.

»O Gott, was für ein empörender Lärm!« sagte Neil und erwachte aus seiner Starre.

Er stieß Benedict und Michael durch die Türöffnung in seine Kammer, folgte ihnen und schlug die Tür zu.

3

LUCE GING ZU SEINEM BETT, ohne einen Blick in die Richtung von Neils Kammer zu werfen. Er stand allein im Dunkel des Saales, nur das entsetzliche Würgen zeigte an, daß da noch jemand war.

Er war so müde, daß er kaum noch einer Bewegung fähig war. Er ließ sich auf den Bettrand nieder. Stundenlang war er auf Stützpunkt 15 umhergewandert, über alle Wege, die Strände entlang, durch die bleichen Palmgehölze. Und hatte nachgedacht ... Hatte in sich das wilde Verlangen gespürt, auf Schwester Langtry so lange einzuschlagen, bis ihr Kopf sich vom Rumpf löste und wie ein Fußball davonrollte. Dieses hochnäsige Dreckstück! Ein Luce Daggett war ihr nicht gut genug, und dann hatte sie noch die Stirn, die Beleidigung dadurch voll zu machen, daß sie sich diesem Bubi an den Hals warf. Sie war verrückt. Das Leben einer Prinzessin hätte sie mit ihm führen können, denn er würde reich und berühmt sein, ein größerer Star als Clark Gable und Gary Cooper zusammengenommen. Was man so sehr herbeiwünschte, das kriegte man auch. Sie hatte das selbst gesagt. Jede einzelne Minute jeder einzelnen Stunde jedes einzelnen Tages seit

seinem Weggehen von seinem Heimatort hatte er sich darauf vorbereitet, den großen Durchbruch als Schauspieler
zu erzielen.

Seit dem Tag seiner Ankunft in Sydney – er war damals
ein Bürschen von knapp fünfzehn – war ihm klargewesen,
daß Theaterspielen für ihn die Fahrkarte zum großen Erfolg darstellte. Und er hungerte nach Erfolg. Er hatte nie
ein Theaterstück gesehen, war nie im Kino gewesen, hatte
bloß zugehört, wenn die Mädchen sich in Lobeshymnen
über diesen oder jenen Schauspieler ergingen, und alle
ihre Vorschläge, er solle doch später einmal zum Film gehen, vom Tisch gefegt. Sollten die sich doch um ihren eigenen Kram kümmern, er machte es auf seine Weise. Er
wollte nicht, daß eine einmal umherging und prahlte, sie
habe ihn dazu überredet und es wäre ihre Idee gewesen.

Er fing an als Verkäufer in einem Kurzwarenladen in
der Day Street, den Job hatte er mehreren hundert anderen
Bewerbern vor der Nase weggeschnappt. Der Geschäfts-
führer hatte dem Charme des Burschen mit dem dichten,
schönen Haar, dem strahlenden Gesicht und der netten
Draufgabe eines fixen Verstandes nicht widerstehen können. Zudem stellte sich heraus, daß der Kerl auch ein sehr
guter Verkäufer war.

Es dauerte nicht lange, bis Luce entdeckte, wo und wie
man ins Schauspielergewerbe hineinkam. Jetzt, wo er Arbeit hatte, hatte er auch genug zu essen, wuchs rasch, ging
in die Breite und sah bald älter aus, als er war. Er saß im
»Repins« herum und trank unzählige Tassen Kaffee, trieb
sich in der Nähe des »Doris Fitton« beim Independent
Theatre herum, damit sein Gesicht jedem bekannt werde,
und erhielt schließlich in Hörspielen der Sender 2GB und
ABC kleine Rollen, einige Male sogar winzige Sprechrol-
len im Fernsehen auf dem 2CH-Kanal. Er hatte eine gute
Radiostimme, ohne Zischlaute, richtig im Timbre, und
sein gutes Ohr für Akzente ermöglichte es ihm, schon
nach einem halben Jahr Kontakt mit den richtigen Kreisen
sein Australisch nur noch hören zu lassen, wenn es gewünscht wurde.

Weil er Leute mit Oberschul- und Hochschulbildung
beneidete, versuchte er sich, so gut es ging, selbst zu bil-

den, indem er alles las, was die Leute einem empfahlen. Allerdings erlaubte ihm sein Stolz nicht, geradeheraus zu fragen, was er lesen solle, sondern er entlockte geschickt Freunden und Bekannten die gewünschten Informationen im Gespräch und lief danach zur Bücherei.

Als er achtzehn war, verdiente er mit kleinen Engagements beim Radio genug, um den Job als Verkäufer aufgeben zu können. In der Hunter Street fand er ein kleines Zimmer zur Untermiete und richtete es sich geschickt ein, indem er die Wände mit Büchern verstellte. Was er niemandem sagte, war, daß er die Bücher im Ramschladen auf Paddy's Markt um drei Pence das Dutzend, beziehungsweise eine in Leder gebundene Dickens-Ausgabe nicht teurer als für 2 Pfund 8 Pence gekauft hatte.

Ausgehpartner Luce Ingham war bekannt als Schnorrer. Die Mädchen wußten bald, daß, wer mit Luce ausging, selbst zahlte. Doch nach kurzem Überlegen entschieden sich die meisten dafür, mit Freuden für die Kosten des Abends aufzukommen, wenn sie dafür das Privileg genossen, mit einem Mann gesehen zu werden, nach dem sich alle buchstäblich den Kopf verdrehten. Sehr bald entdeckte er natürlich die Frau gesetzteren Alters, die nichts lieber tat, als seine Rechnungen zu bezahlen und dafür öffentlich seine Gesellschaft, privat seinen Penis in Anspruch zu nehmen.

Nun begann er mit systematischem sexuellen Leistungstraining, so daß er, egal wie wenig inspirierend oder absolut häßlich die Dame auch sein mochte, die ihn in ihr Bett nahm, den Anforderungen des Augenblicks zu genügen vermochte. Gleichzeitig entwickelte er die Technik des Liebesgeflüsters, womit er seinen Partnerinnen Begehrlichkeit vorgaukelte. Und damit begann der Strom der Geschenke zu fließen, Anzüge und Schuhe, Hüte und Mäntel, Manschettenknöpfe und Uhren, Krawatten und Hemden und handgefertigte Unterwäsche. Es bedrückte ihn nicht im mindesten, Empfänger so großzügiger Geschenke zu sein, war er doch überzeugt, dafür die volle Gegenleistung zu erbringen.

Noch erschreckte ihn die Entdeckung, daß etliche ältere Männer bereit waren, ihm finanziell unter die Arme zu greifen, wenn er ihnen dafür sexuell einen Gefallen tat. Mit der Zeit zog er ältere Männer älteren Frauen vor. Sie waren ehrlicher, was ihre Wünsche und den für seine Leistung schuldigen Dank betraf, und außerdem brauchte er ihnen nicht bis zur Erschöpfung dauernd zu versichern, sie seien noch schön und begehrenswert. Auch hatten ältere Männer einen besseren Geschmack; von ihnen konnte man lernen, wie man sich vorzüglich kleidete, wie man sich als Gentleman bei den verschiedensten Anlässen, von der Cocktailparty bis zum Regierungsbankett, zu benehmen hatte und wie man an die richtigen Leute herankam.

Nach mehreren kleinen Rollen an kleinen Bühnen nahm er an einem Vorsprechen am »Royal« teil und kriegte fast die Rolle. Nach dem zweiten Vorsprechen am »Royal« bekam er den Part, eine der wichtigen Rollen in einem Drama. Die Kritiker behandelten ihn äußerst wohlwollend, und als er die Rezensionen las, wußte er, daß er es endlich geschafft hatte.

Doch man schrieb das Jahr 1942, er war einundzwanzig und mußte zur Armee. Sein Leben seither betrachtete er als sinnlos und verschwendet. Oh, er hatte es leicht genug gehabt. Er hatte nicht lange gebraucht, um zu lernen, wie man es sich bei der Armee einrichtete, und er hatte bald den idealen Narren gefunden, einen älteren Berufsoffizier, der eher theoretisch als praktisch homosexuell war – bis ihm Luce als Assistent zugeteilt wurde. Ihm war er mit aller Heftigkeit körperlich verfallen, und Luce hatte das bis aufs äußerste ausgenützt. Die Affäre dauerte bis Mitte 1945, als Luce angesichts des nahenden Kriegsendes rastlos und der Sache überdrüssig wurde und ihr auf verletzende und beschämende Weise ein Ende machte. Es gab einen Selbstmordversuch, einen Skandal und arge Diskrepanzen in Buch- und Lagerhaltung. Der Untersuchungsausschuß war sich bald über Luce im klaren, vor allem über seine überall Unheil stiftende Rachsucht, und verfuhr mit ihm auf einfache Weise. Man schickte ihn auf Station X. Und dort blieb er auch.

Aber nicht mehr lange, sagte er sich.

»Nicht mehr lange!« sagte er im Dunkel des Saales.

Ein netter Militärposten hatte ihn auf seiner Wanderung rund um Stützpunkt 15 aufgegriffen und ihm mitgeteilt, das Hospital werde es nicht mehr lange geben. Er hatte sich mit dem Mann ins Wächterhäuschen gesetzt, sie hatten zusammen eine Flasche Bier geleert und einander frohen Herzens auf die gute Nachricht zugeprostet. Jetzt aber, wieder auf Station X, wußte er, die Nachkriegsträume konnten warten. Zuerst kamen wichtigere Dinge. Beispielsweise, es Schwester Langtry heimzuzahlen.

4

Seinem Vorsatz getreu, goß sich Neil keinen Whisky mehr ein, sondern füllte die beiden Zahnputzgläser und reichte eines Benedict, das andere Michael.

»Gott, mir steht der Sprit bis zu den Augäpfeln«, sagte er und blinzelte ins Licht. »In meinem Kopf dreht sich's. Wie kann man nur so blöd sein. Ich werde Stunden brauchen, um wieder zu mir zu kommen.«

Michael ließ den ersten Schluck über die Zunge rollen. »Der ist richtig stark. Komisch, Whisky habe ich nie gemocht.«

Benedict schien seinen anfänglichen Widerstand schnell aufgegeben zu haben, denn er leerte sein Glas im Nu und hielt es Neil zum Nachgießen hin. Neil kam der Aufforderung nach. Er war überzeugt, dem armen Kerl werde es guttun. Luce war echt ein Schwein. Aber war es nicht merkwürdig, wie man zur gewünschten Information gelangte, nachdem man jede Hoffnung aufgegeben hatte, sie je zu bekommen? Auf dem Umweg über Luce hatte er erfahren, was er über Michael wissen mußte. Er zwang sich, Michaels Gesicht genau zu betrachten, um darin zu forschen, ob er Anzeichen für das entdecken könnte, was Luce behauptet hatte. Nun, alles war natürlich möglich.

Ihm selbst wäre die Lösung des Rätsels nie aufgegangen. Er glaubte es eigentlich gar nicht, auch wenn es so in Michaels Papieren stand. Immer ließen sie es sich anmerken, immer, mußten es, sonst fanden sie keinen Partner. Und Michael, dessen war er sicher, hatte nichts, was er sich hätte anmerken lassen müssen. Die Schwester wußte, was in den Papieren stand, aber sie hatte bei weitem nicht dieselbe Erfahrung wie einer, der sechs lange Jahre ausschließlich in Gesellschaft von Männern verbracht hatte. Hatte sie ihre Zweifel in bezug auf Michael? Natürlich hatte sie! Sie wäre kein Mensch, wenn sie nicht ihre Zweifel hätte. Schließlich war sie sich in letzter Zeit über sich selber nicht im klaren. Nichts war zwischen ihr und Michael gewesen – bis jetzt. Er hatte also noch Zeit.

»Glaubt ihr«, sagte er – die Worte kamen mühsam, aber deutlich über seine Lippen – »daß die Schwester weiß, daß wir alle in sie verliebt sind?«

Benedict schaute ihn mit glasigen Augen an. »Nicht *in* sie verliebt, Neil! Es ist einfach Liebe, Liebe und nochmals Liebe . . .«

»Nun, sie ist die erste Frau für uns alle nach langer Zeit, die einen Teil unseres Lebens darstellt«, sagte Michael. »Es wäre sonderbar, wenn wir sie nicht liebten. Und sie ist sehr liebenswert.«

»Ist sie das wirklich, Mike? Glaubst du das?«

»Ja.«

»Ich weiß nicht. Liebenswert scheint mir nicht das richtige Wort zu sein. Bei liebenswert muß ich immer an süß und anschmiegsam denken. Stupsnäschen, Sommersprossen und das glockenhelle Lachen. Die Art Mädchen, das man auf der Stelle heimbegleiten möchte. Aber sie ist überhaupt nicht so. Wenn man sie kennenlernt, ist sie steif und beinhart und redet wie ein Marktweib aus der besseren Gesellschaft. Sie ist nicht hübsch. Ungeheuer attraktiv, aber nicht hübsch. Nein, liebenswert ist wohl nicht der richtige Ausdruck.«

Michael stellte sein Glas ab, dachte nach und schüttelte dann den Kopf. »Wenn du sie am Anfang so gesehen hast, mußt du sehr krank gewesen sein. Ich fand sie gleich niedlich. Ich hätte lachen mögen – nicht sie auslachen, sondern sie anlachen. Ich fand sie weder steif noch beinhart. Jetzt weiß ich, daß sie das auch sein kann. Mir erschien sie liebenswert.«

»Ist sie es noch immer?«

»Sag ich doch, oder?«

»Glaubst du, sie weiß, daß wir alle in sie verliebt sind?«

»Nicht so, wie du meinst«, sagte Michael bestimmt. »Sie ist ein Mensch, der mit Hingabe seinem Beruf lebt und seine Zeit nicht damit verbringt, von der Liebe zu träumen. Sie hat keine Schulmädchenmentalität. Ich hab' das komische Gefühl, daß sie, wenn's drauf ankommt, ihren Beruf allem anderen vorzieht.«

»Die Frau muß erst geboren werden, die sich nicht im rechten Augenblick für die Heirat entscheidet«, sagte Neil.

»Und warum?«

»Sie leben alle einer Liebe entgegen.«

Michael sah Neil direkt mitleidig an. »Aber, aber, Neil, jetzt werd' erwachsen! Du meinst, Männer können nicht einer Liebe entgegenleben? Die Liebe kommt in allen Gestalten und Dimensionen – und das bei beiden Geschlechtern!«

»Was weißt du schon darüber?« fragte Neil bitter. Er fühlte sich gedemütigt, wie so oft in Gegenwart seines Vaters. Und das war falsch, denn Michael Wilson war nicht Longland Parkinson.

»Ich weiß nicht, warum ich es weiß«, sagte Michael. »Ein bloßer Instinkt. Muß wohl so sein. Ich darf mich sicherlich nicht als Experte bezeichnen. Aber es gibt ein paar Dinge, die ich weiß, obwohl ich mich nicht erinnern kann, darüber belehrt worden zu sein. Jeder nimmt den Platz ein, der ihm zukommt. Und jeder strebt anderswohin.« Er stand auf und streckte sich. »Ich bin gleich wieder da. Ich seh' nur nach, wie es Nuggett geht.«

Als Michael zurückkam, sah Neil etwas spöttisch zu ihm auf. Er hatte ein drittes Trinkgefäß geschaffen, indem er einfach das schmutzige Wasser aus einer Zinnschale, in der er Wasserfarben anmischte, leerte und es für sich mit Whisky füllte.

»Trink aus, Mike«, sagte er. »Ich hab' beschlossen, mir noch einen zu genehmigen. Heute feiere ich.«

5

Um ein Uhr früh läutete der Wecker. Schwester Langtry hatte ihn gestellt, um nach Nuggett zu sehen. Zu diesem Zeitpunkt würde, wie sie annahm, sein Kopfschmerz nachgelassen haben. Und etwas am Verhalten der Männer gestern abend hatte in ihr eine Unruhe hinterlassen, so daß es angezeigt schien, auch ihretwegen einen Rundgang zu machen.

Seit den Tagen ihrer Ausbildung hatte sie gelernt, schnell wach zu sein. Sie sprang sofort aus dem Bett und zog ihren Pyjama aus, schlüpfte in Hose und Jacke, ohne vorher Unterwäsche anzuziehen, fuhr dann in dünne Sokken und in ihre Tagesschuhe. Um diese Zeit würde niemand Wert darauf legen, daß sie vorschriftsmäßig gekleidet war. Uhr und Schlüssel lagen neben der Taschenlampe auf dem Schreibtisch; sie steckte sie in eine der vier Taschen ihrer Jacke und schnallte diese gut zu. So. Fertig. Jetzt noch ein Gebet, daß auf X alles ruhig und friedlich sein möge.

Als sie durch den Fadenvorhang glitt und auf Zehenspitzen durch den Korridor ging, schien alles ruhig, geradezu verdächtig ruhig. Etwas fehlte ihr, etwas war zuviel hier, und beides zusammen ergab das, was man als böses Omen bezeichnen konnte. Nach ein paar Sekunden wußte sie, was fehlte: das Atemgeräusch Schlafender; und was zuviel war: ein Lichtspalt unter Neils Tür und leises Stimmengemurmel aus Neils Kammer. Nur Matts und Nuggetts Moskitonetze waren zugezogen.

An Nuggetts Bett ging sie leise um das Netz herum, ihn nicht aufzuwecken, doch er war wach und hatte die Augen offen.

»Haben Sie erbrechen können?« fragte sie, nachdem sie sich durch einen kurzen Blick davon überzeugt hatte, daß die Schüssel neben seinem Bett leer war.

»Ja, Schwester. Schon vor einer Weile. Mike hat mir eine andere Schüssel gegeben.« Seine Stimme klang fern und dünn.

»Fühlen Sie sich besser?«

»Um vieles.«

Sie fühlte seinen Puls, maß seine Temperatur und seinen Blutdruck und trug die Werte im Licht ihrer Taschenlampe auf dem am Bettende befestigten Karteiblatt ein.

»Wenn ich Tee mache, trinken Sie einen?«

»Tee immer!« Seine Stimme klang schon weniger kraftlos. »Ich lechze nach Wasser wie der Boden von 'nem Junghahnkäfig.«

Sie lächelte und ging in den Tagesraum. Niemand konnte besser Tee zubereiten als sie: mit Geschmack und geringem Kräfteaufwand, alles das Ergebnis langjähriger Praxis in unzähligen Tagesräumen bis zurück in die Zeit durchweinter Abende als Schwesternschülerin. Den Männern passierte beim Teezubereiten immer irgend etwas, Teeblätter wurden ausgestreut, sie ließen das Wasser überkochen, wärmten die Teekanne nicht genug an, und so fort. Bei ihr war es stets perfekt. In kürzester Zeit stand sie mit einer dampfenden Schale in der Hand neben Nuggetts Bett. Sie stellte sie auf dem Tischchen ab, half ihm, sich aufzusetzen, zog sich einen Stuhl heran, setzte sich und leistete ihm Gesellschaft, während er gierig in kleinen Schlucken trank, immer wieder auf die Oberfläche der Flüssigkeit blasend, um sie abzukühlen.

»Sie wissen ja, Schwester«, sagte er und machte eine Pause, »solange der Schmerz da ist, denk' ich, ich vergeß ihn nie – ich könnte ihn mit viel Worten beschreiben, so wie meinen gewöhnlichen Kopfschmerz. Aber kaum ist er weg, kann ich mich ums Verrecken nicht mehr erinnern, wie es war. Das einzige, das mir dafür einfällt, ist, daß es scheußlich ist.«

Sie lächelte. »So arbeitet unser Gehirn. Je schmerzlicher eine Erinnerung ist, desto schwerer wird es, sie uns ins Gedächtnis zu rufen. Es ist gesund und richtig, daß wir vergessen, was unsere Nerven zerrüttet. Wie sehr wir uns auch bemühen, wir können keine unserer Erfahrungen mit derselben Schärfe nacherleben. Und wir sollten es auch gar nicht versuchen, obwohl es in unserer Natur liegt. Versuchen Sie es also nicht zu sehr und zu oft – Sie machen sich selber nur das Leben schwer. Vergessen

Sie den Schmerz. Er ist weg. Ist das nicht die Hauptsache?«

»Und ob!« Es kam wie ein Stöhnen.

»Noch Tee?«

»Danke, nein. Jetzt hab' ich mich ausgemeckert.«

»Dann raus mit den Beinen, ich helfe Ihnen auf. Sie werden wie ein Baby schlafen, wenn Sie einen frischen Pyjama anhaben und das Bett neu bezogen ist.«

Während er zitternd auf dem Stuhl saß, entfernte sie das Bettlaken und den Überzug der Decke und ersetzte sie durch neue. Dann half sie ihm, mit den dünnen Beinen in frische Pyjamahosen zu schlüpfen, brachte ihn zu Bett, deckte ihn zu, lächelte ihm noch einmal zu und zog das Moskitonetz zu.

Ein Blick auf Matt. Er schlief fest, die Brust entblößt, schnarchte leise. Sie rümpfte die Nase, schnüffelte und wurde steif vor Schrecken. Von Matt stieg eindeutig eine Alkoholfahne hoch!

Einen Augenblick lang stand sie da und betrachtete die leeren Betten stirnrunzelnd. Dann wandte sie sich schnell entschlossen um und schritt auf Neils Tür zu. Sie klopfte erst gar nicht an, begann schon zu sprechen, während sie eintrat.

»Männer, jetzt hört mal zu! Ich hasse es, Oberschwester zu spielen, das wißt ihr. Aber ich muß schon sagen, alles, was recht ist!«

Neil saß auf dem Bett, Benedict auf dem Stuhl, beide mit hängenden Schultern. Zwei Flaschen Johnny Walker, die eine leer, die andere angebrochen, standen auf dem Tisch.

»*Idioten!*« schnauzte sie sie an. »Wollt ihr uns alle vors Kriegsgericht bringen? Woher habt ihr das alles?«

»Der gute Colonel«, sagte Neil, mühsam artikulierend.

Ihre Lippen wurden schmal. »Wenn er schon nicht genug Vernunft hatte, dann hätten Sie vernünftig genug sein müssen, es nicht anzunehmen! Wo sind Luce und Michael?«

Neil dachte angestrengt nach, dann sagte er, mit etlichen eingeschobenen Pausen: »Mike ist unter der Dusche. Der Spaßverderber. Luce war nicht da, ging zu Bett. Der is' eingeschnappt.«

»Luce ist nicht im Bett und auch nicht auf der Station.«

»Dann geh' ich ihn für Sie suchen, Schwester«, sagte Neil und versuchte, sich vom Bett hochzurappeln. »Bin gleich wieder da, Ben, muß für die Schwester Luce suchen gehn. Die Schwester braucht Luce. Ich brauch' ihn nicht, aber die Schwester braucht ihn. Frag' mich, warum. Aber vorher werd' ich noch kotzen.«

»Wenn Sie hier auf den Boden kotzen, dann tauch' ich Ihnen die Nase ein!« sagte sie grimmig. »Und bleiben Sie, wo Sie sind! In Ihrem Zustand finden Sie sich selber nicht, geschweige denn einen andern! Oh, ich könnte euch alle umbringen!« Ihr Zorn verrauchte bereits, etwas wie Zärtlichkeit überkam sie. »Und jetzt seid brave Jungens und beseitigt alle Spuren dieser Orgie, ja? Es ist ein Uhr vorbei!«

6

Eine eingehende Durchsuchung der Veranda ergab weder von Michael noch von Luce eine Spur, also marschierte Schwester Langtry, das Kinn erhoben, die Schultern gestrafft, in Richtung Badehaus. Was war nur in sie gefahren? Es war nicht einmal Vollmond! Fremde Einflüsse schieden aus, denn X stand abseits von allen anderen Stationshäusern. In neu aufwallendem Zorn rannte sie gegen die zum Trocknen aufgehängte Wäsche, taumelte und wühlte sich durch Handtücher, Hemden, Hosen, Shorts. Diese verdammten Kerle! Die Komik der Situation entging ihr völlig. Sie hob einige der zu Boden gefallenen Wäschestücke auf und marschierte weiter.

Genau vor ihr lag die dunkle Masse des Badehauses. Die hölzerne Tür führte in einen großen Raum mit Duschen an der einen Wand, Wannen an der Wand gegenüber und ein paar Waschbottichen im Hintergrund. Es gab keinerlei Trennwände und keine Badekabinen, also keine Möglichkeit, sich zu verbergen. Der Boden hatte gegen die Mitte des Raumes, wo sich der Abfluß befand, ein Gefälle und war auf der Seite, wo die Duschen waren, stets feucht.

Eine schwache Birne brannte die ganze Nacht über, doch in letzter Zeit benutzte nach Einbruch der Dunkelheit kaum jemand das Badehaus, die Männer badeten und rasierten sich in der Früh. Und die Latrine befand sich in einem eigenen, weniger gewichtigen Bau.

Aus der mondlosen Nacht in die Helle des Raumes tretend, hatte Schwester Langtry keine Mühe, die ganze schreckliche Szene wie auf einer Theaterbühne bis ins Detail zu erfassen. Eine Dusche, in Vergessenheit geraten, die immer noch ihr Bündel dünner Wasserstrahlen zu Boden sandte; Michael, in der entfernten Ecke des Raumes stehend, nackt und tropfnaß und wie gebannt auf Luce starrend; und Luce, einige Meter von Michael entfernt, nackt, mit erigiertem Penis, lächelnd.

Keiner der beiden bemerkte sie. Panikartig fiel ihr die Duplizität der Szenen auf, jener im Tagesraum und dieser hier, einer bizarren Variation der ersteren. Wie angewurzelt stand sie da, dann plötzlich wurde ihr bewußt, daß das hier über ihre Kräfte und über ihren Vestand ging. Sie wandte sich um und rannte zurück, rannte wie noch nie in ihrem Leben, die Stufen hoch, durch die Tür hinein, quer durch den Saal.

Als sie in Neils Kammer stürmte, schienen Neil und Benedict sich nicht von der Stelle gerührt zu haben. War so wenig Zeit vergangen? Doch, etwas hatte sich verändert. Die Whiskyflaschen und die Gläser waren fort. Gott verdamme sie, sie waren betrunken! Jeder hier schien betrunken zu sein!«

»Im Badehaus!« vermochte sie zu sagen. »Schnell!«

Neil schien seine Nüchternheit wiederzuerlangen, wenigstens kam er auf die Füße und bewegte sich schneller, als sie erwartet hatte. Und auch Benedict schien in nicht allzu schlechter Verfassung zu sein. Wie Schafe trieb sie sie hinaus, durch den Saal, die Stufen hinunter und über das Gelände zum Badehaus. Neil verfing sich in der Wäsche und fiel hin, doch sie wartete nicht, packte statt dessen den armen Benedict am Arm und zerrte ihn weiter.

Im Badehaus hatte sich die Szene gewandelt. Luce und Michael standen gebückt, mit halb ausgestreckten, angewinkelten Armen wie zwei Ringer da und umkreisten einander. Luce lachte noch immer.

»Komm doch, Süßer! Ich weiß, du willst es! Was ist los, hast du Angst? Oder ist er dir zu groß? Komm schon! Tu nicht, als ob du nicht kapierst! Sinnlos, ich weiß alles über dich!«

Auf den ersten Blick wirkte Michaels Gesicht ruhig, fast abwesend, doch dahinter erkannte man etwas Drohendes, Entsetzliches, von dem Luce nicht beeindruckt zu sein schien. Michael sagte nichts, in seinem Gesicht rührte sich kein Muskel, als Luce ohne Unterlaß weiterredete. Er schien Luce gar nicht zu sehen, vielmehr seine ganze Aufmerksamkeit auf den Sturm in seinem Inneren zu richten.

»Schluß jetzt!« sagte Neil scharf.

Damit war der Bann gebrochen. Luce schwang herum, blickte zu den dreien im Türrahmen; Michael behielt noch sekundenlang seine wachsame Stellung bei. Dann ließ er sich gegen die Wand fallen, holte mehrmals pfeifend Atem, wurde plötzlich von einem unkontrollierten Zittern befallen und atmete immer noch schwer. Seine Zähne schlugen hörbar aufeinander.

Schwester Langtry schritt an Luce vorbei. Michael sah sie erst jetzt, der Schweiß strömte über sein Gesicht, sein offener Mund rang immer noch nach Luft. Zuerst mußte er mit der Tatsache ihrer Gegenwart fertig werden. Dann warf er ihr einen Blick zu, der anfangs einen flehenden Appell enthielt und dann sofort mutlos wurde. Er drehte den Kopf weg, schloß die Augen, als ob es nicht von Bedeutung wäre, sackte in sich zusammen, aber fiel nicht, weil die Wand ihn hielt, schrumpfte sichtbar, als ob er innerlich ausfließe. Schwester Langtry mußte sich abwenden.

»Keiner von uns ist in geeigneter Verfassung, diesen Vorfall noch diese Nacht an anderer Stelle zu berichten«, sagte sie und wandte sich dabei an Neil.

Dann drehte sie sich zu Luce um, in den Augen kalte

Verachtung. »Sergeant Daggett, Sie melden sich morgen früh bei mir. Wollen Sie sich bitte unverzüglich auf die Station begeben und sie unter keinen Umständen verlassen.«

Luce zeigte keinerlei Reue, schien zu triumphieren, innerlich zu jubeln. Er zuckte die Achseln, las seine verstreut herumliegenden Kleider vom Boden auf, öffnete die Tür und ging hinaus, in stolzer Pose, als wollte er andeuten, er werde am nächsten Morgen die Dinge so schwierig gestalten wie nur möglich.

»Captain Parkinson, ich mache Sie persönlich für Sergeant Daggett verantwortlich. Wenn ich morgen die Station betrete, erwarte ich mir, daß alles in bester Ordnung ist, und wehe dem, der einen Kater hat. Ich bin sehr, sehr böse. Sie haben jedes Vertrauen, das ich in Sie setzte, zerstört. Sergeant Wilson kehrt heute nacht nicht auf Station X zurück und wird das auch nicht tun, ehe ich mit Sergeant Daggett gesprochen habe. Haben Sie verstanden? Können Sie mir folgen?« Die letzten Worte kamen nicht mehr mit derselben Schärfe, und ihr Blick hatte an Härte verloren.

»Ich bin nicht so betrunken, wie Sie zu glauben scheinen«, sagte Neil, und als er sie ansah, waren seine Augen fast so dunkel wie die von Benedict. »Sie sind der Boß. Alles soll nach Ihren Wünschen geschehen.«

Benedict hatte seit dem Betreten des Badehauses weder ein Wort geredet noch eine Bewegung gemacht. Aber als sich Neil jetzt steif umwandte, um zu gehen, wurde er mit einem Ruck lebendig, seine Augen, die in die Betrachtung von Schwester Langtry versunken gewesen waren, irrten hinüber zu Michael, der noch immer erschöpft an der Wand lehnte. »Es fehlt ihm doch nichts?« fragte er ängstlich.

Sie schüttelte den Kopf und brachte ein kleines, schiefes Lächeln zustande. »Mach dir keine Sorgen, ich kümmere mich um ihn. Geh jetzt bloß ruhig mit Neil auf die Station und versuch zu schlafen.«

Sie war nun allein mit Michael im Badehaus und sah sich nach seinen Kleidern um, doch alles, was sie finden konnte, war ein Handtuch. Er mußte bereits entkleidet, vielleicht mit dem Handtuch um die Hüften, herübergegangen sein. Was gegen die Vorschrift war, die besagte, jeder müsse, wenn er sich nachts außer Haus begebe, vom Hals bis zu den Füßen bedeckt sein. Doch er hatte wahrscheinlich gar nicht damit gerechnet, entdeckt zu werden.

Sie nahm das Handtuch vom Haken und ging hinüber zu ihm. Unterwegs blieb sie stehen, um die Dusche abzustellen.

»Kommen Sie«, sagte sie müde. »Bedecken Sie sich damit, bitte.«

Er öffnete die Augen, sah sie aber nicht an dabei, nahm das Handtuch entgegen und wickelte es sich mit ungeschickten, immer noch zitternden Händen um die Hüften. Dann trat er vorsichtig von der Wand weg, als fürchte er, er würde ohne Stütze nicht stehen können. Doch es ging.

»Und wieviel haben *Sie* zu trinken bekommen?« fragte sie bitter. Dabei ergriff sie ihn unsanft am Arm und drängte ihn zu gehen.

»Vielleicht vier Teelöffel«, sagte er mit spröder, leiser, müder Stimme. »Wohin bringen Sie mich?« Und plötzlich riß er sich los von ihr, als fühle er sich durch diesen bestimmten, zwingenden Griff in seinem Stolz verletzt.

»Wir gehen zu meinem Quartier«, sagte sie kurz. »Ich stecke Sie bis morgen früh in eines der freien Zimmer. Sie können nicht zurück auf die Station, es sei denn, ich riefe die Militärpolizei, und das will ich nicht.«

Ohne weiteren Protest folgte er ihr, gab sich geschlagen. Was konnte er dieser Frau sagen, um sie dazu zu bringen, nicht das zu denken, was sie denken mußte, nachdem, was sie gesehen hatte? Es mußte wie eine Wiederholung des Vorfalls im Tagesraum ausgesehen haben, nur um vieles häßlicher. Und er war total erschöpft, hatte keinerlei Kraftreserven nach diesem übermenschlichen Kampf, den er mit sich auszufechten gehabt hatte. Denn er hatte im Augenblick, da Luce erschien, gewußt, wie es ausgehen würde. Und wenn er dafür hängen mußte, er würde das herrliche, befriedigende Vergnügen haben, dieses blöde Schwein abzumurksen.

Zwei Dinge hatten ihn abgehalten, Luce sofort an die

Gurgel zu springen: die Erinnerung an den Regimentsfeldwebel und all die Qualen, die folgten und deren größte Station X und Schwester Langtry darstellten; und weil er das Vorgefühl dieses exquisiten Vergnügens länger auskosten wollte. Und so hatte er sich, als Luce ihn attackierte, weiter und weiter grimmig an seine schwindende Selbstbeherrschung geklammert.

Luce war kräftig und sicherlich im Kampf nicht zu unterschätzen, aber Michael wußte, daß er nicht seine Härte hatte, nicht seine Erfahrung oder gar seine Lust am Töten. Und er hatte auch immer gewußt, daß sich hinter der Maske forscher Selbstsicherheit, hinter diesem unstillbaren Verlangen, andere zu quälen, ein Feigling verbarg. Luce glaubte, er käme mit seinen Mätzchen immer durch, jeder würde, wenn er seine Größe sah, wenn er merkte, wie böse er war, sofort allen Mut verlieren. Doch in dem Augenblick, wo man ihm sagte, er sei ein Bluffer, würde er kneifen, das wußte Michael. Und als er in Kampfstellung ging, da lag sein zukünftiges Leben in seiner Hand, doch er hatte bereits entschieden. Er würde Luce seinen Bluff vorhalten, aber auch wenn der freche Hund danach in die Hosen machte, würde er ihn dennoch töten. Töten aus reiner Lust an der Sache.

Zweimal zu Fall gebracht. Zweimal mit der Erkenntnis konfrontiert, daß er um nichts besser war als jeder andere überführte Mörder, daß auch er für reinen Lustgewinn alles wegzuwerfen imstande war. Und es war eine Lust, das hatte er immer gewußt. So vieles hatte er in sich entdeckt, womit er sich abgefunden hatte. Doch das? War es das, was ihm in Schwester Langtrys Büro den Mund verschlossen hatte? Das Gefühl der Liebe war in ihm hochgewallt, hatte nach außen gedrängt. Doch da war jener Schatten gewesen, namenlos, furchteinflößend. Das. Es mußte das gewesen sein. Damals hatte er es für das Bewußtsein eigener Minderwertigkeit gehalten, doch jetzt hatte die Minderwertigkeit für alle Zeiten einen Namen.

Man konnte Gott danken, daß sie gekommen war! Nur, wie sollte er es je erklären?

7

ALS SIE DIE STUFEN ZUM Schwesternblock emporstiegen, fiel Schwester Langtry ein, daß die anderen Apartments versperrt und verriegelt waren. Nicht, daß ihr Plan damit zunichte gemacht worden wäre. Es gab immer Mittel und Wege, in einen versperrten Raum zu gelangen; um so mehr für eine Schwester, die während ihrer Ausbildung gleichsam wie in einem Kloster von der Welt ausgesperrt hatte leben müssen. Da wurde man zur Expertin im Öffnen von Türen. Doch es brauchte Zeit. Also sperrte sie die Tür zu ihrer Behausung auf, schaltete das Licht ein und trat zur Seite, um Michael zuerst eintreten zu lassen.

Wie komisch. Er war, wenn man von der Oberschwester absah, die gelegentliche Kontrollgänge machte, der erste, der ihr Zimmer betrat. Die Schwestern zogen es vor, sich in die Freizeiträume zu begeben, wenn sie sozialen Kontakt suchten. Ein Besuch im Zimmer einer Kollegin war mit einem weiteren Anmarschweg verbunden. Jetzt, da jemand hier war, sah sie ihr Domizil mit anderen Augen an, merkte, wie kahl und unpersönlich es wirkte. Es enthielt ein schmales Feldbett, ähnlich denen auf der Station, einen Holzstuhl, einen Schreibtisch, hinter einer Trennwand eine Garderobe und zwei Regale, auf denen ihre Bücher standen.

»Sie können inzwischen hier warten«, sagte sie. »Ich hole Ihnen was zum Anziehen und mache eines der anderen Apartments auf.«

Sie wartete kaum ab, daß er sich auf den Stuhl setzte, schloß die Tür und ging, mit der Taschenlampe den Weg vor sich beleuchtend. Es war einfacher, in einer der nahegelegenen Stationen Kleider aufzutreiben, als den ganzen Weg zu X zurückzugehen und dort die Männer aufzuscheuchen. Außerdem war ihr nicht danach, Luce vor dem Morgen zu sehen. Sie brauchte Zeit, um die Sache zu überdenken. In Station B erhielt sie gegen die Versicherung, sie am Morgen zurückzubringen, einen Pyjama und einen Bademantel.

Das Apartment neben dem ihren schien als Nachtquartier für Michael naheliegend, also machte sie sich an die Arbeit, die Holzbretter der Jalousien zu entfernen. Das Zapfenschloß hätte einer Haarnadel widerstanden. Vier Bretter reichten. Sie leuchtete durch die Lücke, um sicherzugehen, daß ein Bett vorhanden war. Es stand an der gleichen Stelle wie das ihre, die Matratze war zusammengerollt. Er würde ohne Laken auskommen müssen, das war alles, und im übrigen konnte sie für ihn in seiner jetzigen Lage nicht allzuviel Mitleid aufbringen.

Bis sie in ihr Zimmer zurückkehrte, waren vielleicht 45 Minuten vergangen. Die Nacht war schwül und feucht, und sie troff von Schweiß. Er saß nicht mehr auf dem Stuhl. Er lag auf dem Bett, mit dem Gesicht zur Wand, und es sah aus, als ob er schliefe. Schlafen! Wie konnte er nach dem, was geschehen war, schlafen?

Doch der Anblick hatte besänftigende Wirkung. Worüber war sie eigentlich so wütend? Warum wollte sie am liebsten den nächstbesten Gegenstand nehmen und auf den Boden schmettern? Weil sie alle betrunken gewesen waren? Weil Luce sich benommen hatte, wie es von ihm zu erwarten war? Oder weil sie nicht mehr wußte, was sie von Michael halten sollte, es nicht wußte, seit er sich in ihrem Büro ihr gegenüber ablehnend verhalten hatte? Ja, der Ärger über den Whisky war vielleicht ein Grund, aber die armen Kerle waren auch nur Menschen, und keiner von ihnen war ein richtiger Säufer. Luce? Der spielte dabei nicht die geringste Rolle. Die Wurzel ihres Zorns lag in ihrem Kummer und ihrer Unsicherheit, was Michael betraf.

Jetzt merkte sie wieder, wie erschöpft sie war. Die verschwitzten Kleider klebten an ihr und hatten ihre Haut, da sie keine Unterwäsche trug, wundgescheuert. Nun, sobald sie Michael umquartiert hatte, würde sie unter die Dusche gehen. Sie trat lautlos ans Bett.

Die Uhr auf dem Schreibtisch zeigte halb drei; er schien so entspannt in seinem Schlaf, daß sie es nicht über sich brachte, ihn zu wecken. Selbst als sie die Decke unter seinem Körper hervorzog und ihn damit zudeckte, wachte er nicht auf. Also gut.

War Michael das Opfer von Luces Entschluß, es ihr

heimzuzahlen? Der vergangene Abend mußte für Luce wie Manna vom Himmel gewesen sein. Alle betrunken, Nugget mit Migräne im Bett, die Bahn frei für sein Vorhaben, als Michael zum Badehaus ging. Sie wünschte sich, Michael habe Luce durch nichts ermutigt. Doch wenn das so war, warum hatte er ihm dann nicht einfach gesagt, er solle sich zum Teufel scheren, und war gegangen? Er hatte keine Angst vor Luce, nie Angst vor ihm gehabt. Also mußte es Furcht ganz anderer Natur sein. Lerne einer die Männer kennen!

Es sah so aus, als würde sie nebenan ohne Laken schlafen müssen, wenn sie sich nicht dazu aufraffte, ihn zu wecken. Sie konnte diesen Entschluß verschieben und inzwischen duschen. Also nahm sie ihren Bademantel vom Haken hinter der Tür, ging zum Badehaus, schälte sich aus den Kleidern und genoß den heißen Wasserstrom mit fast ekstatischem Vergnügen. Darauf zu warten, bis sie ganz trocken war, hatte in einer feuchten Nacht wie dieser ohnehin keinen Sinn. Sie betupfte sich mit dem Handtuch und nahm den Bademantel. Dieser war eine Art Kimono, den man um die Hüfte mit einem Gürtel befestigte. Sie schlüpfte in das Ding, legte die Enden an ihrer Vorderseite übereinander und verknotete den Gürtel.

Wär' doch dumm von mir, dachte sie, während sie ihre Kleider zusammensuchte, mit einer Matratze voll allerlei kriechendem Getier vorliebzunehmen. Soll er sich doch aufraffen und jetzt gleich übersiedeln!

Es war fünf nach drei. Schwester Langtry warf die schweißnassen Kleider auf den Boden, ging zum Bett und legte die Hand auf Michaels Schulter. Sanft und zögernd tat sie es, sie haßte es eigentlich, ihn zu wecken, und sie verstärkte den Druck ihrer Hand nicht. Schließlich entschloß sie sich, ihn doch schlafen zu lassen. Sie sank auf den Stuhl neben dem Bett, zu müde, um sich über ihre Unentschlossenheit amüsieren zu können, ließ die Hand auf seiner Hand ruhen, unfähig, ihren Impuls zu unterdrükken, dieses oft und oft gehegte Verlangen, ihn zu *spüren*. Welch herrliches Gefühl. Sie versuchte sich zu erinnern, wie es gewesen war, den Körper des Geliebten zu berühren, doch es gelang nicht, die Zeit hatte jede Erinnerung ausgelöscht, mehr als sechs Jahre, in denen sie ihre eigenen Sehnsüchte und Wünsche den weit dringenderen Bedürfnissen anderer zum Opfer gebracht hatte. Und, stellte sie mit Entsetzen fest, es hatte ihr nicht gefehlt! Keinerlei Verlangen war da gewesen, nie war da das Gefühl, es nicht ertragen zu können.

Aber Michael war eine Realität, und ihr Empfinden für ihn eine Tatsache. Wie hatte sie sich danach gesehnt, die Hand an diesen lebendigen Körper zu legen! Das ist der Mann, den ich liebe, dachte sie. Egal, wer und was er ist: ich liebe ihn.

Ihre Hand auf seiner Schulter begann sich zu bewegen, wie tastend zuerst, dann kleine Kreise vollführend, die Berührung immer mehr zur Liebkosung machend. Das hier war ihre Stunde, und sie empfand keine Scham darüber, daß sie etwas tat, wozu er sie nicht aufgefordert hatte. Daß sie ihn berührte, geschah aus Liebe, weil sie es schön fand und weil sie dieses Gefühl ewig in Erinnerung behalten wollte. Immer mehr aufgehend in dem Entzücken dieser Berührung, beugte sie sich hinab und legte die Wange gegen seinen Rücken, ließ sie dort, drehte dann den Kopf, um seine Haut mit ihren Lippen zu kosten.

Als er sich bewegte, erstarrte sie. Sie hatte ihr Inneres vor ihm bloßgelegt, fühlte sich deshalb gedemütigt, war plötzlich wütend über ihre Schwachheit und fuhr zurück. Doch er packte sie bei den Unterarmen, zog sie schnell und leicht und sanft vom Stuhl, da war keine Grobheit, keine Gewalt, es geschah in so schneller und fließender Bewegung, daß sie gar nicht wußte, wie er es angestellt hatte. Sie fand sich auf dem Bett sitzend wieder, seine Arme auf ihrem Rücken, sein Kopf an ihrer Brust, und spürte, wie er zitterte. Verlangend legte sie die Arme um ihn, und in dieser Stellung verharrten sie beide, fast bewegungslos, bis er ganz ruhig wurde.

Der Griff auf ihrem Rücken löste sich, seine Hände sanken herab, legten sich um ihre Hüften und begannen den Knoten ihres Gürtels zu öffnen. Dann schob er den Stoff des Kimonos zur Seite, so daß er mit seinem Gesicht ihre Haut spüren konnte. Behutsam legte er die Hand auf eine ihrer Brüste. Sein Gesicht näherte sich dem ihren, sein

Körper machte die Bewegung mit. Sie wandte den Kopf, suchte den Blick seiner Augen. Sie half ihm beim Abstreifen des Kimonos, preßte dann ihre Brüste gegen ihn, die Hände um seine Schultern gelegt, ihr Mund versunken in dem seinen.

Erst jetzt ließ sie ihrer Liebe freien Lauf, überließ sich mit geschlossenen Augen dem Gefühl, daß jeder Teil ihres Körpers ihn liebte, nach ihm drängte. Es konnte nicht sein, daß er sie nicht liebte, wenn er dieses Übermaß an Freude in ihr bewirkte, längst vergessene, für unwichtig gehaltene Empfindungen wieder in ihr weckte, neuer und schöner und direkter, als sie sie in Erinnerung hatte.

Sie richteten sich in kniende Stellung auf. Langsam, zögernd strichen seine Hände über ihre Hüften und Schenkel, so als wollte er all diese Berührungen bis zur Pein ausdehnen, und sie hatte nicht die Kraft, ihm zu helfen oder ihm zu widerstehen, denn sie war ganz hingegeben dem Wunder dieser Begegnung.

Fünf

1

Etwas vor sieben Uhr am nächsten Morgen verließ Schwester Langtry leise ihr Apartment, in voller Tagesuniform, graues Kostüm, weißer Schleier. Wie neu glänzten im Licht der aufgehenden Sonne Zelluloidmanschetten und -kragen. Sie hatte besondere Sorgfalt an ihr Aussehen gewendet, wie um ihrer Gemütsverfassung Rechnung zu tragen. Lächelnd begrüßte sie den neuen Tag, streckte wohlig ihre müden Glieder.

Sie wußte nicht, ob der Weg zu Station X kurz oder lang war, es war ihr gleichgültig, daß sie Michael schlafend in ihrem Apartment zurückgelassen hatte. Und sie bedauerte es auch nicht, Station X aufsuchen zu müssen. Sie hatte überhaupt nicht geschlafen diese Nacht, und er bis sechs Uhr, als sie aufstand, auch nicht. Bevor sie unter die Dusche ging, erinnerte sie sich daran, daß sie die Bretter an der Jalousie des benachbarten Apartments wieder anbringen mußte, und entfernte sich deshalb für etwa eine halbe Stunde. Als sie ins Zimmer zurückkehrte, war er fest eingeschlafen, und sie hatte ihn, ohne daß er es merkte, auf die Lippen geküßt. Sie hatten viel Zeit vor sich, Jahre und Jahre. Bald ging es nach Hause, und sie war ohnedies vom Land, also bedeutete es für sie nichts, auf die Bequemlichkeiten des Lebens in der Stadt zu verzichten. Zudem, Maitland war nicht weit von Sydney, und Milchwirtschaft im Hunter Valley bei weitem kein so hartes Brot wie Schafzucht und Getreidebau im Westen.

Gewöhnlich stand um halb sieben jemand auf; sie hatte dann meist schon Tee gemacht und brachte damit allgemein Leben in das Haus. Diesen Morgen war alles ruhig, alle Moskitonetze, das von Michael ausgenommen, waren herabgelassen.

Sie ließ Cape und Tragkorb im Büro und ging in den Tagesraum, wo die Küchenordonnanz bereits die Tagesration an frischem Brot, eine Dose Butter und eine Dose Marmelade – wieder Pflaumen – hinterlegt hatte. Der Spirituskocher wollte nicht brennen, und bis es ihr gelungen war, ihn davon zu überzeugen, daß seine Funktion in der Bereitung von Heißwasser bestehe, war sie aller angenehmen Nachwirkungen der morgendlichen Dusche verlustig gegangen. Die zunehmende Hitze, zusätzlich zu der Wärme, die der Kocher ausstrahlte, hatte ihr den Schweiß aus den Poren getrieben. Die Regenzeit kündigte sich an; in der letzten Woche war die Luftfeuchtigkeit um zwanzig Prozent angestiegen.

Als der Tee fertig war und die Brote mit Butter bestrichen waren, lud sie alles mit Ausnahme der Teekanne auf ein Brett, das als Tablett diente, und trug es hinaus auf die Veranda. Nun noch schnell die Teekanne geholt, und alles war fertig. Nein, nicht ganz! Vergangene Nacht war sie so wütend auf sie gewesen, daß es ihr nicht in den Sinn gekommen wäre, sie könnte am Morgen Mitleid mit ihnen haben. Die späteren Ereignisse hatten das Eis längst zum Schmelzen gebracht. Nach soviel Whisky mußten sie alle einen schrecklichen Kater haben.

Sie ging wieder in ihr Büro und schloß den Arzneikasten auf und entnahm ihr die Flasche mit Mixtura APC. Das Aspirin und das Phenacetin waren in Form weißer Körner zu Boden gesunken, das Coffein schwebte als gelblicher Sirup auf der Oberfläche. Es war ein leichtes, etwas vom Coffein abzuschöpfen und in ein Arzneiglas zu geben. Wenn sie alle versammelt waren, würde sie jedem einen Teelöffel davon verabreichen. Es war der älteste Trick, Kater zu bekämpfen, und hatte schon so manchem jungen Arzt und so mancher jungen Schwester den guten Ruf gerettet.

Neils Tür machte sie nur einen Spalt auf und rief: »Neil, der Tee ist fertig! Auf!« Aus der Kammer kam fauliger Geruch. Schnell machte sie die Tür wieder zu und ging in den Saal.

Nuggett war wach und schenkte ihr ein mattes Lächeln, als sie das Netz losmachte, zu einem Bündel drehte und mit geschicktem Schwung hochschleuderte, so daß es in einem unordentlichen Klumpen auf dem Ring hängenblieb. Später war Zeit, sich mit der Draperie à la Oberschwester herumzuschlagen.

»Was macht das Kopfweh?«

»Wieder gut, Schwester.«

»Guten Morgen, Matt!« sagte sie fröhlich und wiederholte die Prozedur mit dem Netz.

»Guten Morgen, Ben!«

Natürlich war Michaels Bett leer. Sie wandte sich um, wollte zu Luces Bett hinübergehen, und alle Fröhlichkeit war dahin. Was sollte sie zu ihm sagen? Wie würde er sich während dieses Gesprächs, das sie nicht gut bis nach dem Frühstück verschieben konnte, verhalten? Aber Luce war nicht im Bett. Das Netz war unter der Matratze hervorgezogen worden, und als sie es zur Seite schob, stellte sie fest, daß jemand im Bett geschlafen hatte, das Laken aber kalt war.

Sie drehte sich zu Matt und Benedict um, die beide auf dem Bettrand saßen, den Kopf auf die Hände gestützt, mit hängenden Schultern, und dreinsahen, als würde ihnen die leiseste Bewegung Schmerz verursachen.

»Verdammter Johnny Walker!« stieß sie leise zwischen den Zähnen hervor, als sie Neil erblickte, der eben aus seiner Kammer trat und würgend, im Zickzack, das Gesicht graugrün, im gegenüberliegenden Waschraum verschwand.

Nun, wie gewöhnlich schien sie die einzige zu sein, die imstande war, Luce aufzufinden. Sie öffnete die Hintertür neben Michaels Bett, trat auf den Treppenabsatz hinaus und stieg die Holzstufen hinab. Dann schlug sie die Richtung zum Badehaus ein.

Der Tag war wunderschön trotz der Feuchtigkeit, auf den Kronen der Palmen, am Rande des Geländes glitzerte das Sonnenlicht. Es tat ihren Augen, die keinen Schlaf gehabt hatten, weh. Als sie zur Wäscheleine und den darunter verstreut umherliegenden Wäschestücken kam, mußte sie lächeln, stieg über Hosen, Hemden, Socken und Unterwäsche und stellte sich den betrunkenen Neil vor, wie er sich, um Würde bemüht, aus Wäschebergen hochrappelte.

Im Badehaus war es sehr still. Zu still. Und Luce war still. Zu still. Er lag ausgestreckt halb gegen die Wand gelehnt, halb auf dem rohen Betonboden, ein Rasiermesser krampfhaft in der Hand haltend. Über seine goldbraune Haut zogen sich kreuz und quer Zickzacklinien getrockneten Blutes. In der Höhe seines Bauches hatte sich ein See von Blut gesammelt, in dem Entsetzliches lag, und der Boden rundum war blutbesudelt.

Sie ging nur so nahe an ihn heran, um sehen zu können, was er an sich angerichtet hatte: die verstümmelten Genitalien, den Harakirischnitt, der seinen Unterleib von einer Seite zur anderen aufklaffen ließ. Es war sein Rasiermesser, das mit dem Ebenholzgriff, das er wegen seiner Schärfe anstelle von Rasierklingen benutzte, und die um den Griff geschlossenen Finger waren fraglos die einzigen, die den Griff je gehalten hatten, denn die Handhaltung, die Lage der fest aneinanderliegenden Finger und der blutverschmierten Klinge waren in keiner Weise unnatürlich – Gott sei Dank, Gott sei Dank! Der Kopf war unnormal nach hinten geneigt, und fast schien es, als würden die Augen unter den halb geschlossenen Lidern sie spöttisch ansehen. Doch dann merkte sie, es war das Glitzern des Todes in ihnen, und nicht jener goldene Schein, der sie einst so belebt hatte.

Schwester Langtry schrie nicht. Nachdem sie alles gesehen hatte, reagierte sie instinktiv. Sie ging rückwärts zur Tür und hinaus und schlug die Tür zu, griff in wilder Hast nach dem Vorhängeschloß, das mit offenem Verschlußring an der Metallöse am Türpfosten hing. Mit Mühe ihre rasende Verzweiflung beherrschend, gelang es ihr, das Metallscharnier über die Öse zu schieben, den Ring des Vorhängeschlosses einzuhängen und zuzudrücken. Dann lehnte sie sich gegen die Tür, erschlaffend, ihr Mund ging auf und zu, und ein Wimmern, an- und abschwellend, klanglos, wie von einem Automaten, kam ihr über die Lippen.

Erst nach ein, zwei Minuten verstummte das Wimmern, und sie konnte die Hände, die sie flach gegen die Türfläche gepreßt hatte, lösen.

Die Innenseiten ihrer Schenkel waren naß, und einen schrecklichen, demütigenden Augenblick lang meinte sie, sie habe Harn gelassen. Doch es war nur Schweiß.

Michael! Ach, Michael! In plötzlicher Wut und Verzweiflung hämmerte sie mit der Faust gegen die Tür. Gott verdamme Luce in die ewige Hölle für das, was er getan hatte! Oh, warum hatten diese betrunkenen Tölpel nicht besser auf ihn aufpassen können? Mußte sie alles selber tun? Luce, du Schwein, du hast am Ende gesiegt! Du letztklassiges, madiges, ekliges, verrücktes Schwein hast perfekte Rache geübt...

Oh, Michael! Tränen rannen über ihre Wangen, Tränen unermeßlichen Kummers nach einer kurzen, brutal kurzen, unausgekosteten Freude. Der schöne Morgen lag in Blut ertränkt zu ihren Füßen. Oh, Michael! Mein Michael... Es war nicht gerecht. Sie hatten noch nicht einmal miteinander geredet, noch nicht begonnen, die Knoten ihrer bisherigen Beziehung zu entwirren, ihre Schicksalsfäden miteinander zu verknüpfen. Und als sie sich jetzt aufrichtete und die Tür verließ, da wußte sie, es war unabänderlich, für sie und Michael würde es keine Hoffnung auf Glück geben. Keine Beziehung irgendwelcher Art. Luce hatte am Ende gesiegt.

Wie ein Roboter ging sie quer über das Gelände, rasch, ruckartig, mechanisch, zuerst ohne Ziel, dann die einzige mögliche Richtung einschlagend. Sie wurde sich der Tränen auf ihren Wangen bewußt, wischte mit der Hand über ihre Lider, richtete den Schleier, glättete ihre Brauen. Na also, *Schwester* Langtry! Sie, Schwester Langtry, sind für dieses Schlamassel verantwortlich, es ist schließlich Ihre verdammte Pflicht und Schuldigkeit, Pflicht nicht nur gegenüber sich selbst, sondern auch gegenüber den Patienten. Und fünf sind jetzt da, die um jeden Preis vor den Folgen bewahrt werden müssen.

2

»Kinnbacke« sass draussen auf der Veranda seiner kleinen Hütte und rührte versonnen in seinem Tee, ohne Besonderes zu denken. Das entsprach übrigens diesem Tag,
der in keinerlei Hinsicht etwas Besonderes war. Nach einer Nacht mit Schwester Connolly folgte gewöhnlich so
ein Tag. Doch die letzte Nacht hatte in anderer Hinsicht
ihre Härten gehabt, denn sie hatten sich über die bevorstehende Auflösung von Stützpunkt 15 unterhalten und
über eine mögliche Fortsetzung ihrer Beziehung im Zivilleben.

Er war immer noch am Umrühren, als Schwester Langtry, frisch und adrett, wie aus dem Ei gepellt, um die Ecke
der Hütte kam und vor der Veranda auf dem Rasen stand
und zu ihm heraufblickte.

»Sir, ich habe einen Selbstmord!« verkündete sie laut.

Er fuhr halb von seinem Sitz hoch, ließ sich dann wieder
zurücksinken und brachte es dann fertig, langsam seinen
Löffel auf die Untertasse zu legen und sich zu erheben.
Leicht wankend bewegte er sich zur Balustrade, lehnte
sich betont lässig dagegen und sah auf sie hinab.

»Selbstmord? Aber das ist ja schrecklich!«

»Ja, Sir«, sagte sie hölzern.

»Wer?«

»Sergeant Daggett, Sir. Im Badehaus. Sehr degoutant.
Hat sich mit einem Rasiermesser entsetzlich zugerichtet.«

»Du lieber Gott! Du lieber Gott!« sagte er schwach.

»Wollen Sie es sich zuerst ansehen oder soll ich gleich
die Militärpolizei verständigen?« fragte sie und drängte
ihn damit unerbittlich zu einem Entschluß, für den er, wie
er fühlte, erst genügend Energie sammeln mußte.

Er betupfte sein Gesicht, das so bleich war, daß die Al-
koholflecken sich davon in all ihrer roten und blauen
Pracht abhoben, mit dem Taschentuch. Seine Hand zuckte
verräterisch. Er ließ sie in der Hosentasche verschwinden
und wandte sich von ihr ab und dem Inneren der Hütte zu.

»Ich werd' mir's zuerst mal selber ansehen müssen«,

sagte er und hob die Stimme griesgrämig. »Meine Mütze, wo, zum Teufel, ist meine Mütze?«

Es war ihnen nichts anzumerken, als sie nebeneinander über das Gelände schritten, aber Schwester Langtry trieb zur Eile an, und der Colonel geriet ins Schnaufen.

»Haben Sie . . . eine Ahnung . . . warum . . . Schwester?« keuchte er, fiel versuchsweise in eine langsamere Gangart, doch sie strebte unbekümmert um seinen Atem vorwärts.

»Ja, Sir, ich weiß, warum. Ich habe gestern abend Sergeant Daggett dabei angetroffen, wie er Sergeant Wilson zu belästigen suchte. Ich denke mir, daß in der Nacht Schuld oder Reue Sergeant Daggett befielen und er beschloß, seinem Leben dort ein Ende zu machen, wo der Vorfall stattgefunden hatte, nämlich im Badehaus. Es liegt eindeutig ein sexuelles Motiv vor – seine Genitalien sind ziemlich arg verstümmelt.«

Wie konnte sie so ohne jede Anstrengung sprechen, wenn sie so schnell ging? »Sie wollen mich wohl umbringen, Schwester. Können Sie, verdammt nochmal, nicht etwas langsamer gehen?« schrie er. Dann sickerte das, was sie über Genitalien gesagt hatte, in sein Bewußtsein, und quallenartig breitete sich in ihm Entsetzen und Bestürzung aus. »Ach, du lieber Gott! Ach, du lieber Gott!«

Der Colonel warf nur einen kurzen Blick in das Badehaus, dessen Tür Schwester Langtry ihm mit ruhiger Hand aufgeschlossen hatte. Dann entwich er sogleich wieder ins Freie, dabei nur mit Mühe den emporsteigenden Mageninhalt zurückhaltend. Daß die Schwester die letzte auf der Welt war, vor der er sich seiner entäußern würde, das schwor er sich. Nach etlichen tiefen Atemzügen, während deren er, um sie zu verbergen, einige Schritte auf und ab stolzierte, die Hände in die Seiten gestützt und sich so wichtig und gedankenvoll gebend, wie es sein Brechreiz erlaubte, räusperte er sich und blieb vor Schwester Langtry stehen, die geduldig wartete und ihn jetzt mit leisem Spott ansah. Der Teufel hole diese Frau!

»Weiß jemand von der Sache?« fragte er, zog sein Taschentuch heraus und betupfte sich das Gesicht, das langsam seine ursprüngliche Farbe zurückgewann.

»Vom Selbstmord nicht, wie ich glaube«, sagte sie, jetzt ganz kühle Überlegung. »Leider hat es bei jenem Zwischenfall, als Sergeant Daggett versuchte, Sergeant Wilson zu belästigen, außer mir zwei Zeugen gegeben, Captain Parkinson und Sergeant Maynard, Sir.«

Er schnalzte mit der Zunge. »Sehr bedauerlich! Um welche Zeit hat diese . . . Belästigung stattgefunden?«

»Ungefähr um halb zwei Uhr früh, Sir.«

Argwohn und Zorn stiegen in ihm hoch. »Was in aller Welt hatten sie alle um diese Zeit im Badehaus zu suchen? Und wie konnten Sie solches zulassen? Warum haben Sie, wenn schon keine Schwester als Vertretung zur Verfügung steht, nicht eine Ordonnanz die Nacht über Dienst auf Station X machen lassen?«

Ausdruckslos erwiderte sie seinen Blick. »Wenn Sie den Angriff auf Sergeant Wilson meinen, Sir, so lag kein Grund zur Annahme vor, daß solches in der Absicht von Sergeant Daggett lag. Wenn Sie den Selbstmord meinen, so deutete nichts darauf hin, daß Sergeant Daggett bezüglich seiner Person solche Absichten hegte.«

»Sie zweifeln also nicht daran, daß es Selbstmord ist, Schwester?«

»Nicht im geringsten. Das Rasiermesser hielt er in der Hand, als ihm damit die Verletzungen zugefügt wurden. Haben Sie das nicht selbst gesehen? Man hält ein Rasiermesser, wenn man damit tief ins Fleisch schneidet, nicht anders, als wenn man damit den Bart abschert. Nur der Druck ist stärker.«

Ihre Anspielung darauf, daß er den Leichnam offensichtlich nicht so genau inspiziert habe wie sie, ärgerte ihn, und so änderte er seine Taktik. »Ich frage noch einmal: Warum haben Sie nicht eine Person die Nacht über auf der Station Dienst tun lassen, Schwester? Und warum haben Sie mir von der Attacke Sergeant Daggetts nicht sofort Meldung gemacht?«

Ihre Augen weiteten sich ohne jeden Arg. »Sir! Um zwei Uhr früh? Ich war wirklich nicht der Ansicht, Sie würden mir dafür dankbar sein, wenn ich Sie wegen einer Sache weckte, die kein medizinischer Notfall war. Wir haben der Angelegenheit ein Ende gemacht, ehe Sergeant Wilson physischen Schaden erlitt, und als ich Sergeant Daggett verließ, war er im Vollbesitz seiner geistigen Kräfte. Captain Parkinson und Sergeant Maynard wollten die Nacht über ein Auge auf ihn haben, ich aber sorgte dafür, daß Sergeant Wilson die Station verließ, und somit sah ich keine Notwendigkeit, Sergeant Daggett in Gewahrsam zu halten oder unter Aufsicht zu stellen, noch nach Hilfe von außen zu schreien. Tatsächlich«, schloß sie ruhig, »hoffte ich, Ihre Aufmerksamkeit gar nicht in Anspruch nehmen zu müssen. Ich war der Meinung, daß das Ganze sich ohne offizielles Hickhack beilegen lassen würde, wenn ich nur erst mit beiden Beteiligten, mit Sergeant Daggett und mit Sergeant Wilson, gesprochen habe, sobald sie sich einigermaßen erholt haben. Zum Zeitpunkt, als ich die Station verließ, war ich zuversichtlich, diese meine Annahme werde sich als richtig erweisen.«

Er hakte woanders ein. »Sie sagen, Sie hätten Sergeant Wilson von der Station entfernt. Wie darf ich das verstehen?«

»Sergeant Wilson stand unter schwerer Schockeinwirkung, Sir, und unter den gegebenen Umständen war es ratsam, ihn nicht vor Sergeant Daggetts Augen, sondern in meiner Unterkunft zu versorgen.«

»Sergeant Wilson war also die ganze Nacht bei Ihnen?«

Sie blickte ihn furchtlos an. »Ja, Sir. Die ganze Nacht.«

»Die ganze Nacht? Und das wissen Sie genau?«

»Ja, Sir. Und er hält sich noch immer in meinem Apartment auf. Ich wollte ihn nicht auf die Station zurückbringen, ehe ich mit Sergeant Daggett gesprochen hatte.«

»Und Sie waren die ganze Nacht bei ihm, Schwester?«

Ein kleiner Schrecken fuhr ihr in die Glieder. Der Colonel hatte jetzt nichts Schmutziges im Sinn; wahrscheinlich hielt er sie gar keiner unmoralischen Aktivitäten für fähig. Woran er dachte, das war etwas ganz anderes: nämlich Mord.

»Ich wich nicht von Sergeant Wilsons Seite, bis ich vor einer Stunde meinen Dienst antrat, Sir, und ich entdeckte Sergeant Daggett wenige Minuten, nachdem ich meine Arbeit aufnahm. Zu diesem Zeitpunkt war er seit einigen

Stunden tot«, sagte sie in einem Ton, der keinen Widerspruch zuließ.

»So ist das also«, sagte »Kinnbacke« und preßte die Lippen zusammen. »Eine schöne Bescherung!«

»Von schön kann keine Rede sein, Sir!«

Wie ein Spürhund kehrte er zum Hauptthema zurück. »Und Sie sind absolut sicher, daß Sergeant Daggett nichts sagte oder tat, was auf Selbstmordabsichten hätte schließen lassen?«

»Absolut sicher«, sagte sie fest. »Ja, daß er Selbstmord begangen hat, macht mich stutzig. Nicht etwa, weil es so unbegreiflich erscheint, daß er sich das Leben nahm, sondern wegen der Art und Weise des Selbstmordes – so grauenvoll und häßlich . . . Was die Attacke auf die eigene Männlichkeit betrifft, so fehlt mir überhaupt jedes Verständnis. Aber so ist es nun einmal mit den Menschen. Sie handeln nie so, wie man es von ihnen erwartet. Ich bin ganz offen zu Ihnen, Colonel Donaldson. Ich könnte jetzt lügen und sagen, Sergeant Daggett sei der typische Selbstmordkandidat gewesen. Ich bin lieber ehrlich. So unglaublich ich den Selbstmord von Sergeant Daggett finde, so sehr bin ich davon überzeugt, daß es sich um Selbstmord handelt. Es kann nichts anderes sein.«

Er wandte sich um in Richtung Station X, in einem vernünftigen Tempo, das er auch einzuhalten beabsichtigte. Bei der Wäscheleine blieb er stehen und stocherte mit seinem Offiziersstock in dem Wäschehaufen herum, als wäre er die Heimleiterin eines Ferienlagers für beiderlei Geschlecht, die die Unterwäsche nach verdächtigen Flecken absucht. »Hier scheint ein Kampf stattgefunden zu haben«, sagte er und richtete sich auf.

Ihre Lippen zuckten.

»Das stimmt. Captain Parkinson geriet mit einigen Hemden in Konflikt.«

Er ging weiter. »Ich glaube, ich werde am besten Captain Parkinson und Sergeant Maynard befragen, bevor ich die zuständigen Stellen verständige, Schwester.«

»Natürlich, Sir. Ich war, seit ich den Leichnam entdeckt habe, nicht mehr auf der Station und darf annehmen, daß keiner von ihnen weiß, was geschehen ist. Selbst wenn jemand versucht haben sollte, ins Badehaus zu gelangen. Ich schloß es ab, bevor ich zu Ihnen ging.«

»Wenigstens etwas, wofür man dankbar sein kann«, sagte er streng, und plötzlich wurde ihm klar, daß das Schicksal ihm jetzt die ideale Gelegenheit in die Hand spielte, Schwester Langtry zu vernichten. Ein Mann die ganze Nacht in ihrem Apartment, eine absolut schmutzige sexuelle Affäre, die in einer Tötung gipfelte – bis er mit ihr fertig war, stand sie längst am Pranger und war in Ungnaden aus der Armee entlassen. Welch Gottesgeschenk! »Wenn ich mir folgendes zu sagen erlaube, Schwester: Ich bin der Meinung, Sie haben diese ganze Sache total verpfuscht, und ich werde es mir persönlich angelegen sein lassen, dafür zu sorgen, daß Sie dafür einen Verweis erhalten, den Sie auch reichlich verdienen.«

»Danke, Sir!« rief sie, offensichtlich ohne jede Ironie.

»Ich bin jedoch der Meinung, daß die unmittelbare Ursache der ganzen Sache zwei Flaschen Johnny Walker sind, die die Patienten auf Station X vergangene Nacht bis zum letzten Tropfen geleert haben. Und wenn ich den hirnlosen Narren ausfindig mache, der die Flaschen Captain Parkinson, einem emotionell äußerst labilen Patienten, gegeben hat, dann wird es mir ein Vergnügen sein, dafür zu sorgen, daß *er* dafür einen Verweis erhält, den *er* auch reichlich verdient.«

Er war eben auf den Stufen und mußte sich am wackeligen Geländer festhalten, weil er stolperte. Hirnloser Narr? Den Whisky hatte er total vergessen. Und sie wußte! So ein Quatschmaul von einem idiotischen Captain! Die Rache konnte er vergessen. Jetzt gab's nichts als schnellen Rückzug. Verdammt sei dieses Weib! Diese aalglatte, beinharte Unverschämtheit – nachdem man sie ihr bei der Schwesternausbildung nicht hatte austreiben können, war sie ihr offensichtlich durch nichts mehr auszutreiben.

Matt, Nuggett, Benedict und Neil saßen mit totenbleichen Gesichtern am Verandatisch. Arme Schweine! Sie hatte ihnen nicht einmal das Koffein gegeben, das sie von der Mixtura APC abgeschöpft hatte. Und sie konnte es nicht gut jetzt, vor den Augen von »Kinnbacke«, an sie verteilen.

Beim Erscheinen des Colonel erhoben sich alle und nahmen Haltung an. Er ließ sich schwer auf das Ende einer Bank fallen und mußte, weil die Bank am anderen Ende hochging, einen Satz gegen deren Mitte zu machen.

»Stehen Sie bequem, meine Herren«, sagte er. »Captain Parkinson, ich wäre Ihnen für eine Schale Tee äußerst verbunden.«

Der Teetopf war schon mehrmals im Kreise herumgegangen; man hatte neuen Tee machen müssen, so daß der Tee, den Neil jetzt mit nicht allzu sicherer Hand in die Schale des Colonel goß, ziemlich frisch war. »Kinnbacke« nahm das Gefäß in die Hand, schien dessen Häßlichkeit gar nicht zu bemerken und widmete sich dankbar dem Inhalt. Schließlich aber mußte er die Schale wieder vom Gesicht nehmen, was ihn zwang, mit säuerlicher Miene in die Runde zu blicken. »Wie ich höre, hat es heute nacht im Badehaus einen Vorfall gegeben, in den die Sergeanten Wilson und Daggett verwickelt waren?« fragte er und gab sich ganz den Anschein, als wäre das der Grund für seinen Besuch auf Station X so früh am Morgen.

»Ja, Sir«, sagte Neil unbefangen. »Sergeant Daggett versuchte, Sergeant Wilson sexuell zu belästigen. Schwester Langtry holte uns zu Hilfe – Sergeant Maynard und mich –, und wir machten der Sache ein Ende.«

»Mit eigenen Augen den Vorfall gesehen oder nur von Schwester Langtry gehört?«

Neil beäugte den Colonel mit offen gezeigter Verachtung. »Na was, natürlich mit eigenen Augen gesehen!« Er sprach weiter, im Verschwörerton eines Menschen, der sich gezwungen sieht, ein ihm unerklärliches geiles Interesse zu befriedigen. »Sergeant Wilson muß unter der Dusche überrascht worden sein. Er war nackt und tropfnaß. Sergeant Daggett war ebenfalls nackt, jedoch kein bißchen naß. Und er war im Zustand höchster sexueller Erregung. Als Schwester Langtry, Sergeant Maynard und ich das Badehaus betraten, versuchte er mit Sergeant Wilson handgreiflich zu werden, der in Abwehrstellung gegangen war, um sich Daggett vom Leibe zu halten.«

Neil räusperte sich und sah geflissentlich über des Colonels Schulter hinweg. »Glücklicherweise hatte Sergeant Wilson nicht allzu freizügig von dem Whisky genossen, den wir vergangene Nacht zufällig greifbar hatten, sonst wäre die Sache für ihn weit schwieriger gewesen.«

»Das genügt, danke, das genügt!« sagte der Colonel scharf. Wie Messerstiche hatte er Neils reich modulierten Bericht empfunden, und die Erwähnung des Whiskys war wie ein Stockschlag auf ihn niedergesaust. »Sergeant Maynard, stimmen Sie mit Captain Parkinsons Beschreibung überein?«

Benedict hob zum erstenmal den Blick. Sein Gesicht zeigte jenen Grad der Müdigkeit und Gleichgültigkeit, wie ihn Menschen an den Tag legen, die sich aufgegeben haben. Seine Augen waren rot umrändert. »Ja, Sir, so hat es sich zugetragen«, sagte er und dehnte die Silben, als hätte er sich tagelang auf diesen Satz vorbereitet. »Luce Daggett war ein Schandfleck. Schmutzig. Abscheulich –«

Matt stand rasch auf, legte mit unfehlbarer Sicherheit seine Hand auf Benedicts Arm und zog ihn in die Höhe. »Komm, Ben«, sagte er drängend. »Beeil dich! Geh mit mir spazieren. Nach dem vielen Fusel vergangene Nacht ist mir nicht gut.«

»Kinnbacke« unterließ jeden Einwand; allein die neuerliche Erwähnung des Whiskys jagte ihm einen Schrecken ein. Mucksmäuschenstill saß er da, während Benedict rasch mit Matt die Veranda verließ. Dann wandte er sich wieder Neil zu. »Und was geschah, nachdem Sie durch Ihr Einschreiten der Sache ein Ende gemacht haben, Captain?«

»Sergeant Wilson zeigte Reaktionen, Sir. Sie kennen das sicher, wenn man jemanden zum Kampf gereizt hat. Er zitterte, konnte nicht normal atmen. Es erschien mir besser, wenn Schwester Langtry ihn von der Station entfernte, weg von Sergeant Daggett. Ich schlug ihr das vor. Somit bestand für Sergeant Daggett für die restliche Nacht keine – eh Versuchung. Allerdings hatte er allerhand zu befürchten, worin ich ihn, wie ich zugeben muß, noch bestärkte. Sergeant Daggett, Sir, gehört nicht zu meinen Lieblingen.«

Am Beginn seiner Rede verfolgte Schwester Langtry

Neils Schilderung mit freundlichem Interesse, als sie jedoch hörte, wie er dem Colonel sagte, es sei seine Idee gewesen, Michael von der Station zu entfernen, da weiteten sich ihre Augen vor Überraschung und leuchteten dankbar auf. Der dumme, liebe Mensch! Dem Colonel würde nie der Gedanke kommen, an Neils Worten zu zweifeln. Zudem rechnete er damit, daß Männer die leitenden Positionen innehatten und die Entschlüsse faßten. Doch Neil schien auch genau zu wissen, wohin sie Michael für den Rest der Nacht zu bringen gedachte, was die Frage aufwarf, ob man ihr den Rest der Nacht ansah oder ob es bloß ein Schuß ins Blaue war.

»In welcher Verfassung war Sergeant Daggett, nachdem Sie zur Station zurückgekehrt waren, Captain?« fragte der Colonel.

»In welcher Verfassung?« Neil schloß die Augen. »Oh, ganz wie sonst. Die reinste Giftspritze. Keinerlei Bedauern, es sei denn darüber, daß er erwischt worden war. Voll Bosheit. Und er ließ sich ununterbrochen darüber aus, daß er es uns heimzahlen werde, besonders Schwester Langtry. Luce haßt sie.«

Soviel unverhüllt schlechte Nachrede bei einem Toten verletzte den Colonel, bis ihm einfiel, daß sie ja nicht wußten, daß Luce tot war. Er rückte nun auf den Kernpunkt vor.

»Und wo ist Sergeant Daggett jetzt?« fragte er wie beiläufig.

»Ich weiß es nicht, und es interessiert mich auch nicht«, sagte Neil. »Was mich betrifft, so wäre ich außerordentlich glücklich, wenn er nie wieder den Fuß in Station X setzt.«

»Verstehe. Nun, Captain, Sie sind sehr ehrlich.«

Jeder konnte sehen, daß der Colonel bei sich in bezug auf das Gehörte Abzüge machte, was die Glaubwürdigkeit betraf, handelte es sich doch hier um emotionell instabile Menschen, doch als er sich jetzt Nuggett zuwandte, begann sich Erbitterung in seinem Gesicht abzuzeichnen. »Gemeiner Jones, Sie sitzen so still. Haben Sie irgend etwas hinzuzufügen?«

»Wer, Sir? Ich, Sir? Ich hatte Migräne«, sagte Nuggett wichtigtuerisch. »Der klassische Fall, Sir, eindeutig – Sie wären fasziniert gewesen! Zweitägiges Prodromalstadium in Form einer Lethargie und leichter Dysphasie, gefolgt von einem einstündigen Skotom im rechten Gesichtsfeld und danach linksseitiger Kopfschmerz. Er war schmal wie ein Stift, Sir.« Er dachte einen Augenblick nach. »Nun, eigentlich mehr ein Flattern.«

»Lichtblitze nennt man nicht Skotom, Gemeiner«, sagte der Colonel.

»Meine waren eines«, sagte Nuggett entschieden. »Es war faszinierend, Sir! Ich sagte Ihnen ja, bei weitem nicht Ihre kleine Migräne. Wenn ich einen großen Gegenstand ins Auge faßte, dann sah ich ihn auch, keine Schwierigkeit. Aber wenn ich ein kleines Detail des großen Dings fixierte, etwa einen Türknauf oder ein Astloch in der Holzwand, dann sah ich nur seine linke Hälfte. Die rechte war – ich weiß nicht! Einfach nicht vorhanden! Ein Skotom, Sir.«

»Gemeiner Jones«, sagte der Colonel müde, »wenn Ihre Kenntnisse auf militärischem Gebiet auch nur im entferntesten denen Ihrer Krankheitssymptome entsprächen, dann wären Sie jetzt Feldmarschall, und wir hätten Tokio schon 1943 eingenommen. Wenn Sie ins Zivilleben zurückkehren, sollten Sie, das möchte ich Ihnen dringend nahelegen, ein Medizinstudium in Betracht ziehen.«

»Geht nicht, Sir«, sagte Nuggett bedauernd. »Ich hab' nur die mittlere Reife. Aber ich denke daran, mich zur männlichen Krankenschwester ausbilden zu lassen.«

»Nun, die Welt wird vielleicht einen Pasteur verlieren, dafür aber vielleicht einen Mister Nightingale gewinnen. Sie werden sich blendend machen, Gemeiner Jones.«

Im Augenwinkel hatte der Colonel Matt erspäht, der ohne Benedict zurückgekommen war, in der Tür stand und aufmerksam zuhörte.

»Korporal Sawyer, was haben Sie mir anzubieten?«

»Ich hab' nichts gesehen, Sir«, sagte Matt sanft.

Die Lippen des Colonels verschwanden, er mußte tief Atem holen. »Hat einer der Herren seit Sergeants Daggetts Attacke auf Sergeant Wilson das Badehaus aufgesucht?«

»Ich fürchte nein, Sir«, sagte Neil und sah schuldbewußt drein. »Tut mir leid, daß Sie uns ungewaschen und unrasiert angetroffen haben, aber nach dem kleinen Ausrutscher mit dem Whisky war Tee und nochmals Tee heute morgen das allererste, was wir brauchten.«

»Ich würde meinen, Sie hätten ihnen Koffein verabreichen können, Schwester!« schnauzte der Colonel die Schwester an.

Sie hob die Brauen, lächelte schwach. »Ist alles vorbereitet, Sir.«

Der Colonel feuerte nun seinen Schuß ins Schwarze ab. »Ich nehme an, keiner von Ihnen weiß, daß Sergeant Daggett tot im Badehaus aufgefunden worden ist«, sagte er kurz.

Der Schuß verfehlte seine Wirkung; keiner zeigte Überraschung, Schrecken, Sorge oder Interesse. Sie saßen oder standen da, als hätte der Colonel eine banale Bemerkung über das Wetter gemacht.

»Warum in aller Welt sollte Luce so etwas tun?« fragte Neil, der offenbar das Gefühl hatte, der Colonel erwarte irgendeinen Kommentar. »Soviel Rücksichtnahme hätte ich ihm gar nicht zugetraut.«

»Das ist die Erlösung von einem Übel«, sagte Matt.

»Das ist wie alle Weihnachten zusammengenommen«, sagte Nuggett.

»Warum nehmen Sie an, daß es Selbstmord ist, Captain?«

Neil machte erstaunte Augen. »Ah, ist es kein Selbstmord? Für einen natürlichen Tod ist er noch etwas jung, oder?«

»Stimmt, er starb nicht eines natürlichen Todes. Aber warum nehmen Sie an, es sei Selbstmord?« blieb der Colonel beharrlich.

»Wenn er keine Herzattacke und keinen Gehirnschlag erlitt, dann hat er sich selber abgemurkst. Das will nicht besagen, daß wir ihm nicht mit Vergnügen dabei assistiert hätten, aber die vergangene Nacht war keine Nacht für Mord, sondern eine Nacht des Whiskys, Sir.«

»Wie ist er gestorben, Sir?« fragte Nuggett begierig. »Hat er sich die Kehle durchgeschnitten? Sich erstochen? Sich gar aufgehängt?«

»Sie müssen das natürlich wissen, Sie kleiner Leichenschänder!« rief der Colonel angewidert. »Das, was er sich antat, nennen die Japaner Harakiri, glaub' ich.«

»Wer hat ihn gefunden, Sir?« fragte Matt, immer noch im Türrahmen stehend.

»Schwester Langtry.«

Diesmal reagierten sie so, wie er es sich erhofft hatte, als er Luces Tod ankündigte. Eine ehrfürchtige Stille trat ein, und jeder wandte sich Schwester Langtry zu. Nuggett sah drein, als wollte er jeden Augenblick zu weinen anfangen. Matt stand wie erstarrt, Neil schien zutiefst betroffen.

»Mein Gott, es tut mir ja so leid«, sagte Neil schließlich.

Sie schüttelte den Kopf, schenkte ihnen ein Lächeln der Zuneigung. »Es ist alles in Ordnung, wirklich. Wie Sie sehen, habe ich es überlebt. Sehen Sie mich nicht so entsetzt an!«

»Kinnbacke« seufzte und klatschte sich, gleichsam die Waffen streckend, auf die Schenkel. Was machte man mit Leuten, die nicht mit der Wimper zuckten, wenn einer ihrer Kameraden starb, aber in Auflösung übergingen, wenn ihre geliebte Schwester Langtry einen häßlichen Anblick hatte ertragen müssen? Er erhob sich. »Ich danke für Ihre Zeit und Ihren Tee, Gentlemen. Guten Morgen.«

»Die wußten es!« sagte er, als er mit Schwester Langtry die Auffahrt hinunterschritt. »Diese blasierten Teufel *wußten*, daß er tot war!«

»Das glauben Sie?« fragte sie kühl. »Sie wissen, daß Sie da im Irrtum sind. Die wollten Sie nur ärgern, Sir. Sie sollten Ihnen nicht soviel Spielraum lassen, da werden sie nur um so ekelhafter.«

»Wenn ich Rat von Ihnen brauche, meine Dame, werde ich ihn mir holen!« Er kochte vor Zorn. Gleichzeitig fielen ihm seine eigene, äußerst gefährdete Position und Schwester Langtrys dominante Rolle ein, doch er konnte sich nicht enthalten, ziemlich maliziös zu sagen: »Es wird eine Untersuchung geben.«

»Natürlich, Sir«, sagte sie gelassen.

Es war zu viel, besonders nach der Nacht, die er gehabt hatte. »Allem Anschein nach ist da keine Schweinerei passiert«, sagte er müde. »Zum Glück für ihn, wahrscheinlich, hat Sergeant Wilson ein hieb- und stichfestes Alibi, das ihm niemand Geringerer als Sie selbst liefern. Ich werde jedoch mit meiner Entscheidung warten, bis die Militärpolizei den Leichnam untersucht hat. Wenn sie auch zu der Ansicht gelangen, es bestehe keinerlei Verdacht auf eine Schweinerei, dann könnte ich mir denken, daß die Untersuchung zu einer reinen Formsache wird. Das bleibt aber Colonel Seth überlassen. Ich werde ihn umgehend verständigen.« Er seufzte und warf ihr einen schnellen Seitenblick zu. »In der Tat, der junge Sergeant Wilson ist ein Glückspilz! Es wäre wunderbar, wenn alle Schwestern auf meinen Abteilungen so sehr um die Wohlfahrt der Patienten bemüht wären.«

Sie blieb stehen und fragte sich, warum man manchen Menschen nur weh tun wollte und sich dann wunderte, wenn sie ebenfalls Schläge austeilten. So war es zwischen ihr und »Kinnbacke«. Von ihrem ersten Zusammentreffen an waren sie im Wettstreit gewesen, wer von ihnen die härteren Schläge auszuteilen vermochte. Einmal auf dem eingeschlagenen Kurs, sah sie sich nicht zu Milde und Nachsicht veranlaßt und wollte ihn nach seiner Spöttelei über Michael nicht ungeschoren abgehen lassen.

Also sagte sie mit seidenweichem Ton: »Ich werde die Männer bitten, sich nicht allzusehr über ihren Alkoholexzeß auszulassen. Glauben Sie nicht auch, Sir? Ich sehe nicht die Notwendigkeit, es überhaupt zu erwähnen, vorausgesetzt, die Militärpolizei zweifelt nicht daran, daß Sergeant Daggett Selbstmord begangen hat.«

Er krümmte sich wie ein Wurm, hätte ihr am liebsten den nächstbesten Gegenstand in die lächelnde Fratze geschleudert und ihr gesagt, sie solle es in die verdammte Welt hinausposaunen, daß er troppo-Patienten Whisky zu trinken gegeben habe. Er wußte, daß er das nicht konnte. Also nickte er nur steif. »Wie Sie es für richtig halten, Schwester. *Ich* werde es bestimmt nicht erwähnen.«

»Sie haben Sergeant Wilson noch nicht gesprochen, Sir. Als ich ging, schlief er, aber er ist in Ordnung. Sie können ihn verhören, da bin ich sicher. Ich gehe mit Ihnen zu meinem Quartier. Ich hätte ihn in eines der freien Apartments gesteckt, doch sie sind alle versperrt. Was, wie sich jetzt zeigt, nur von Vorteil war, nicht wahr? Ich mußte ihn in meinem Zimmer übernachten lassen und hatte ihn so unter meiner Aufsicht. Nicht sehr bequem, wenn man bedenkt, daß es da nur ein schmales Bett gibt.«

Dieses Luder, dieses verdammte Luder! Der war er selbst in seinen besten Momenten nicht gewachsen. Er war der Sache so müde, und dieser Vorfall war auch kein schlechter Schock gewesen.

»Ich werde später mit dem Sergeant reden, Schwester. Guten Morgen.«

3

SCHWESTER LANGTRY STAND ohne Bewegung und beobachtete den Colonel, bis er sich seiner Hütte zuwandte, dann erst machte sie sich auf den Weg zum Schwesternblock.

Wenn man doch immer genug Zeit zum Nachdenken hätte, wenn Dinge sich ereigneten! Doch leider schien das nie der Fall zu sein. Am besten war es, wenn man den anderen stets einen Zug voraus war. »Kinnbacke« war nicht zu trauen. Es sähe ihm ähnlich, wenn er jetzt so tat, als ginge er zu seiner Hütte, und dann schnell die Oberschwester aufsuchte und sie zu ihrem Apartment schickte. Michael mußte ausziehen, und zwar sofort. Doch jetzt hätte sie, bevor sie ihn wiedersah, gern ein paar Stunden Zeit gehabt, ein paar kostbare Stunden, um sich die Worte zu überlegen, die gesagt werden mußten. Und selbst Tage wären hierfür nicht zu lange gewesen.

Unheil lag in der Luft. Ein Zyniker mochte die Sache runterspielen und sagen, es sei nichts als der aufziehende Monsun. Aber Schwester Langtry wußte es besser. Die Dinge bauten sich eins aufs andere und stürzten dann so schnell wieder in sich zusammen, daß man sofort erkannte, was gefehlt hatte, die sichere Basis nämlich. Genau das traf zu auf sie und Michael. Wie konnte sie auf etwas Dauerhaftes hoffen, wenn alles sich aus so unnatürlichen Umständen entwickelt hatte? Hatte sie es nicht genau aus diesem Grund energisch vermieden, ihre Beziehung zu Neil Parkinson auszubauen? Ein Mann ging gewöhnlich mit jemandem ins Bett, den er kannte oder zu kennen glaubte. Was aber hatte Michael mit Schwester Langtry verbunden? Nichts außer einer Fiktion, einem Traumbild. Die einzige Langtry, die er kannte, war die *Schwester* Langtry. Und bei Neil hatte sie sich genug Vernunft bewahrt, ihre Hoffnungen zu unterdrücken und auf einen Zeitpunkt zu verschieben, bis sie beide wieder in normaler Umgebung sein würden und er die Möglichkeit hatte, *Miß* Langtry kennenzulernen. Bei Michael war kein Gedanke, keine Vernunft mit im Spiel gewesen, nichts außer dem Verlangen, hier und jetzt zu lieben, egal welche Konsequenzen es haben mochte. So als ob irgendwo in ihrer beider Unterbewußtsein das Wissen gewesen wäre, wie zerbrechlich und vergänglich eine solche Liebe war.

Vor Jahren, im Vorbereitungslehrgang, hatte eine Schwester den Schwesternschülerinnen einen Vortrag über die Gefahren gehalten, die im emotionalen Bereich jeder Pflegerin drohten. Darunter fiele auch, wie sie ausführte, die Gefahr, sich in einen Patienten zu verlieben. Wenn das schon der Fall sei, dann müsse es ein Patient sein, der an einer akuten Erkrankung leide, keinesfalls einer mit einem chronischen Leiden. Die Liebe zu einem akuten Blinddarm oder einem Oberschenkelbruch mochte wachsen und sich als dauerhaft erweisen. Bei der Liebe zu einem Spastiker, einem Tuberkulösen oder einem Querschnittgelähmten war das sicher nicht der Fall. Ein Fall mit katastrophaler Prognose wäre das, wie die Schwester es zurückhaltend ausdrückte. Katastrophale Prognose. Ein Ausdruck, den Schwester Langtry nie vergaß.

Nicht daß Michael krank war; und bestimmt war er nicht chronisch krank. Aber sie hatte ihn als Pflegerin kennengelernt, unter den unschönen Umständen von Station X. Selbst wenn er nicht davon angesteckt war, sie war es unter Garantie. Ihre erste und einzige Pflicht hätte sein müssen, Michael als Pflegling zu betrachten. Bei Neil

Parkinson war ihr das gelungen; doch den liebte sie nicht, und so war die Pflichtausübung nicht allzu schwer gefallen.

Jetzt aber wollte sie zwei Fliegen mit einer Klappe erschlagen, Liebe und Pflicht, beides bestimmt für *einen* Mann. Für *einen* Patienten. Die Pflicht sagte ihr, er sei Patient. Dabei spielte keine Rolle, daß er die Kriterien des Begriffes Patient nicht erfüllte. Die Pflicht sagte es. Und hier war nichts als Pflicht. Sie kam zuallererst. Und alle Liebe dieser Welt konnte zur zweiten Natur gewordene Gewohnheiten eines so lange ausgeübten Berufes nicht ändern.

Soll ich seine Geliebte oder seine Pflegerin sein? fragte sie sich, als sie die Stufen zu ihrem Apartment hochstieg. Und was ist er? Mein Geliebter oder mein Pflegebefohlener? Ein Windstoß fuhr in ihren Schleier, und hob ihn von ihrem Nacken. Das ist die Antwort, dachte sie. Ich trage den Schleier als Symbol meines Berufes.

Als sie die Tür öffnete, sah sie, daß Michael den Pyjama und den Bademantel trug, die sie auf Station B geliehen hatte. Geduldig wartend saß er auf dem Stuhl. Den Stuhl hatte er vom Bett weggerückt, das Bett in Ordnung gebracht, so daß selbst die wildeste Phantasie sich nicht mehr vorstellen konnte, daß sich hier zwei Menschen schöner und lustvoller geliebt hatten, als es auf einem kissenbedeckten französischen Doppelbett möglich gewesen wäre. Irgendwie war die spartanische Einfachheit des gemachten Bettes ein Schock für sie. Sie hatte sich vorgestellt, sie werde eintreten und ihn nackt im Bett liegend vorfinden.

Wäre es so gewesen, sie würde, in einer Flut aufwallender Zärtlichkeit, neben dem Bett auf die Knie gesunken sein und ihn, trotz Pflicht, umarmt, ihm ihren Mund dargeboten haben für jene heißen, mächtigen Küsse, würde die Erinnerungen der Nacht durch frische Erfahrung erneuert und damit das Bild des toten Körpers im Badehaus verdrängt haben.

Sie blieb in der Tür stehen, keiner Bewegung, keines Wortes fähig, ganz ohne jede Kraft. Doch ihr Blick mußte ihm einiges sagen, denn er erhob sich sogleich, ging zu ihr hin und blieb nahe vor ihr stehen, doch ohne sie zu berühren.

»Was ist geschehen?« fragte er. »Was ist?«

»Luce hat sich umgebracht«, sagte sie tonlos, schwieg, erneut kraftlos.

»*Umgebracht?*« Zuerst stierte er vor sich hin, doch dann schwanden Erstaunen und Überraschung schneller, als zu erwarten gewesen wäre, und machten einer eigenartigen Betroffenheit Platz. »O mein Gott! O mein Gott!« sagte er langsam. Schuld und Verzweiflung nahmen ihm alle Farbe aus dem Gesicht. Mit schwacher Stimme sagte er: Was hab' ich getan?« Und noch einmal: »Was hab' ich getan?«

Ihr Herz regte sich, sie ging zu ihm, umschlang mit beiden Händen seinen Arm und blickte ihn flehend an. »Du hast nichts getan, Michael, überhaupt nichts! Luce hat sich selbst zerstört, hörst du? Er hat dich nur benützt, um es mir heimzuzahlen. Du kannst nicht dir die Schuld geben! Du hast ihn weder gelockt noch ermutigt!«

»Wirklich nicht?« fragte er schroff.

»Hör auf damit!« rief sie in Angst.

»Ich hätte dort sein müssen und nicht hier bei dir. Ich hatte kein Recht, ihn im Stich zu lassen.«

Entsetzt sah sie ihn an, als wäre er ein Fremder, dann gelang ihr irgendwie ein spöttisches Lächeln. »Das ist wahrlich ein Kompliment für mich!« sagte sie.

»Oh, Schwester, so habe ich es nicht gemeint!« rief er zerknirscht. »Ich würde Ihnen um keinen Preis weh tun wollen!«

»Nicht einmal jetzt kannst du die Schwester vergessen?«

»Ich wollte, ich könnte es. Es paßt zu dir – o ja, es paßt wirklich zu dir. Und du bist sogar jetzt für mich die Schwester. Ich würde dir nie weh tun, Schwester. Aber wenn ich geblieben wäre, wo ich hingehörte, hätte das niemals geschehen können. Er wäre in Sicherheit, und ich – ich wäre frei. Es war mein Fehler!«

Übelkeit stieg in ihr hoch und eine große, namenlose Sorge. Wer war er? Was war er? Wenn er jetzt, nachdem er stundenlang leidenschaftlich mit ihr Liebe gemacht hatte, dies beklagte nur Luces wegen? Schrecken, Kummer,

Schmerz, all das hätte sie empfunden, wenn er es nicht nur für Luce gefühlt hätte. Sie hatte sich nie weniger als Frau gefühlt, weniger als Mensch. Er hatte ihr die Liebe vor die Füße geworfen, nur Luces wegen.

»Ich verstehe«, sagte sie steif. »Ich habe mich in vieler Hinsicht geirrt, nicht wahr? Wie dumm bin ich gewesen!« Das bittere Lachen kam ungewollt, war so unmittelbar, daß er unwillkürlich zurückwich. »Warte eine Minute, ja?« sagte sie, sich umwendend. »Ich wasche mich schnell. Dann bringe ich dich zurück auf die Station. ›Kinnbacke‹ will dir einige Fragen stellen, und er sollte dich besser nicht hier antreffen.«

Auf einem kleinen Regal unterhalb des hinteren Fensters stand ein Zinnbecken mit etwas Wasser. Mit abgewendetem Gesicht ging sie hin, die Tränen strömten über ihre Wangen, sie wusch mit heftigen Bewegungen ihr Gesicht, stand dann da und hielt ein Handtuch gegen Augen, Wangen und Nase gepreßt, um dem sinnlosen, beschämenden Tränenstrom mit eiserner Willensanstrengung Einhalt zu gebieten.

Er war, wie er war. Bedeutete das automatisch, daß ihre Liebe wertlos war? Daß nichts an ihm liebenswert war? Nie vorher im Leben hatte sie sich so betrogen, so entehrt gefühlt, und dennoch, warum eigentlich? Er war, wie er war, und es mußte gut sein so, sonst hätte sie sich nicht in ihn verliebt. Doch die Kluft zwischen Vernunft und dem Empfinden als Frau war unüberbrückbar. Keine weibliche Rivalin hätte sie mehr verletzen können. Luce. Gewogen und für zu leicht befunden – im Vergleich mit *Luce*.

Und Colonel »Kinnbacke«, dieser Idiot, hatte Michael im Verdacht, Luce getötet zu haben! Schade, daß er nicht Zeuge dieses Gesprächs gewesen war. Sein Verdacht wäre auf der Stelle beseitigt worden. Wenn je einem Mann der Tod eines anderen Mannes nahegegangen war, dann Michael der Tod von Luce. Er hätte es tun können, dachte sie. Sie war in der Nacht lange genug aus dem Zimmer gewesen, um ihm Zeit zu geben, den Weg zurückzulegen, die Tat zu begehen und zurückzukehren. Aber er hatte es nicht getan. Durch nichts würde man sie je von dieser Meinung abbringen. Armer Michael. Er hatte wahrscheinlich recht. Wenn er auf der Station geblieben wäre, hätte Luce sich nicht umbringen müssen. Sein Sieg über sie wäre vollkommener gewesen.

O Gott, was für eine Verwirrung! Welche Verwicklung von Wünschen und Motiven. Warum hatte sie Michael von der Station entfernt? In jenem Augenblick war es ihr als richtig, als die einzig richtige Lösung erschienen. Aber hatte sie schon die ganze Zeit vorgehabt, jede Gelegenheit zu ergreifen, Michael in Beschlag zu nehmen? Die Station bot keine Gelegenheit für so etwas; sie waren auf jede Minute eifersüchtig, die sie mit einem von ihnen allein verbrachte. Männer waren eben Männer. Wenn sie sich Michael schon an den Hals warf, als er irgendwie unter seinem Rückzug nach der Auseinandersetzung im Badehaus litt, warum sollte sie ihm vorwerfen, daß er sie nahm und benützte?

Die Tränen trockneten. Sie ließ das Handtuch sinken und ging zum Spiegel. Gut, sie sah nicht verweint aus. Sie richtete ihren Schleier, ihr Blick war kühl und distanziert wie der jener Ausbilderin vor vielen Jahren. Liebe war trügerisch, Pflichtausübung nie. Keine katastrophale Prognose. Sie riß sich von ihren Gedanken los.

»Komm«, sagte sie freundlich. »Ich bringe dich dorthin zurück, wo du jetzt hingehörst.«

Stolpernd stapfte Michael neben ihr her, so eingehüllt in seinen Jammer, daß er kaum auf sie achtete. Es hatte wieder angefangen, und diesmal hieß das Urteil lebenslänglich. Warum mußte es ihm widerfahren? Was hatte er getan? Immer wieder starben Menschen. Und nur seinetwegen; etwas in ihm war schuld daran. Jonas, der Unglücksbringer.

Das Bett, der Duft ihres Körpers auf dem Laken . . . Sie bedauerte es jetzt, dort vorhin hatte sie es nicht bedauert. Liebe, die er nie gekannt hatte, da war sie. Wie ein Traum. Und sie war zu ihm gekommen nach jenem Gräßlichen, geboren aus der Scham darüber, nackt und in kompromittierender Situation entdeckt worden zu sein. Geboren aus der Zertrümmerung seines Selbstwertgefühls und der Erkenntnis, daß auch er danach hungerte zu töten.

Bilder von Luce stiegen in seiner Erinnerung auf: der lachende Luce; der spöttische Luce; Luce, der ihn verwundert anstarrte, weil er bereit gewesen war, den Mist, den er gemacht hatte, zu beseitigen; Luce im Badehaus, voll ungläubigen Staunens, daß sein Antrag nicht vollkommen war; Luce, völlig ohne Ahnung, daß das Schwert gewaltsamen Todes über ihm hing. *Blödes Schwein!* Ja, jetzt nenne ich dich so, wie du mich damals genannt hast. Du blödes, blödes Schwein! Hast du nicht begriffen, daß du förmlich darum gebettelt hast? Hast du nicht begriffen, daß der Krieg alle Einwände gegen das Töten stumpf macht, daß er den Menschen ans Töten gewöhnt? Natürlich hast du nicht. Du hast den Krieg ja in der Schreibstube verbracht.

Wo war die Zukunft? Für ihn nirgendwo. Vielleicht hatte es für ihn nie eine gegeben. Ben würde sagen, ein Mann lud es immer auf sich. Es war nicht fair. O Gott, bin ich wütend! Und sie, die er nicht kannte, würde er jetzt nie kennenlernen. Sie hatte ihn soeben wie einen Mörder angesehen. Und er war ein Mörder. Ein Mörder der Hoffnung.

4

MICHAEL ENTFERNTE SICH RASCH, kaum, daß sie in der Station ankamen. Der eine Blick, den er ihr auf sein Gesicht gestattet hatte, hatte von neuem peinigende Gefühle hervorgerufen, denn in seinen grauen Augen standen Tränen, und sie hätte alles stehen und liegenlassen und ihm helfen mögen. Aber nein, er rannte weg, als könnte er ihr nicht früh genug entkommen. Und im Augenblick, als er Benedict mit leerer Miene auf dem Bett sitzen sah, schwenkte er ab und setzte sich zu ihm.

Schwester Langtry konnte es nicht länger ertragen. Sie wandte sich um und schritt auf ihr Büro zu, jetzt ebenso wütend wie schmerzerfüllt. Es war eindeutig. Jeder andere bedeutete Michael mehr als sie.

Als Neil mit einer Tasse Tee und einem kleinen Teller mit Butterbroten hereinkam, wollte sie ihn gleich wieder fortschicken, doch etwas in seinem Gesicht hinderte sie daran. Nicht Verwundbarkeit war es, eher das deutliche Bemühen, zu dienen und zu helfen.

»Essen und trinken Sie«, sagte er. »Sie werden sich dann besser fühlen.«

Für den Tee war sie dankbar, doch glaubte sie nicht, etwas von dem Brot hinunterzubringen. Als jedoch der ersten Tasse Tee eine zweite gefolgt war, konnte sie etwa die Hälfte von dem, was auf dem Teller war, aufessen und fühlte sich danach tatsächlich besser.

Neil setzte sich in den Besuchersessel und sah ihr aufmerksam zu, verärgert über ihren Kummer, über sein eigenes Unvermögen in der Sache und über die Beschränkungen, die sie ihm im Hinblick auf sein Verhalten ihr gegenüber auferlegt hatte.

Was sie für Michael zu tun bereit war, wollte sie für ihn nicht tun – und das war verdrießlich, denn er wußte, er war der bessere Mann für sie. Besser in jeder Hinsicht. Und er hatte mehr als nur eine Ahnung, daß Michael das auch wußte. Spätestens seit heute morgen. Aber wie sie davon überzeugen? Sie würde ihm nicht einmal zuhören.

Als sie den Teller beiseite schob, begann er zu sprechen. »Es tut mir so leid, daß gerade Sie es sein mußten, die Luce fand. Es kann kein schöner Anblick gewesen sein.«

»Nein, war es nicht. Aber mit solchen Dingen kann ich fertig werden. Das soll Sie nicht belasten.« Sie lächelte, ohne zu ahnen, daß ihr Gesichtsausdruck den Eindruck vermittelte, als erleide sie die Qualen einer selbstgeschaffenen Hölle. »Ich muß Ihnen dafür danken, daß Sie meinen Entschluß, Michael von der Station zu entfernen, auf sich nahmen.«

Er hob die Schultern. »Nun, wenn es geholfen hat. Soll doch dem Colonel sein Glaube an das starke Geschlecht nicht geraubt werden. Wenn ich ihm gesagt hätte, ich sei betrunken gewesen und zu nichts fähig, Sie jedoch waren der Situation voll gewachsen, hätte er das sicher nicht geglaubt.«

Sie verzog das Gesicht. »Das ist wahr.«

»Geht's Ihnen gut, Schwester?«

»Ja, ausgezeichnet. Wenn ich etwas habe, dann höchstens das Gefühl, veräppelt worden zu sein.«

Seine Brauen zuckten. »Veräppelt? Eine sonderbare Ausdrucksweise!«

»Gar nicht. Wußten Sie, daß ich Michael mit zu mir in mein Apartment nahm, oder war das nur ein Schuß ins Blaue?«

»Logische Überlegung. Wohin sollten Sie ihn sonst bringen? Mir war vergangene Nacht klar, daß Sie Luce am Morgen nicht vor die Ärzte oder die MP zerren wollten. Also konnten Sie nicht dadurch Verdacht erregen, daß Sie Michael in einer anderen Station unterbrachten. So etwa.«

»Sehr scharf gedacht, Neil.«

»Ich glaube nicht, daß Sie je erkannt haben, was für ein scharfer Denker ich eigentlich bin!«

Sie wußte darauf nichts zu sagen und wandte sich zur Seite, um aus dem Fenster zu blicken.

»Da, nehmen Sie eine Zigarette«, sagte er. Sie tat ihm leid, aber er war auch verbittert, denn da gab es Dinge, wie er wußte, über die zu reden sie ihm nicht erlauben würde.

Sie wandte sich wieder ihm zu. »Ich kann es nicht wagen, Neil. Die Oberschwester kann jeden Augenblick hier sein. Inzwischen hat der Colonel ihr, seinen Vorgesetzten und der MP Mitteilung gemacht, und zumindest sie platzt vor Neugier. Für sie kann eine Situation gar nicht katastrophal genug sein, so lange sie nicht selber mit drinsteckt. Die wird dieses kleine Desaster gierig wie ein Hund vom Boden auflecken.«

»Und wie wär's, wenn Sie für mich die Zigarette anzünden und sich dabei einen Zug stehlen? Tee alleine genügt nicht.«

»Wenn Sie jetzt Whisky sagen, Neil Parkinson, stelle ich Sie einen Monat unter Hausarrest! Ich kann wirklich auch ohne Zigarette auskommen. Ich muß mir mein Ansehen soweit wie möglich erhalten, sonst schmeißt die Oberschwester mich aus der Schwesternriege. Sie würde den Zigarettenrauch aus meinem Atem riechen.«

»Nun, wenigstens hat den Colonel, als den Spender des Fusels, die selbst gelegte Bombe zerrissen.«

»Das erinnert mich an zwei Dinge. Erstens: Ich wäre dankbar, wenn keiner von Ihnen auch nur einem Menschen gegenüber den Whisky erwähnte. Zweitens: Nehmen Sie dieses Glas mit und verabreichen Sie sich selber und jedem anderen je einen Teelöffel vom Inhalt. Das kuriert den Kater.«

Er grinste. »Dafür könnte ich Ihnen Hände und Füße küssen!«

In diesem Augenblick platzte die Oberschwester zur Tür herein, mit geblähten, zitternden Nüstern, ein Bluthund auf der Fährte. Neil machte sich davon, im Vorbeigehen der Oberschwester oberflächlich Ehrerbietung erweisend, und ließ Schwester Langtry mit ihrer Vorgesetzten allein.

5

MIT DER OBERSCHWESTER BEGANN nun eine neue Art von Quälerei. Auf den Fuß folgte ihr der oberste Chef, ein sanfter, kleiner Colonel mit roter Mütze, der sich mit seinen Hospitalproblemen in rein abstrakter Form auseinandersetzte und recht hilflos wurde, wenn man ihn mit Patienten aus Fleisch und Blut konfrontierte. Als Oberkommandierender von Stützpunkt 15 oblag ihm die Durchführung der Untersuchung. Nach kurzer Inspektion des Badehauses rief er den zuständigen Mann der MP im Divisionshauptquartier an und verlangte, daß man einen Sergeant vom Spezialkommando herschickte. Als vielbeschäftigter Mann hatte der Colonel an einer Sache wenig Interesse, bei dem es sich, wovon er sich mit eigenen Augen überzeugt hatte, eindeutig um einen Selbstmord handelte, Selbstmord allerdings unter besonders ekelhaften Umständen. Also übergab er die Leitung der Untersuchung dem Quartiermeister des Stützpunkts, einem hochgewachsenen, liebenswürdigen und äußerst intelligenten jungen Mann namens John Pennyquick. Nachdem er von einer Last befreit war, die außer Ärger nichts einbrachte, wandte er sich wieder der komplizierten Aufgabe zu, ein riesiges Armeehospital aufzulösen.

Captain Pennyquick war, wenn überhaupt möglich, noch mehr mit Arbeit überlastet als der Chef, aber er war auch ein hart und effizient arbeitender Mensch. Als der Sergeant des Spezialkommandos vom Hauptquartier eintraf, gab er ihm einen kurzen, aber erschöpfenden Überblick über die Lage.

»Ich seh' mir jeden genau an, wenn Sie's für nötig halten«, sagte er, und blickte über den Rand seines Glases hinweg Sergeant Watkin an, den er für sympathisch, vernünftig und sehr tüchtig hielt.

»Aber es ist ganz Ihr Bier, außer Sie entdecken einen Wurm darin, dann brauchen Sie nur zu schreien, und ich bin da.«

Nachdem er sich zusammen mit dem Major, der der Pathologe auf Stützpunkt 15 war, zehn Minuten lang im Badehaus aufgehalten hatte, durchschritt Sergeant Watkin langsam die Strecke zwischen dem Badehaus und den Stufen zum Hintereingang von Station X. Dann ging er um das Gebäude herum und die Rampe zum vorderen Eingang hinauf. Schwester Langtry war nicht in ihrem Büro, doch sie hörte das Scheppern des Fadenvorhangs und kam eiligst durch den Saal gelaufen. Nettes kleines Ding, dachte der Sergeant beifällig. Gutes Führungsmaterial noch dazu. Es kostete ihn keine Überwindung, die Hand an die Mütze zu legen.

»Hallo, Sergeant«, sagte sie und lächelte.

»Schwester Langtry?« fragte er und nahm seine Mütze ab.

»Ja.«

»Ich bin vom Spezialkommando und komme direkt vom

Hauptquartier, um den Tod von Sergeant Lucuis Daggett zu untersuchen. Ich heiße Watkin.« Er sprach langsam, fast schläfrig.

Aber er war kein bißchen schläfrig. Er lehnte den Tee ab, den sie ihm in ihrem Büro anbot, und kam gleich zur Sache. »Ich muß Ihre Patienten sprechen, Schwester, vorher aber möchte ich Ihnen ein paar Fragen stellen, wenn es Ihnen nichts ausmacht.«

»Fragen Sie«, sagte sie ruhig.

»Das Rasiermesser. War es sein eigenes?«

»Ja, ich bin ziemlich sicher. Mehrere der Männer benutzen Rasiermesser, aber soviel ich mich erinnere, war Luces das einzige, das einen Ebenholzgriff hatte.« Sie hatte beschlossen, ganz offen zu sein, um damit die Tatsache zu unterstreichen, daß auch sie Führungsaufgaben zu erfüllen hatte. »Es kann doch wohl kein Zweifel daran bestehen, daß es Selbstmord war, Sergeant? Ich habe gesehen, wie Luce das Messer hielt. Die Finger waren um den Griff gekrampft genau in der Art, wie er es normalerweise gehalten haben würde, und Hand und Arm waren über und über mit Blut besudelt, wie das der Fall sein mußte, wenn er sich damit derartige Schnitte beibrachte. Wie viele sind es übrigens?«

»Eigentlich nur drei. Aber diese drei sind mehr, als nötig war für einen schnellen Tod.«

»Was sagt der Pathologe? Haben Sie da jemanden mitgebracht, oder macht das Major Menzies?«

Er lachte. »Wie wär's, wenn ich mich jetzt ein wenig auf eines Ihrer freien Betten lege und Sie inzwischen die Untersuchung leiten?«

Sie sah gekränkt und leicht verärgert drein, wie ein schmollendes junges Mädchen. »Du lieber Gott, ich führe mich auf wie ein Tyrann, nicht wahr? Tut mir leid, Sergeant! Die Sache fasziniert mich eben.«

»Ist ja gut, Schwester, fragen Sie nur. Find' ich wahnsinnig erheiternd. Aber im Ernst, es besteht wenig Zweifel, daß es Selbstmord war, und Sie haben ganz recht, was die Art betrifft, wie das Rasiermesser gehalten wurde. Major Menzies sagt, er zweifle nicht daran, daß Sergeant Daggett sich die Wunden selbst beibrachte. Ich werde nur bei den

Männern wegen des Messers etwas rumfragen, und wenn alles stimmt, denk' ich, daß wir die Sache schnell abschließen können.«

Sie tat einen tiefen Seufzer und lächelte ihn betörend an. »Oh, ich bin ja so froh! Ich weiß, daß jeder meint, geistig Labile wären jeder Tat fähig. Aber meine Männer sind wirklich ein sanfter Haufen. Sergeant Daggett war der einzige Gewalttätige unter ihnen.«

Er sah sie seltsam an. »Sie sind alle Soldaten, nicht wahr, Schwester?« – »Natürlich.«

»Und kommen zumeist von der Front, sonst wären sie nicht troppo. Ich muß Ihnen also leider widersprechen. Ihre Männer können kein sanfter Haufen sein.«

Womit sie wußte, daß er die Untersuchung so genau führen würde, wie er es für notwendig erachtete. Damit verschob sich die Frage. Hatte er die Wahrheit gesagt, als er ihr mitteilte, er glaube an Selbstmord?

Seine Umfrage ergab, daß das einzige Rasiermesser, das einen Ebenholzgriff hatte, tatsächlich Luce gehört hatte. Matt hatte eines mit einem elfenbeinernen Griff und Neil ein Dreierset mit Perlmuttergriffen, das vor dem Ersten Weltkrieg speziell für seinen Vater angefertigt worden war. Michael rasierte sich mit Sicherheitsklinge; ebenso Benedict und Nuggett.

Die Männer auf X versuchten nicht, mit ihrer Abneigung gegen den Toten hinterm Berg zu halten, noch behinderten sie Sergeant Watkins Untersuchung durch Mätzchen, zu denen sie durchaus imstande gewesen wären, etwa indem sie vorgaben, geistig, verwirrt oder nicht ansprechbar zu sein. Schwester Langtry hatte anfänglich befürchtet, sie würden sich widerspenstig zeigen, denn Alleinsein, Absonderung und Müßiggang machten sie mitunter kindisch, so wie sie am Nachmittag von Michaels Ankunft waren. Aber sie folgten dem Appell an ihre Vernunft und leisteten großartige Mithilfe. Ob Sergeant Watkin besonderes Vergnügen daran hatte, sich mit ihnen zu unterhalten, darüber sagte er nichts, doch er schenkte ihnen all seine Aufmerksamkeit, selbst Nuggetts lyrischer Beschreibung eines Skotoms, das ihn Türknäufe und Astlöcher nur zur Hälfte sehen ließ.

Michael war der einzige von Station X, den der Quartiermeister persönlich zu sehen wünschte, aber es war mehr eine freundliche Unterhaltung als ein Verhör. Er ließ die Sache in seinem eigenen Büro vonstatten gehen, denn auf Station X war man nicht wirklich unter sich.

Wenn Michael sich auch nicht darüber im klaren war, so war sein Auftreten allein schon die beste Verteidigung. Er war in voller Uniform erschienen, wenn auch ohne Kopfbedeckung, und salutierte nicht, als er eintrat, sondern nahm nur Haltung an, bis er aufgefordert wurde, sich zu setzen.

»Kein Grund zur Aufregung, Sergeant«, sagte Captain John Pennyquick, dessen Schreibtischplatte leer war bis auf einige Papiere, die den Tod des Sergeant Lucius Daggett betrafen. Der Bericht des Pathologen umfaßte zwei handgeschriebene Seiten und enthielt neben einer genauen Beschreibung der Wunden, die zum Tod geführt hatten, den Hinweis, daß weder im Mageninhalt noch im Blut fremde Stoffe wie Opiate oder Barbiturate festgestellt worden waren. Sergeant Watkins Bericht war umfangreicher, ebenfalls handgeschrieben, und enthielt Zusammenfassungen aller Gespräche, die er mit den Männern von X und mit Schwester Langtry geführt hatte. In einer Armee, die im Kriegseinsatz war, durfte man nicht allzu genaue kriminalistische Untersuchungen erwarten, und schon gar nicht, daß sich diese auch auf Fingerabdrücke erstrecken. Wenn Sergeant Watkin etwas Verdächtiges aufgefallen wäre, würde er heroisch der Spur gefolgt sein, aber von einem Sergeant des Spezialkommandos im Krieg war nicht zu erwarten, daß er im Lesen von Fingerabdrücken allzu bewandert war. Wie die Dinge lagen, war dem Sergeant nichts Verdächtiges aufgefallen, und dasselbe galt auch für den Pathologen.

»Ich wollte Sie nur über die Umstände befragen, die zum Tode von Sergeant Daggett führten«, sagte der Quartiermeister etwas verlegen. »Hatten Sie einen Verdacht, daß Sergeant Daggett Ihnen einen Antrag zu machen beabsichtigte? Hatte er sich Ihnen schon einmal genähert?«

»Einmal«, sagte Michael. »Es führte allerdings zu nichts.

Ich glaub' ehrlich nicht, daß Sergeant Daggett echt homosexuell war, Sir. Er war ein Unruhestifter, das ist alles.«

»Haben Sie homosexuelle Neigungen, Sergeant?«

»Nein, Sir.«

»Lehnen Sie Homosexuelle ab?«

»Nein, Sir.«

»Warum nicht?«

»Ich habe neben ihnen und unter ihrem Kommando gekämpft, Sir. Ich hatte Freunde, die dazu neigten, darunter einen besonders guten, und sie waren alle nette Kerle. Und das ist es, was ich von jedem verlange: daß er nett ist. Ich nehme an, Homosexuelle sind Menschen wie andere, einige sind gut, einige böse, der Rest indifferent.«

Der Quartiermeister lächelte schwach. »Haben Sie eine Ahnung, warum Sergeant Daggett es gerade auf Sie abgesehen hatte?«

Michael seufzte. »Ich nehme an, er bekam meine Papiere in die Hand und las sie. Ich kann mir nicht denken, warum er sonst einen zweiten Blick auf mich riskiert haben sollte.« Er sah den Captain direkt an. »Wenn Sie meine Papiere gelesen haben, dann wissen Sie, daß das hier nicht der erste Fall ist, wo ich in eine Sache verwickelt bin, bei der Homosexuelle eine Rolle spielten.«

»Ja, ich weiß. Pech für Sie, Sergeant. Haben Sie Schwester Langtrys Zimmer irgendwann mal verlassen?«

»Nein, Sir.«

»Sie haben also nach dem Vorfall im Badehaus Sergeant Daggett nicht mehr gesehen?«

»Nein, nicht mehr, Sir.«

Der Quartiermeister nickte, warf ihm einen energischen Blick zu. »Danke, Sergeant, das ist alles.«

»Danke, Sir.«

Nachdem Michael gegangen war, sammelte Captain Pennyquick alle Unterlagen ein, die den Tod von Sergeant Lucius Daggett betrafen, legte ein frisches Blatt Papier vor sich in die Mitte des Schreibtisches, und begann den Bericht an seinen Vorgesetzten zu schreiben.

6

Obwohl die Auflösung von Stützpunkt 15 erst in drei oder vier Wochen stattfinden sollte, hatte für die fünf Patienten und die eine Schwester auf Station X nach dem Tod von Sergeant Lucius Daggett jede Art von Gemeinschaftsleben aufgehört. Bis das Ergebnis der Untersuchung feststand, ging jeder jedem aus dem Wege, denn alle spürten die unausgesprochenen Spannungen, die mehr als einen losen Kontakt mit den anderen nicht erlaubten. Der äußere Grund für die Misere war allgemein bekannt, die Misere jedes einzelnen war eine geheime, beschämende, empfindliche Angelegenheit. Davon zu reden war unmöglich, falsche Heiterkeit an den Tag zu legen, ebenso. Jeder betete insgeheim, die Untersuchung möge ein harmloses Ende nehmen.

Schwester Langtry, die nicht so sehr mit ihren eigenen Problemen beschäftigt war, daß sie darüber vergessen hätte, wie anfällig ihre Männer waren, achtete auf jedes kleinste Anzeichen eines nervlichen Zusammenbruchs, auch bei Michael. Eigenartigerweise gab es keinen. Sie hatten sich in sich selbst zurückgezogen, jedoch den Sinn für die Realität nicht verloren. Sie waren innerlich von ihr abgerückt, sie war zu einem weit draußen im kalten Weltraum um sie kreisenden Satelliten geworden, der gelegentlich auftauchte zur Verrichtung unwichtiger Dinge, ihnen den Morgentee zubereitete, sie aus den Betten holte, sie ins Bad schickte, sie zum Strand führte, sie ins Bett brachte. Sie ließen es an Freundlichkeit und Ehrerbietung nicht fehlen, zeigten jedoch nie echte Wärme.

Verdiente sie dies? Litt sie nicht ebenso wie sie? Sie konnte ihr Verhalten nur im Licht ihrer eigenen Schuld auslegen, und da mußte sie zu dem Schluß kommen, daß sie einfach zu rücksichtsvoll waren, es ihr zu sagen: daß sie ihre Pflicht vernachlässigt hatte, vernachlässigt zugunsten eigener körperlicher Freuden.

Es schmerzte. Und dieser Schmerz durchdrang alles, nährte sich aus sich selbst, erstickte einen. Es war nicht einmal so, daß sie sich davor fürchtete, Station X zu betreten, sondern es war die bittere Erkenntnis, daß es Station X nicht mehr gab. Der familiäre Zusammenhalt war in Stücke geschlagen.

»Also das Ergebnis ist raus«, sagte sie zu Neil am Abend drei Tage nach Luces Tod.

»Wann haben Sie es erfahren?« fragte er interesselos.

Er kam immer noch, um mit ihr zu plaudern, doch mehr als Geplauder war es nicht. Banale Bemerkungen über dies und das.

»Heute nachmittag, von ›Kinnbacke‹, der damit der Oberschwester die Show stahl. Da sie es mir später sagte, habe ich es also zweimal erfahren. Selbstmord. Als Folge einer akuten Depression im Anschluß an akute Manie – Phrasendrescherei, aber in diesem Fall sehr brauchbar und passend. Sie müssen die Sache runterspielen.«

»Haben sie noch etwas gesagt?« fragte er und beugte sich vor, um den Aschenstummel seiner Zigarette in den Ascher zu stippen.

»Nun, wir genießen nicht allzugroße Popularität, wie Sie sich vorstellen können, aber offiziell gibt man uns keine Schuld.«

Er versuchte, den leichten Ton beizubehalten, als er nun fragte: »Und Sie haben Ihre Abreibung bekommen, Schwester?«

»Nicht offiziell. Die Oberschwester gestattete sich von sich aus ein paar Worte dazu, daß ich Michael in mein Apartment mitnahm. Glücklicherweise kam mir dabei meine bisherige Unbescholtenheit sehr zustatten. Was den strittigen Punkt betrifft, konnte sie sich einfach nicht vorstellen, daß ich Michael aus anderen als den reinsten Motiven zu mir genommen haben könnte. Sie drückte sich so aus: Es sei ein schlechter Eindruck entstanden, und weil das so sei, hätte ich alle in Mißkredit gebracht. Es scheint, daß ich in letzter Zeit alle und alles in Mißkredit bringe.«

Während der vergangenen drei Tage spielte seine Phantasie ihm unbeschreibliche Streiche, indem sie ihm immer wieder Szenen zwischen ihr und Michael vorgaukelte, keineswegs nur solche sexueller Natur. Ihr Verrat nagte an ihm, sosehr er versuchte, die Sache unbeteiligt zu sehen und Verständnis zu zeigen. Doch wo sollte Verständnis herkommen, wenn da Qual und Eifersucht waren und der unerschütterliche Entschluß, das zu bekommen, was er haben wollte, was er *brauchte,* ungeachtet der Tatsache, daß sie ihm offensichtlich Michael vorzog. Dennoch waren seine Gefühle für sie so stark und innig wie immer. Ich werde sie bekommen, dachte er, ich werde sie nie aufgeben! Ich bin der Sohn meines Vaters. Es mußte so kommen, damit mir bewußt wird, daß ich meines Vaters Sohn bin. Eine eigenartige Erfahrung. Aber eine schöne Erfahrung.

Sie litt, die arme Seele. Er konnte darüber nicht Genugtuung empfinden, noch gönnte er es ihr, doch er fühlte, ihr Leid würde sie am Ende dorthin zurückführen, wo sie einmal gestanden hatte, an den Platz, an dem er, Neil, mehr zu ihr gehörte als Michael.

Er sagte: »Nehmen Sie's nicht so schwer.«

Sie dachte, er spiele auf den Verweis an, und lächelte gezwungen. »Nun, es ist vorbei und überstanden. Gott sei Dank. Schade, daß Luce es uns so schwergemacht hat. Ich habe ihm nie den Tod gewünscht, aber ich habe gewünscht, wir hätten uns nicht mit seiner Gegenwart abzufinden. So, wie es jetzt ist, ist es auch eine Hölle.«

»Muß man das wirklich alles Luce in die Schuhe schieben?« fragte er. Jetzt, wo das Ergebnis der Untersuchung vorlag, konnten sie vielleicht ihre Spannung ablegen und anfangen, wieder miteinander zu reden.

»Nein«, sagte sie traurig. »Nicht ihm, sondern mir. Und keinem sonst.«

Michael klopfte. »Der Tee ist fertig, Schwester.«

Sie hatte eben überlegt, wohin das Gespräch mit Neil führen mochte, schob jetzt diese Gedanken beiseite und blickte an Neil vorbei Michael an. »Kommen Sie einen Augenblick zu mir rein, ja? Ich möchte mit Ihnen reden. Neil, halten Sie inzwischen die Festung? Ich komme gleich. Vielleicht wollen Sie die Neuigkeit den anderen mitteilen.«

Michael schloß hinter Neil die Tür. Seinem Gesichtsausdruck entnahm sie, daß er sich unbehaglich fühlte, ja, daß er sich fürchtete, so als ob jeder andere Platz auf der Erde ihm lieber wäre als der vor ihrem Schreibtisch.

Was das betraf, hatte sie recht. Er wäre lieber nicht hier im Raum gewesen. Doch die Angst betraf ihn selbst, hatte nichts mit ihr zu tun. Und doch auch mit ihr. Denn er hatte panische Angst davor, jetzt gleich vor ihr in die Knie zu brechen und ihr all die Ursachen seines Kummers zu beichten. Doch das hieße die Schleusen öffnen. Und die mußten geschlossen bleiben. Einander widerstreitende Gefühle kämpften in ihm um die Oberhand, während er vor ihr stand und sich wünschte, alles wäre anders, und wußte, daß die Dinge nicht zu ändern waren. Trauer, weil sie nicht wußte, was sie nicht wissen durfte; Entschlossenheit, gegen sein Verlangen anzukämpfen; die Überzeugung, daß das, was sie wollte, sie nicht glücklich machen würde; und die Erkenntnis, die ihm ihr Gesichtsausdruck lieferte, daß er sie verletzt hatte.

Alles das stand in seinem Gesicht, während er vor ihr stand und wartete, daß sie etwas sagte. Und plötzlich stieg die Lohe des Zorns in ihr hoch, nährte sich an ihrem verletzten Stolz und ihrem Schmerz.

»Um alles in der Welt bitte ich Sie, sich diesen jämmerlichen Blick zu sparen!« rief sie, und es klang wie ein leiser Schrei. »Was um Himmels willen glauben Sie, daß ich tun werde? Mich vor Ihnen auf die Knie werfen und um ein Dakapo betteln? Lieber sterbe ich! Hören Sie!«

Er zuckte zusammen, erbleichte, preßte die Lippen zusammen, sagte nichts.

»Ich kann Ihnen versichern, Sergeant Wilson, daß nichts mir ferner liegt als der Gedanke an eine persönliche Beziehung zu Ihnen!« fuhr sie wie im Fieber fort, sich gleich einem Lemming in die tödliche See stürzend. »Ich habe Sie nur zu diesem Gespräch unter vier Augen gebeten, um Sie zu informieren, daß das Ergebnis der Untersuchung vorliegt. Es ist Selbstmord. Sie und wir anderen sind somit völlig entlastet. Und jetzt können Sie vielleicht mit diesem abscheulichen Theater der Selbstbeschuldigung Schluß machen. Das ist alles.«

Daß ihr Schmerz fast nur darauf zurückzuführen war, daß er sie zurückgestoßen hatte, wäre ihm nie in den Sinn gekommen. Er versuchte, sich in sie hineinzuversetzen, diese Zurückweisung an ihrer Statt zu empfinden, als rein persönliche Angelegenheit, die sie als Frau betraf. Doch ihre Reaktion war für ihn unfaßbar, nicht weil er zuwenig Einfühlungsvermögen oder Verständnis hatte, sondern weil das, was Luces Tod ihm zugefügt hatte, weit außerhalb jenes Gefühlsbereiches lag, der mit den Geschehnissen in ihrem Zimmer zusammenhing. Es waren ganz andere Überlegungen, die ihn quälten. Doch jetzt war es zu spät.

Er sah krank aus und fast wehrlos. Und doch war es immer noch der Michael, den sie kannte.

»Danke«, sagte er, ganz ohne Ironie.

»Sehen Sie mich nicht so an!«

»Tut mir leid«, sagte er. »Ich werd's bleiben lassen.«

Sie senkte den Blick auf die Papiere auf ihrem Schreibtisch.

»Auch mir tut es leid, Sergeant, glauben Sie mir«, sagte sie kühl und wie abschließend. Der Text auf den Blättern hätte auch japanisch sein können, denn sie konnte ihm keinerlei Sinn entnehmen. Und plötzlich war es ihr zuviel. Sie blickte hoch und rief: »Ach, Michael!« Jetzt mit ganz anderem Ton in der Stimme.

Aber er war bereits gegangen.

Sie brauchte fünf Minuten, bis sich ihre Starre löste. Sie begann zu zittern, fragte sich, ob sie nun wirklich den Verstand verlor. Wie schändlich! Nie hätte sie gedacht, sie würde einmal das blinde Verlangen haben, den Menschen, den sie liebte, so zu verletzen, und daraus so viel Befriedigung ziehen. O Gott, lieber Gott, betete sie, wenn das Liebe ist, dann heile mich davon! Heile mich oder laß mich sterben, denn ich will mit dieser Qual keine Minute länger leben müssen . . .

Sie ging zur Tür, wollte das Käppi vom Haken nehmen, da fiel ihr ein, daß sie noch ihre Stiefel anziehen mußte. Ihre Hände zitterten noch immer. Es dauerte eine Weile, bis sie die Stiefel geschnürt und die Gamaschen befestigt hatte.

Neil erschien in der Tür, als sie sich eben niederbeugte, um ihren Korb aufzunehmen.

»Sie gehen?« fragte er, überrascht und enttäuscht. Aus ihren letzten Worten vor Michaels Kommen hatte er geschlossen, sie würden ihr Gespräch fortsetzen können. Aber wie gewöhnlich hatte Michael wieder einmal Vorrang.

»Ich bin entsetzlich müde«, sagte sie. »Glauben Sie, der Haufen kann den Rest des Abends ohne mich auskommen?«

Sie hatte ihren Worten den Beiklang mutiger Hoffnung verliehen, doch an ihren Augen sah er, daß es nur ein Schritt war vom Mut zur Verzweiflung. Allen seinen Gefühlen zum Trotz nahm er ihre Hand mit seinen beiden Händen und strich sanft über die Haut, um ihr etwas Wärme abzugeben.

»Nein, meine liebe Schwester Langtry, wir können nicht ohne Sie auskommen«, sagte er lächelnd. »Aber wir werden es dieses eine Mal versuchen. Gehen Sie zu Bett und schlafen Sie sich aus.«

Sie schenkte ihm, dem Kameraden so vieler Tage auf X, ein Lächeln und fragte sich, wo ihre Liebe zu ihm geblieben war, warum Michaels Auftauchen sie so plötzlich hatte schwinden lassen.

»Sie nehmen einem immer allen Schmerz«, sagte sie.

Das waren stets seine Worte gewesen. Jetzt, da sie es sagte, berührte ihn das so sehr, daß er schnell ihre Hand losließ. Jetzt war nicht der Augenblick, ihr zu sagen, wonach es ihn drängte.

Er nahm ihr den Korb ab, geleitete sie hinaus, als ob er der Gastgeber wäre, und reichte ihr den Korb erst, als sie das Ende der Rampe erreichten. Dann stand er da und starrte ihr nach, bis die graue Gestalt verschwamm und im Dunkel verschwand, blickte hinauf zum dunklen Firmament, lauschte dem leisen Plätschern des Kondenswassers, das vom sich abkühlenden Dach tropfte, dem riesigen Chor der Frösche und dem nie endenden Gemurmel der Brandung weit draußen am Riff. Es lag Regen in der Luft. Wenn die Schwester sich nicht beeilte, würde sie naß werden.

»Wo ist die Schwester?« fragte Nuggett, als Neil sich setzte und nach dem Teetopf langte.

»Sie hat Kopfschmerzen«, sagte Neil kurz und vermied es, Michael anzusehen, der aussah, als hätte er ebenfalls Kopfschmerzen. Neil zog ein Gesicht. »Gott, hasse ich es, die Mutterrolle zu spielen! Wer hat nun wieder die Milch?«

»Ich«, sagte Nuggett. »Gute Nachricht, oder? Luce ist nun richtig tot und begraben. Aahh! Eine Erleichterung, muß ich sagen.«

»Gott sei seiner Seele gnädig«, sagte Benedict.

»Und erbarme sich unser«, sagte Matt.

Neil war mit dem Einschenken des Tees fertig und schob den anderen die Schalen zu. Ohne die Schwester war die Teefreude geschmälert, stellte er bei sich fest und beobachtete dabei Michael, der nicht auf ihn achtete, weil er seine Aufmerksamkeit auf Matt und Benedict richtete.

Wichtigtuerisch schlug Nuggett dort, wo er sicher sein konnte, daß niemand Tee verschütten konnte, ein großes Buch auf und begann auf der ersten Seite zu lesen.

Michael sah ihn amüsiert und gerührt an. »Und wozu ist das gut?« fragte er.

»Ich habe über das nachgedacht, was der Colonel sagte«, erklärte Nuggett und hielt dabei die eine Hand über den offenen Band ausgestreckt wie der Heilige, der seine Bibel segnet. »Es gibt überhaupt keinen Grund, warum ich mich nicht in eine Abendschule einschreiben lassen sollte, oder? Und dann kann ich die Universität besuchen und Medizin studieren.«

»Und etwas mit deinem Leben anfangen«, sagte Michael. »Gut für dich. Meine besten Wünsche dafür.«

Wenn ich ihn nur nicht mit jedem Augenblick des Hasses auch umarmen könnte, dachte Neil. Aber was mein alter Herr wollte, daß ich im Krieg lerne, war, daß mein Herz mir nicht bei dem, was ich tun will, im Wege stehen möge und daß ich dann, wenn ich es getan habe, dennoch mit meinem Herzen leben kann. Und so brachte Neil es fertig, ganz ruhig zu sagen: »Wir müssen jeder etwas mit unserem Leben anfangen, wenn wir einmal raus aus dem Dschungel sind. Ich frage mich, wie ich in einem Anzug

aussehen werde. Ich habe nie im Leben einen ange-
habt.«

Er lehnte sich zurück und wartete darauf, daß Matt den
bewußt hingeworfenen Gesprächsfaden aufnahm.

Matt tat es. »Wie soll ich mir mein Brot verdienen?«
fragte er. Der Satz kam so explosiv, als habe er gar nicht
vorgehabt, ihn auszusprechen, aber ihn immer gedacht.
»Ich bin Buchhalter, ich brauche meine Augen. Die Armee
wird mir keine Pension geben; sie sagen, mit meinen Augen sei alles bestens! O Gott, Neil, was werde ich machen?«

Die anderen saßen still, jeder sah Neil an. Nun also, es
geht los, dachte er, von Matts Schrei ebenso bewegt wie
die anderen, jedoch so von seinem Vorhaben erfüllt, daß
er kein Mitleid empfinden konnte. Jetzt ist nicht Zeit, in
Details zu gehen; es muß sich nun zeigen, ob Mike meine
Botschaft versteht.

»Das ist mein Beitrag, Matt«, sagte Neil bestimmt, die
Hand fest auf Matts Arm. »Sorg dich um nichts. Ich kümmere mich darum, daß alles in Ordnung kommt.«

»Ich habe nie im Leben milde Gaben angenommen und
fang' auch jetzt nicht damit an«, sagte Matt, stolz und aufrecht auf seinem Stuhl sitzend.

»Das ist keine milde Gabe!« sagte Neil geduldig. »Es ist
mein Beitrag. Du weißt, was ich meine. Wir alle haben einen
Pakt geschlossen, und ich habe dazu meinen Beitrag zu
leisten.« Und als er das sagte, sah er nicht Matt, sondern
Michael an.

»Das geht in Ordnung«, sagte Michael, der sofort
wußte, was man von ihm erwartete. Irgendwie war es ihm
eine besondere Erleichterung, daß er darum gebeten
wurde und es nicht selbst anbieten mußte. Seit einiger Zeit
kannte er die Lösung, aber er hatte sie nicht gewollt und
daher auch nicht die Kraft gehabt, sie anzubieten. »Ich bin
deiner Meinung, Neil. Dein Beitrag.« Er wandte den Blick
von Neils unbewegtem Gesicht und blickte Matt mitfüh-
lend an. »Es ist keine milde Gabe, Matt. Es ist sein fairer
Beitrag«, sagte er.

7

SCHWESTER LANGTRY WAR schneller als der Regen. Kaum hatte sie die Tür zu ihrem Apartment aufgeschlossen, da stürzte er in Kaskaden herab, und innerhalb weniger Minuten schien alles Kleingetier durch ihn zum Leben erweckt: Moskitos, Egel, Frösche, Spinnen, die zu vermeiden versuchten, naß zu werden, wie Sirup glänzende schwarze Kolonnen von Ameisen, Motten, Schaben. Da ihre Fenster Insektengitter hatten, zog sie gewöhnlich das Moskitonetz nicht über ihr Bett, doch heute war es das erste, was sie tat.

Sie ging ins Badehaus, um zu duschen, dann wickelte sie sich in ihren Bademantel, ging zurück, preßte am Kopfende ihres Bettes die zwei ergreifend dünnen Kissen gegen die Mauer, lehnte sich dagegen, nahm ein Buch in die Hand und hatte doch nicht die Kraft, es zu öffnen, obwohl sie wußte, sie würde nicht einschlafen können. Also legte sie den Kopf zurück und lauschte dem unaufhörlichen Getrommel des Regens auf dem Blechdach. Einst war das die schönste und aufregendste Musik der Welt gewesen, in ihren Kindheitstagen auf dem Lande, als Regen noch der Vorbote von Wohlstand und Fruchtbarkeit war. Hier jedoch, inmitten dieses unablässigen Wachsens und Verwesens, bedeutete Regen ein äußerliches Absterben von allem um sie herum. Was blieb, waren die Gedanken. Man hörte nicht einmal die Stimme des anderen, wenn der einem nicht ins Ohr brüllte. Die einzigen Stimmen, die man hörte, waren die fiktiver Gesprächspartner der eigenen Phantasie.

Der Schreck darüber, daß sie einem geliebten Menschen so weh tun konnte, war verklungen, und geblieben waren Ekel und Apathie. Und daneben regte sich der Wunsch nach Rechtfertigung ihres Handelns. Hatte er ihr nicht angetan, was kein Mann einer Frau je antun sollte? Hatte er nicht Interesse an Luce Daggett gezeigt? Gerade Luce Daggett!

Es war sinnlos. Gedanken, die im Kreise gingen, nie zu

einem Schluß führten. Sie war es so müde. Warum hatte sie es geschehen lassen? Und was war Michael Wilson für ein Mensch? Fragen ohne Antwort – warum also fragen.

Das Moskitonetz erstickte einen. Sie warf es ungeduldig zurück. Unter dem Netz war nie genug Licht zum Lesen. Sie wollte eine Weile lesen und dann schlafen.

Ein Blutegel ließ sich mit einem leisen Platschen aus einer Furche des rohen Plafonds auf ihr unbedecktes Bein fallen. Leichter Brechreiz erfaßte sie. Wild zerrte sie an dem sich obszön ringelnden Tier, aber es war nicht mehr zu entfernen. Sie sprang hoch, griff nach einer Zigarette, zündete sie an und drückte das glimmende Ende, ohne zu achten, ob sie sich verbrannte, gegen den schleimigen Körper. Es war ein tropischer Egel, gute zwei Zentimeter lang, und sie hätte es nicht ertragen, zu warten, wie sich das Tier mit ihrem Blut füllte, anschwoll und dann träge von ihr abließ, wie ein Mann sich von der Frau wälzt, wenn er genug Sex gehabt hat.

Als das Ding gebraten war, so daß es schrumpfte und von ihrer Haut abfiel, zerdrückte sie es am Boden mit einem Schuh zu Brei. Ekelhaft, abscheulich! O Gott, dieses Klima! Dieser Regen! Ein ewiges, entsetzliches Dilemma ...

Und natürlich blutete die Stelle, wo der Egel zugebissen und mit seinem Speichel den das Blut am Gerinnen hindernden Stoff abgesondert hatte. Wenn sie die Wunde nicht rasch versorgte, würde ein Geschwür daraus werden ...

Das war eines jener Ereignisse, die einen physisch an Stützpunkt 15 mit seinen Beschwernissen, seiner Isolation und seinen Selbstprüfungen erinnerten. Während sie mit Jod und sterilen Wattebauschen die Wunde behandelte, dachte sie, daß von allen Orten, an denen sie gewesen war, Stützpunkt 15 ihr am allerwenigsten Eindruck gemacht hatte. Tatsächlich so gut wie keinen. Wie ein Bühnenbild, ohne eigene Wirklichkeit oder Bedeutung, vor dem ein Zwischenspiel um menschliches Fühlen, Wollen und Verlangen ablief. Eine sterile, ödere Einrichtung war nicht denkbar. Selbst die Welt aus Nässe und Zeltleinwand, in der man auf einem Feldverbandsplatz lebte, hatte mehr persönliche Note. Stützpunkt 15 diente dem Krieg, er war dort errichtet worden, wo es am einfachsten war, ohne Rücksicht auf eine schöne Lage oder das Wohlbefinden von Patienten und Personal. Kein Wunder, daß daraus eine Welt aus bemalter Pappe geworden war.

Und so saß Schwester Langtry auf ihrem Bett, hatte die Füße auf den Stuhl gelegt und sah die feuchten, dampfenden Wände, die übersät waren von Schimmel, und aus deren Ritzen die Fühler zahlloser Schaben ragten, die nur darauf warteten, daß das Licht ausging.

Ich werde froh sein, wenn ich wieder daheim bin, dachte sie zum ersten Mal. O ja, ich werde froh sein, wenn ich heimfahren kann!

Sechs

1

ETWA UM VIER UHR AM nächsten Nachmittag betrat Schwester Langtry das Schwesternzimmer. Sie fühlte sich wieder einigermaßen fit und freute sich auf eine Schale Tee. Fünf Schwestern bildeten zwei kleine Gruppen; etwas abseits war Schwester Dawkin auf einem Stuhl eingenickt, ihr Kopf wiegte sich rhythmisch, bis sie aufschreckte und in die Höhe fuhr. Schon wollten sich ihre Augen wieder schließen, als sie sah, wer in der Tür stand, und heftig winkte.

Während Schwester Langtry quer durch den Raum auf ihre Freundin zuging, versetzte sie ein leichter Schwindel in Panik. Sie konnte seit Luces Tod nicht schlafen und aß auch nicht richtig. Hoffentlich wurde sie nicht krank. Wahrscheinlich aber machte sich hier der im Unterbewußtsein gehegte Wunsch bemerkbar, krankheitshalber von ihrem Posten abgezogen zu werden, um sich die Demütigung zu ersparen, die Oberschwester um Versetzung anzugehen. Bei diesen Überlegungen erwachte ihr Stolz. Sie beschloß, zu schlafen und ordentlich zu essen. Kommende Nacht würde sie Nembutal einnehmen.

»Setzen Sie sich, Schätzchen, Sie sehen ganz geschafft aus«, sagte Schwester Dawkin und zog einen Stuhl heran, ohne sich zu erheben.

»Sie müssen selbst ganz schön geschafft sein, wenn Sie die Augen nicht offenhalten können«, sagte Schwester Langtry und setzte sich.

»Ich mußte die Nacht über auf der Station sein, das ist alles«, sagte Schwester Dawkin und verlagerte ihre Beine. »Wir beide haben das große Los gezogen. Wie Abbott und Costello bewachen wir jeden unserer Schützlinge einzeln, als würden wir Reklame machen für den Beruf der Armeekrankenschwester. Und dieser Hanswurst von Oberschwester hat die Stirn, etwas von höheren Motiven zu reden! Als ob es für uns überhaupt etwas anderes als höhere Motive gäbe!«

Schwester Langtry wand sich innerlich und wünschte, die Oberschwester hätte ihren Mund gehalten. Aber nein, diese dumme Person hatte es ihrer besten Freundin geklatscht, und die hatte es ihrer besten Freundin weitergesagt, und so weiter. Und jetzt wußte das gesamte Schwesternpersonal – was bedeutete, daß es auch die Ärzte wußten –, daß Schwester Langtry – ausgerechnet Schwester Langtry! – einen Soldaten über Nacht in ihr Apartment mitgenommen hatte. Und natürlich redete alles über den Harakiri-Selbstmord. Also war jede Hoffnung müßig, das Gerede über das Drama würde endlich ein Ende haben. Zum Glück war ihr Ruf so gut, daß nur wenige glaubten, hinter ihrem Verhalten stecke mehr als nur der Wunsch, den Soldaten vor weiterem Unheil zu bewahren. Wenn sie wüßten, dachte Schwester Langtry, während sie die Blicke der an den beiden Tischen Sitzenden auf sich gerichtet fühlte, was meine wirklichen Probleme sind! Homosexualität, Mord, Zurückweisung. Der Mord lag hinter ihr, Gott sei Dank. Über den brauchte sie sich keine Gedanken mehr zu machen.

Die freundlichen, verschwommen blickenden Augen ihres Gegenübers betrachteten sie pfiffig. Schwester Langtry seufzte und rückte unbehaglich auf ihrem Stuhl, aber sagte nichts.

Schwester Dawkin versuchte es anders. »Und nächste Woche geht es zurück in das gute alte Australien«, sagte sie.

Schwester Langtrys Schale verfehlte den Kontakt mit der Untertasse, und der Tee schwappte über den Tisch. »Du meine Güte! Was hab' ich jetzt wieder angestellt!« rief sie und suchte in ihrem Korb nach dem Taschentuch.

»Bedauern Sie es?« wollte Schwester Dawkin wissen.

»Es kommt so überraschend«, sagte Schwester Langtry, während sie mit dem Taschentuch den Tee von der Tischplatte saugte und über ihrer Schale das Tuch auswand. »Wann haben Sie es erfahren, Sally?«

»Matey hat es mir vor ein paar Minuten gesagt. Kam wie ein Schlachtschiff volle Kraft voraus in Station D reingefegt und verkündete es mit säuerlicher Miene, als hätte sie eine Woche lang Alaun gegessen. Sie ist natürlich am Boden zerstört. Jetzt muß sie zurück in das armselige kleine Genesungsheim, das sie vor dem Krieg geführt hat. Keines der großen Krankenhäuser würde sie auch nur mit der Feuerzange anfassen. Ich frage mich, wie sie überhaupt in der Armee so hoch aufsteigen konnte.«

»Frag' ich mich auch«, sagte Schwester Langtry und hängte ihr Taschentuch zum Trocknen über die Ecke des Tisches. Dann goß sie sich Tee in eine frische Schale. »Und Sie haben recht, kein anständiges Hospital würde sie nehmen. Irgendwie erinnert sie mich an die Vorarbeiterin der Nachtschicht in einer großen Lebensmittelfabrik. Wenn die Armee sie behält, sollte sie vielleicht bleiben. Hätte es besser da, höhere Pension, wenn sie in den Ruhestand geht. Und so weit bis dahin kann sie's nicht mehr haben.« – »Ha! Wenn die Armee sie behält, hat sie mehr Glück, als sie verdient!« Schwester Dawkin griff nach der Teekanne und goß sich nach. »Nun ja, es wird mir leid tun, nach Hause zu fahren. Ich hasse diesen Ort, ich habe alle Orte gehaßt, wohin die Armee mich schickte, aber ich habe meine Arbeit geliebt. Und die Freiheit, du lieber Gott, wie hab' ich die geliebt!«

»Freiheit ist das richtige Wort! Auch ich hab' sie geliebt . . . Erinnern Sie sich an Neuguinea, als wir zwei die einzigen nicht Blessierten waren, die operieren konnten? Das werde ich nicht vergessen, solange ich lebe.«

»Und wir haben es geschafft, oder?« lächelte Schwester Dawkin, sichtlich von Stolz ergriffen. »Haben die Jungens zusammengeflickt, als wären wir von der Chirurgischen Gesellschaft, und der Boß gab uns für einen Orden ein. Ich bin auf keinen Orden so stolz wie auf den.«

»Schade, daß es vorüber ist«, sagte Schwester Langtry: »Ich werde das Zivilleben nicht sehr mögen. Der Spießrutenlauf mit den Leibschüsseln, wieder weibliche Patienten, Weiberklatsch und Weibergekreisch . . . Da muß man noch von Glück reden, wenn man auf der Gynäkologie landet. Männer sind so einfach!«

»Nicht wahr? Versuche doch einer einmal, weibliche Patienten dazu zu bringen, einem zu helfen, wenn es an Personal fehlt! Eher sterben sie. Frauen im Hospital wollen hinten und vorne bedient werden. Die Männer dagegen setzen ihren Heiligenschein auf und wollen einem beweisen, daß ihre Frauen sie nie so behandelt hätten wie die Schwestern.«

»Was werden Sie im Zivilleben machen, Sally?«

»Oh, zuerst ein bißchen Urlaub, nehme ich an«, sagte Schwester Dawkin wenig begeistert. »Ein paar Freunde besuchen, so in der Richtung. Dann zurück an die Nordküste. Meine Ausbildung habe ich am ›Royal Newcastle‹ und danach in der Crown Street erhalten, aber als Schwester hab' ich zumeist an der Nordküste gearbeitet, und so betrachte ich das mehr oder weniger als meine Heimat. Die dortige Oberschwester müßte sich eigentlich freuen, wenn sie mich sieht, wenn schon sonst keiner. Ich bin nämlich Anwärterin darauf, ihre Stellvertreterin zu werden, und das ist so ziemlich das einzige, worauf ich mich freue.«

»Meine Oberschwester wird auch froh sein, mich wiederzusehen«, sagte Schwester Langtry nachdenklich.

»Am PA, nicht wahr?« fragte Schwester Dawkin. So hieß im Schwesternjargon das Royal Prince Alfred Hospital.

»Ja, am PA.«

»Mir haben so große Krankenhäuser nie gefallen.«

»Eigentlich bin ich nicht sicher, ob ich ans PA zurück will. Ich spiele mit dem Gedanken, im Callan Park zu arbeiten.«

Da Callan Park eine Nervenheilanstalt war, setzte sich Schwester Dawkin auf und unterzog Schwester Langtry einem harten, prüfenden Blick. »Im Ernst, Schwester?«

»Es ist mein tödlicher Ernst.«

»Bei der Pflege von Geisteskranken hat man keinen speziellen Status. Es gibt nicht einmal besondere Zeugnisse dafür. Ich meine damit, Sie müssen sich im klaren sein, daß die Schwestern an Nervenkliniken als Bodensatz gelten.«

»Ich habe eine abgeschlossene Ausbildung und kann

daher jederzeit zurück. Aber nach X möchte ich es an einer Nervenheilanstalt versuchen.«

»Liebe Schwester, mit X haben diese Institute wenig gemeinsam. Troppo ist eine temporäre Angelegenheit, die meisten kommen darüber hinweg. Wenn aber einer die Tore der Nervenklinik durchschreitet, heißt das Urteil meistens lebenslänglich.«

»Ich weiß das. Aber vielleicht ändert sich das einmal. Ich hoffe es wenigstens. Wenn der Krieg auch hier solche Fortschritte bewirkt hat wie in der plastischen Chirurgie, dann müßte sich eigentlich auf dem Gebiet der Psychiatrie in Zukunft einiges tun. Und bei diesen Veränderungen möchte ich sozusagen schon im Parterre mit dabeisein.«

Schwester Dawkin tätschelte Schwester Langtrys Hand. »Nun, mein Häschen, Sie müssen sich selber am besten kennen, und ich gehöre nicht zu denen, die gern predigen. Aber bedenken Sie, was man immer über die Pflegerinnen in Nervenkliniken sagt – sie sind am Ende verrückter als die Patienten.«

Schwester Pedder kam herein und blickte um sich, um festzustellen, welche Gruppe sie wohl am freundlichsten in Empfang nehmen würde. Als sie Schwester Dawkin und Schwester Langtry sah, schenkte sie der ersteren ein breites Lächeln und hatte für Schwester Langtry als Gruß nur ein frostiges Nicken übrig.

»Haben Sie schon das Neueste gehört, Kleine?« rief Schwester Dawkin, leicht verärgert über das unhöfliche Betragen des jungen Mädchens.

Die Höflichkeit zwang Schwester Pedder, sich dem Tisch zu nähern. Dabei machte sie ein Gesicht, als habe sie einen schlechten Geruch in der Nase.

»Nein. Was denn?« fragte sie.

»Wir gehören schon so gut wie der Vergangenheit an, Liebste!«

Leben kam in das Gesicht des Mädchens. »Heißt das, wir fahren heim?« quietschte sie.

»Einsteigen und Türen schließen!« sagte Schwester Dawkin.

Tränen standen in Schwester Pedders Augen, und ihr

Mund, der eben noch gelächelt hatte, begann zu zittern. »Oh, dafür danke ich Gott!«

»Gut so! Endlich die richtige Reaktion! Da haben wir alten Kriegsrösser Verständnis, nicht wahr?« rief Schwester Dawkin und wandte sich fragend in die Runde.

Die Tränen flossen. Schwester Pedder wußte nun, welcher Pfeil abgeschossen werden mußte. »Wie kann ich je seiner Mutter unter die Augen treten?« stieß sie schluchzend hervor, aber immerhin so deutlich, daß alle im Raum sich umwandten.

»Also, jetzt heulen Sie nicht!« sagte Schwester Dawkin angeekelt. »Und werden Sie um Himmels willen erwachsen! Wenn ich etwas nicht ausstehen kann, dann sind es Krokodilstränen! Was gibt Ihnen das Recht, über Ältere zu urteilen?«

Schwester Langtry sprang erschrocken auf. »Sally, bitte!« rief sie. »Ist doch alles gut, ist doch wirklich alles gut!«

Niemand im Raum gab sich noch den Anschein des Desinteresses. Die mit dem Rücken zur Szene gesessen hatten, drehten ihre Stühle, so daß sie alles bequem verfolgen konnten. Es lag keinerlei Übelwollen in ihrem Interesse; sie wollten nur sehen, wie Sally Dawkin mit diesem überheblichen Monster fertig wurde.

»Die ganze Nacht mit Sergeant Wilson allein im Zimmer ... zur ... Schockbehandlung!« sagte Schwester Pedder, und zog ihr Taschentuch hervor, um ernstlich loszuheulen. »Was für ein Glück, daß niemand sonst im Schwesternblock wohnt! Aber ich weiß, was zwischen Ihnen und Sergeant Wilson ist, denn Luce hat es mir gesagt!«

»Jetzt halten Sie den Mund, Sie dumme Gans!« schrie Schwester Dawkin und ließ in ihrem Zorn jede Zurückhaltung fahren.

»Ist ja alles in Ordnung!« flehte Schwester Langtry, im verzweifelten Versuch, den Rückzug anzutreten.

»Nein, verdammt, nichts ist in Ordnung!« brüllte Schwester Dawkin mit jener Stimme, die dereinst die Schwesternschülerinnen hatte erzittern lassen. »Ich dulde derartige Reden nicht! Wie können Sie es wagen, solche Unterstellungen zu machen, junge Frau! Sie sollten sich schämen! Es ist nicht Schwester Langtry, die sich vergaß und sich mit einem Gemeinen einließ, sondern Sie!«

»Wie können Sie es wagen!« sagte Schwester Pedder, tief Atem holend.

»Ich wage es sehr wohl«, sagte Schwester Dawkin, die trotz ihrer kranken Beine zu ehrfurchtgebietender Haltung emporwuchs und die Macht der Vorgesetzten hervorkehrte. »Merken Sie sich eines, Mädchen: In ein paar Wochen ist alles ganz anders. Dann sind Sie nur noch einer von vielen Pflastersteinen auf der Straße im Zivilleben. Und ich warne Sie, versuchen Sie ja nicht, einen Job zu kriegen, wo ich arbeite! Bei mir werden Sie nicht einmal als Küchentrampel unterkommen! Der Jammer mit euch jungen Dingern ist der, daß ihr in eine schmucke Uniform klettert und glaubt, ihr seid wer . . .«

Ihre Tirade fand ein jähes Ende, denn Schwester Langtry stieß einen so verzweifelten Schrei aus, daß sie beide sogleich ihren Streit vergaßen. Sie ließ sich auf eine Sitzbank sinken und begann zu weinen, nicht mit flattrigem Schluchzen wie Schwester Pedder, sondern tränenlos, unter konvulsivischem Zucken, das den ganzen Oberkörper erfaßte und alle Anteilnahme der besorgten Schwester Dawkin erregte.

Oh, es war eine solche Erleichterung! Mit Hilfe dieses garstigen Streits und der Abneigung Schwester Pedders konnte sie endlich ihrem Kummer, der seit Tagen in ihr gewachsen war, freien Lauf lassen.

»Jetzt sehen Sie, was Sie angerichtet haben!« schnarrte Schwester Dawkin, arbeitete sich polternd von ihrem Stuhl hoch und setzte sich neben Schwester Langtry. »Machen Sie, daß Sie wegkommen!« sagte sie zu Schwester Pedder. »Los, verschwinden Sie!«

Die anderen Schwestern scharten sich um die Sitzbank, alle waren offenbar auf Schwester Langtrys Seite, und so suchte Schwester Pedder eiligst das Weite.

Schwester Dawkin hob das Gesicht und blickte die anderen kopfschüttelnd an, dann begann sie mit unendlicher Sanftheit über den zuckenden Rücken zu streichen.

»Aber, aber, ist ja schon gut«, summte sie. »Weinen Sie sich ordentlich aus. Höchste Zeit dafür. Mein Armes!

So ein Schmerz, so ein Kummer ... ich weiß ja, ich weiß ...«

Nur schwach wahrnehmend, daß Schwester Dawkin neben ihr saß und die anderen sie umstanden und ihr ebenfalls Mitgefühl entgegenbrachten, gab sich Schwester Langtry ihren Tränen hin.

2

DER KÜCHENGEHILFE BRACHTE die Nachricht von der unmittelbar bevorstehenden Auflösung von Stützpunkt 15 nach Station X, und als er sie Michael im Tagesraum mitteilte, grinste er von einem Ohr zum anderen und stotterte zusammenhanglos etwas von Fahrt nach Hause und für immer daheim bleiben.

Als die Küchenordonnanz fort war, kehrte Michael nicht gleich zurück auf die Veranda. Er stand in der Mitte des Raumes, bedeckte mit der einen Hand sein Gesicht, hielt sich mit der anderen die Seite und massierte sie. So bald, dachte er dumpf. So bald! Ich bin noch nicht bereit, denn ich habe Angst. Das ist nicht Deprimiertheit, auch nicht Willensschwäche. Nur Angst vor dem, was die Zukunft bringt, was sie mir antun, was sie aus mir machen wird. Aber es muß sein, und ich bin stark genug. Und es ist für alle Beteiligten am besten so. Auch für mich. Auch für sie.

»Heute in einer Woche sind wir bereits auf dem Weg nach Australien«, sagte er, als er wieder die Veranda betrat.

Bleierne Stille begrüßte diese Nachricht. Nuggett, der auf dem Bett lag und einen medizinischen Folianten studierte, den er »Kinnbacke« abgeschwatzt hatte – eine kleine Heldentat –, ließ das Buch sinken und machte große Augen. Matts schlanke Hände ballten sich zu Fäusten, und sein Gesicht versteinerte. Neil, mit Papier und Bleistift beschäftigt, ließ den Bleistift auf seine Zeichnung fallen, zufällig eine Studie von Matts Händen, und schien plötzlich um Jahre gealtert. Nur Benedict, der auf seinem Stuhl vor und zurück schaukelte, schien uninteressiert.

Langsam entstand ein Lächeln auf Nuggetts Mund. »Heim!« Wie im Versuch formte er das Wort. »Heim! Ich fahre heim zu Muttern!«

Matts Anspannung ließ nicht nach. Michael wußte, daß er sich vor dem Zusammentreffen mit seiner Frau fürchtete.

»Pisser!« sagte Neil, nahm seinen Bleistift wieder auf und sah, daß die schönen Hände unruhig wurden. Er legte den Bleistift nieder, stand auf, schlenderte zum Ende der Veranda und stand dort, ihnen allen den Rücken zuwendend. »So ein Pisser!« sagte er mit bitterer Stimme zu den Palmen draußen.

»Ben!« sagte Michael scharf. »Ben, hörst du? Es ist Zeit heimzufahren. Wir fahren zurück nach Australien!«

Aber Benedict schaukelte vor und zurück, Gesicht und Augen anderswo, und der Stuhl knarrte und ächzte gefährlich.

»Ich geh' und sag' es ihr«, sagte Michael plötzlich mit fester Stimme. Er sprach zu allen, aber es war Neil, den er dabei ernst ansah.

Neil drehte sich nicht um, doch sein langer, schmaler Rücken war plötzlich nicht mehr schlaff, müde und ohne Kraft. Es war der Rücken eines starken Mannes, der zu kämpfen wußte.

»Nein, Mike, du sagst es ihr nicht«, sagte er.

»Ich muß«, sagte Michael, keineswegs bittend, und sah dabei weder Matt noch Nugget noch Benedict an, obwohl Matt und Nugget in angespannte Wachsamkeit verfielen.

»Du sagst ihr nicht ein Wort, Mike! Nicht eines! Du kannst es nicht ohne unsere Zustimmung, und die geben wir dir nicht.«

»Ich kann es ihr sagen, und ich werde es ihr sagen. Was macht es jetzt noch aus? Wenn sie es weiß, ändert sich dadurch auch nichts. Wir haben alle längst beschlossen, was wir machen.« Er streckte die Hand aus und legte sie Benedict auf die Schulter, als ob dessen Geschaukel ihn irritierte. Und Benedict saß sofort still. »Ich habe den schwersten Teil übernommen, weil ich der einzige bin, der das kann, und weil ich am meisten schuldig bin. Aber ich bin nicht gewillt, stumm zu leiden! So ein Held bin ich nicht. Ja, ich weiß, ich bin nicht der einzige, der leidet. Aber ich *werd'* es ihr sagen.«

»Du kannst es ihr nicht sagen«, sagte Neil stahlhart. »Und wenn du's ihr sagst, dann töte ich dich, so wahr mir Gott helfe. Es ist zu gefährlich.«

Michael verfiel nicht in Spott, wie Luce das vielleicht getan hätte, aber sein Gesichtsausdruck verriet auch keine Angst. »Es bringt nichts, wenn du mich tötest, Neil. Getötet worden ist schon genug.«

Schwester Langtrys leichter Schritt war zu hören. Die Gruppe erstarrte. Sie kam auf die Veranda, nahm sie alle etwas verlegen in Augenschein, und fragte sich, wo sie da hineingeplatzt war. Wenn ihr jemand mit der Neuigkeit über Stützpunkt 15 vorausgeeilt war, konnte das doch nicht einen Streit provoziert haben. Aber sie hatten sich zweifellos gestritten.

»Der Schritt!« sagte Matt in die entstandene Stille hinein. »Der wunderbare Schritt! Der einzige Frauenschritt, den ich kenne. Als ich noch meine Augen hatte, da hörte ich nicht hin. Wenn meine Frau jetzt hereinkäme, würde ich sie nicht erkennen.«

»Nein, Matt, Sie kennen nicht nur meinen Schritt. Sie kennen auch noch den Schritt einer anderen«, sagte Schwester Langtry, ging zu Matt, stellte sich hinter ihn und legte ihm die Hände auf die Schultern.

Er schloß die Augen und lehnte sich etwas zurück.

»Sie hören mindestens einmal die Woche den Schritt der Oberschwester«, sagte Schwester Langtry.

»Ach, die!« rief er lächelnd. »Dieses Getrampel hat nichts mit einem weiblichen Schritt zu tun.«

»Oh, Matt, wenn das Sally Dawkin hört, wird sie Sie dafür abküssen.«

»Schwester! Ist das nicht eine gute Nachricht?« rief Nuggett von seinem Bett aus. Der Foliant lag vergessen neben ihm. »Ich fahre heim, heim zu Muttern!«

»Natürlich ist es eine gute Nachricht, Nuggett.«

Neil stand immer noch mit dem Rücken zu ihnen. Schwester Langtry beugte sich vor, um die Zeichnung zu betrachten, dann richtete sie sich auf, nahm die Hände von Matts Schultern und trat etwas zurück. Es gelang ihr, zu Michael hinzusehen, dessen Hand noch auf Benedicts Schulter ruhte, gleichsam eine Parodie ihrer Berührung Matts. Ihre Blicke trafen sich, gefeit gegen Schmerz, ernst und fest, sie trafen sich wie die zweier Fremder, höflich, ohne persönliches Interesse.

Sie drehte sich weg und ging wieder hinein.

Neil erschien bald danach und schloß hinter sich die Tür des Büros mit einer Miene, die anzeigte, er würde am liebsten eine Tafel mit der Aufschrift »Bitte nicht stören« draußen anbringen. Als er ihr Gesicht sah, ihre verschwollenen Augen, musterte er sie grimmig.

»Sie haben geweint.«

»Rotz und Tränen«, gab sie freimütig zu. »Ich habe mich im Schwesternzimmer lächerlich gemacht, und es ist leider so, daß ich nicht den Raum für mich allein hatte. Es gab genug Publikum. Eine späte Reaktion, nehme ich an. Die junge Schwester, das Bankdirektorstöchterchen, Sie wissen, kam genau im falschen Augenblick und beschuldigte mich, Luce geopfert zu haben. Das wiederum ärgerte meine Kollegin, Schwester Dawkin von Station D, sie begann ein Gezanke, und da war ich auch schon in Tränen aufgelöst. Lächerlich, nicht wahr?«

»Und das ist wirklich so geschehen?«

»Warum sollte ich eine solche Geschichte erfinden?« Das klang normal, sie hatte ihre gewohnte Ruhe wiedergefunden.

»Und jetzt fühlen Sie sich besser?« fragte er und bot ihr eine von seinen Zigaretten an.

Sie lächelte schwach. »Innerlich schon. Äußerlich ganz im Gegenteil. Da fühle ich mich geradezu gräßlich. Wie etwas, das die Katze erwischt hat. Meine Federn sind ausgeleiert.«

»Zwei Metaphern, die nicht zueinander passen«, sagte er sanft.

Sie dachte nach. »Kommt darauf an, was die Katze erwischt hat. Vielleicht war es ein Vogel zum Aufziehen. Ich komme mir vor wie etwas Mechanisches.«

Er seufzte. »Ach, Schwester! Tun Sie, was Sie für richtig halten. Ich lasse das Thema – und damit auch Sie – rücksichtslos fallen.«

»Danke, das weiß ich zu schätzen«, sagte sie.

»Und in einer Woche ist finito«, sagte er im Plauderton.

»Ja. Ich hab' immer vermutet, sie würden uns wegbringen, bevor die Monsunregen einsetzen.«

»Sie gehen heim nach Australien – ich meine, wenn Sie entlassen werden?«

»Ja.«

»Um was zu tun, wenn ich fragen darf?«

Obwohl ihr Gesicht verschwollen und auf ihren Wangen Spuren von Tränen zu sehen waren, wirkte sie sehr distanziert. »Ich werde im Callan Park als Pflegerin arbeiten. Da Sie aus Melbourne sind, werden Sie nicht wissen, daß Callan Park eine große Nervenheilanstalt in Sydney ist.«

Das war ein Schock für ihn. Dann sah er, daß sie es ernst meinte. »Gott, was für eine Verschwendung!«

»Gar nicht«, sagte sie schroff. »Es ist nützliche und wichtige Arbeit. Genau das brauche ich dringend. Sehen Sie, ich habe in dieser Hinsicht Glück. Meine Familie ist begütert genug, um sicherzustellen, daß ich nicht darben muß, wenn ich einmal alt bin und nicht mehr arbeiten kann. Also kann ich mit meinem Leben anfangen, was mir beliebt.« Ihre roten Lider hoben sich, die Augen blickten ihn kühl an. »Aber Sie? Was werden Sie machen, Neil?«

Das war's dann also gewesen. Neil Parkinson: Exit. Ihre Stimme, ihr Blick, ihr Verhalten drückten aus, daß er in ihrem Leben nach dem Krieg keinen Platz hatte.

»Oh, ich geh' nach Melbourne«, sagte er leichthin. »Was ich wirklich gern täte, wäre auf die Peloponnes zurückzukehren. Ich hab' dort bei Pylos ein Häuschen. Aber meine Eltern, besonders mein Vater, werden nicht jünger – ich übrigens auch nicht. Ich kann mir daher vorstellen, es wird eher Australien als Griechenland werden. Zudem hieße

Griechenland malen, und ich bin nur ein mittelmäßiger Maler. Das hat einmal sehr weh getan, komischerweise. Aber jetzt nicht mehr. Ist offenbar nur noch eine zweitrangige Überlegung. Ich habe in den letzten sechs Jahren viel gelernt, und Station X hat meine Erziehung herrlich abgerundet. Ich weiß seit einigen Tagen, was wichtig ist und daß ich meinem alten Herrn eine Hilfe sein kann. Wenn ich in seine Fußstapfen treten will, fang' ich besser gleich damit an, mich in den Familiengeschäften umzusehen.«

»Sie werden viel zu tun haben.«

»Das werd' ich.« Er erhob sich. »Wollen Sie mich entschuldigen? Wenn wir wirklich bald von hier ausziehen, habe ich eine Menge zu packen.«

Sie sah, wie sich die Tür hinter ihm schloß, und seufzte. Wenn Michael eines bewirkt hatte, dann das, daß sie nun den Unterschied zwischen Zuneigung und Liebe kannte. Sie mochte Neil, aber sie liebte ihn nicht. Fest, verläßlich, aufrecht, galant, gut erzogen, bereit, alles für sie aufzugeben – das war Neil. Eine gute Partie. Und auch gut aussehend. Mit allen sozialen Vorteilen gesegnet. Ihm Michael vorzuziehen war unvernünftig. Aber was ihr an Michael gefiel, das war sein Festhalten an sich selbst, diese Würde, die er ausstrahlte und die ausdrückte, niemand könnte ihn je von seinem Pfad abbringen. Irgendwo war er ein Rätsel, aber das hätte sie nicht davon abgehalten, ihn zu lieben. Sie liebte seine Stärke, wohingegen sie Neils Bereitschaft, seine Wünsche den ihren unterzuordnen, ablehnte.

Eigenartig, daß Neil sich gerade in den letzten Tagen innerlich aufgerichtet hatte, obwohl er wissen mußte, daß eine Beziehung zwischen ihm und ihr für sie nach dem Krieg keine Zukunft hatte. Und es war ihr eine Erleichterung, festzustellen, daß ihn dieser Entschluß nicht aus der Bahn warf, daß er sich offenbar nicht fallengelassen fühlte. Daß sie ihm weh getan hatte, wußte sie seit jenem Vorfall im Tagesraum, aber inzwischen war so vieles geschehen, daß sie sich nicht hatte darum kümmern können, was Neil empfand. Jetzt wäre wieder Zeit für Schuldgefühle gewesen, und nun schien dafür keine Notwendigkeit mehr zu bestehen. Seine Zuneigung hatte er ihr heute gezeigt, aber kein Zeichen der Verbitterung oder des Verletztseins. Wie sehr sie das erleichterte! Vorhin hatte sie endlich ihrem Kummer freie Bahn verschafft, und nun stellte sie fest, daß Neil trotz ihres Verhaltens noch ganz und gar er selbst war: Heute war der erste gute Tag seit Wochen!

3

DIE FOLGENDE WOCHE NAHM einen eigenartigen Verlauf. Normalerweise gibt es an einem Ort, dessen Bewohner nach monatelangem Aufenthalt die Abreise planen, hektische Aktivitäten und Schwierigkeiten wegen allem und jedem, vom Fahrzeug bis zum Haustier. Die rasche Auflösung von Stützpunkt 15 war etwas anderes. Seine Bewohner waren seit Monaten immer weniger geworden. Übriggeblieben war nur ein harter Kern, der sich rasch und problemlos aus der Schale lösen ließ. Niemand war mit all dem Kram belastet, der sonst das Gepäck des Lebens ausmacht: Stützpunkt 15 war Leben ohne jeden Kram gewesen.

Es gab dort keine Handwerkswaren, handgefertigte Möbel oder andere Souvenirs, wie sie die Sammlernaturen auf den Kriegsschauplätzen in Europa, Indien, dem Nahen Osten und Nordafrika haufenweise zusammentrugen. Etliche der Schwestern sahen sich als Empfängerinnen bescheidener Gaben von seiten ihrer männlichen Schützlinge, zumeist selbstgemachte Kleinigkeiten. Doch im großen und ganzen würden die Leute von Stützpunkt 15 nicht mehr mitnehmen, als sie mitgebracht hatten.

Ein endgültiger Termin wurde festgesetzt, an den man sich auch hielt, wie es die militärische Disziplin verlangte. Der Termin rückte näher und verstrich, und Stützpunkt 15 gab es immer noch.

Niemand hatte es anders erwartet. Es war lediglich eine

Art Alarmglocke gewesen, bei deren Läuten jeder zu sofortiger Evakuierung bereit sein sollte.

Die Oberschwester gackerte und machte viel Aufhebens; jetzt ging es nicht mehr um die Moskitonetzdraperie, sondern um Abmarschpläne und Zeitpläne, die sie überallhin mitnahm und mit den Schwestern endlos besprach. Und es gab keine unter ihnen, die sie nicht mit Freuden erwürgt hätte. Jetzt, wo das Ende von Stützpunkt 15 näherrückte, wollten die Schwestern möglichst viel Zeit mit ihren Patienten verbringen.

Auf Station X, die außerhalb der zentralen Aktivitäten lag und nur eine winzige Besatzung von fünf Männern und einer Schwester hatte, gab es unter den wenigen Insassen mehr Mißmut als Freude, Schweigen, das nur schwer zu brechen war, gezwungene Heiterkeit, wenn die Dinge einmal unerträglich wurden, und einen beklemmenden Mangel an Kontaktbereitschaft. Schwester Langtry, die gegen ihren Willen zur Mitarbeit in von der Oberschwester konstituierten Subkomitees herangezogen worden war, die die Evakuierung vorbereiten sollten, war oft abwesend.

Und so waren die fünf Patienten jeden Tag am Strand zu finden, denn die offiziell für den Strandbesuch vorgesehenen Zeiten galten nicht mehr.

Betrübt mußte Schwester Langtry feststellen, daß ihre Patienten nach Möglichkeit ohne sie auszukommen suchten. Neil schien sie vergessen zu haben; bei den anderen war das nicht der Fall. Sie bemerkte eine zunehmende Polarisierung unter ihnen. Nuggett hatte sich abgesondert, war von Tatendrang und Optimismus erfüllt, beides im Hinblick auf die bevorstehende Heimkehr zu seiner Mutter und auf die Aussicht, sein Leben in neue Bahnen zu lenken, indem er eine Karriere als Arzt ins Auge faßte. Seine Wehwehchen waren alle verschwunden. Neil und Matt waren unzertrennlich. Matt wich nicht von Neils Seite und redete sich den Kummer von der Seele. Michael schließlich konzentrierte sich auf Benedict, wie er das immer schon getan hatte. Auch diese beiden waren unzertrennlich.

Benedict, dachte sie, war nicht in Ordnung, aber was

man hätte dagegen tun können, wußte sie nicht. Ein Gespräch mit Colonel »Kinnbacke« hatte, wie erwartet, zu nichts geführt; doch der Colonel war gewillt, ja nur allzu bereit, für Matt eine Invalidenpension herauszuschlagen, obwohl man Hysterie als Ursache seiner Erblindung diagnostiziert hatte. Als sie bat, man möge Ben doch einer regelrechten psychiatrischen Behandlung unterwerfen, war der Colonel unnachgiebig gewesen. Wenn sie als einzige Basis ihres Verdachts ein vages Gefühl des Unbehagens vorzuweisen habe, dann frage er sich, was er ihrer Ansicht nach tun solle. Er habe Sergeant Maynard untersucht und keine Verschlechterung seines Zustandes feststellen können. Wie sollte sie einem tüchtigen Neurologen, der kein Interesse an Erkrankungen hatte, die ohne organischen Befund waren, erklären, daß sie einen Mann zurück ins Leben holen wollte, der sich selbst daraus entfernte? Und wie holte man ihn zurück? Das wußte wohl niemand auf der Welt. Mit Ben als Patienten war nie leicht umzugehen gewesen, weil er die Neigung hatte, sich abzukapseln. Was ihr Sorge machte, war, daß er dies ohne die schützende Umgebung von Station X bis zum Äußersten treiben und sich so gleichsam selbst auslöschen würde. Darum fand sie, Michaels Anhänglichkeit an ihn sei ein Segen, denn Michael hatte mit Ben immer mehr Erfolg gehabt als jeder andere, sie inbegriffen.

Jetzt, da sie sich ohne ihr Mitwirken beschäftigten, begann sie sie – und sich selbst – besser zu verstehen. Nach Luces Tod hatte sie alles, was die Männer und sie selbst taten, zu sehr auf die Gefühlswaage gelegt. Damit war's vorbei. Der Weinkrampf im Schwesternzimmer hatte sein Gutes gehabt. Ohne daß es den Männern bewußt war, zerschnitten sie die Bande zueinander; die Familie auf X zerfiel mit der Auflösung von Stützpunkt 15. Und sie, als Mutterfigur, war vielleicht empfindlicher und leichter zu verletzen als ihre Männer oder ihre »Kinder« durch das, was geschah. Eigenartig, in dem Maße, in dem ihre eigene Kraft schwand, wuchs die der Männer. War das immer so mit Müttern? Daß sie mit aller Macht den Familienzusammenhalt gerade dann bewahren wollten, wenn die Voraussetzungen dafür nicht mehr gegeben waren?

Sie kehren zurück in die andere Welt, dachte sie, und ich habe versucht, sie darauf vorzubereiten. Also darf ich mich nicht an sie klammern, darf ich es nicht zulassen, daß sie sich an mich klammern! Ich muß sie fortlassen und dabei Würde und Haltung bewahren.

4

UND DANN GING ES LOS. Lkw-Motoren brüllten. Es gab ein Gebrause wie von einem nahenden Sturm. Glücklicherweise hatten die Monsunwinde noch nicht in voller Stärke eingesetzt, und es sah so aus, als ob die Räumung beendet werden könnte, bevor sie im Regen ertrank.

Apathie wich der Euphorie. Jetzt, als man wirklich räumte, glaubte man es; plötzlich war die Heimat kein Traum mehr, sondern Realität. Rufe erfüllten die Luft, schrille Pfiffe, Gegirre, Gesang.

Die an eiserne Disziplin gewöhnten Schwestern gerieten in unkontrollierte Hochstimmung, ließen sich umarmen, küssen, vergossen Tränen, verwandelten sich in umschwärmte Hollywood-Exotinnen, eben in liebenswerte, verwirrte weibliche Geschöpfe. Für sie war es die große Trennung, das Ende der großen Zeit ihres Lebens. Sie waren alle unverheiratet, die meisten auf halbem Weg zum Ruhestand, und auf diesem schwierigen, abgeschiedenen Posten hatten sie ihr Bestes gegeben, als wichtigen Beitrag zu einer guten Sache. Nie mehr würde ihr Leben reicher sein. Diese Jungen waren die Söhne, die sie nie gehabt hatten, und sie fühlten sich solcher Söhne würdig. Aber jetzt war alles vorbei, und wenn sie auch Gott dafür danken mußten, wußten sie dennoch, daß nichts jemals die Freuden, den Schmerz und die Höhen und Tiefen dieser Jahre würde aufwiegen können.

In X warteten die Männer an diesem letzten Morgen, anstatt das zu tragen, was an sauberer Kleidung gerade zur Hand war, in voller Uniform auf ihren Abtransport. Ihre Metallkoffer, Seesäcke, Pakete und Brotbeutel bildeten kleine Wälle auf dem Fußboden, der zum erstenmal das schwere Getrappel vieler Stiefel auf einmal auszuhalten hatte. Ein Deckoffizier kam, gab Schwester Langtry letzte Instruktionen, wohin sie ihre Männer bringen sollte, ehe sie an Bord gingen, und überwachte den Abtransport des Gepäcks, das von den Leuten nicht selbst getragen werden konnte.

Als sie sich, nachdem der Offizier gegangen war, von der Vordertür wegwendete, sah Schwester Langtry Michael im Tagesraum stehen und Tee machen. Ein schneller Blick in Richtung Saal überzeugte sie, daß niemand hersah. Die anderen waren wahrscheinlich draußen auf der Veranda und warteten, daß der Tee serviert wurde.

»Michael«, sagte sie, im Türrahmen des Tagesraum stehend, »machen Sie bitte einen Gang mit mir. Wir haben nur noch eine halbe Stunde Zeit. Ich möchte gern zehn Minuten davon mit Ihnen verbringen.«

Er betrachtete sie nachdenklich und sah dabei aus wie damals, als er ankam, Hosen und Hemd in Tarngrün, Gurtband, glänzend polierte Stiefel, blitzende Koppel, alles sauber und gebügelt.

»Das möchte ich auch«, sagte er ernst. »Lassen Sie mich das noch auf die Veranda bringen. Wir treffen uns unten an der Rampe.«

Ob er Benedict mit ins Schlepptau nimmt? fragte sie sich. Wo der eine ist, ist der andere. Sie stand im blassen Sonnenlicht am Fuße der Rampe.

Aber Michael war allein und fiel neben ihr in gleichen Schritt. Sie gingen den Weg zum Strand hinunter und blieben erst stehen, wo der Boden sandig wurde.

»Es kam zu schnell, ich bin nach alldem noch nicht soweit«, sagte sie und sah ihn vorsichtig an.

»Ich auch nicht«, sagte er.

Sie begann einfach draufloszureden. »Das ist das erstemal, daß ich Sie allein spreche, seit – seit Luce starb. Nein, seit das Ergebnis der Untersuchung bekannt wurde. Es war alles so schrecklich. Und ich sagte so schreckliche Dinge zu Ihnen. Ich möchte, daß Sie wissen, daß ich es nicht so gemeint habe. Michael, es tut mir sehr leid!«

Er hörte ihr ruhig zu, Trauer in den Augen. »Es muß Ihnen nicht leid tun. Ich sollte derjenige sein, der sich entschuldigt.« Er schien einen Entschluß zu fassen, sprach langsam weiter. »Die anderen sind zwar nicht meiner Ansicht, aber ich habe das Gefühl, ich schulde Ihnen eine Erklärung, jetzt, wo nichts mehr zu ändern ist.«

Was sie hörte, waren nur die letzten Worte. »Nichts kann jetzt noch etwas ändern«, sagte sie. »Ich möchte das Thema wechseln, über Ihr Zuhause reden. Gehen Sie gleich zurück auf Ihre Milchfarm? Was werden Ihre Schwester und Ihr Schwager machen? Das wüßte ich gern, und wir haben nicht mehr viel Zeit.«

»Wir hatten nie viel Zeit«, sagte er. »Ich muß zuerst noch offiziell entlassen werden. Dann gehe ich mit Ben schnurstracks auf die Farm. Ich habe einen Brief bekommen; meine Schwester und mein Schwager zählen schon die Tage, bis ich sie wieder übernehmen kann. Harold, mein Schwager, möchte seinen alten Job wiederbekommen, ehe zu viele Soldaten abrüsten.«

Sie sah ihn groß an. »Ben und Sie? Ihr beide zusammen?«

»Ja.«

»Ben und Sie.«

»Richtig.«

»Und warum, um Gottes willen?«

Sie verzog das Gesicht. »Ach, hören Sie doch bitte damit auf!« sagte sie schroff, fühlte sich erneut zurückgewiesen.

Er straffte seine Schultern. »Benedict ist allein, Schwester. Keine Menschenseele wartet auf ihn zu Hause. Und er braucht immer jemanden um sich. Mich. Es ist meine Schuld! Wenn ich Ihnen das nur begreiflich machen könnte! Ich muß dafür sorgen, daß es nie wieder geschieht.«

Ihre Qual wandelte sich in Bestürzung. Sie starrte ihn an, fragte sich, ob sie je dem Rätsel Michael auf den Grund kommen würde. »Wovon reden Sie da? Was soll nie wieder geschehen?«

»Ich sagte es schon vorhin«, erwiderte er ruhig. »Ich glaube, ich schulde Ihnen eine Erklärung. Die anderen sind nicht dieser Meinung. Sie denken, Sie sollten für mich aus der Sache rausgehalten werden. Aber ich möchte, daß Sie es wissen. Ich kann verstehen, warum Neil so dagegen ist, daß Sie es erfahren, aber ich bin immer noch überzeugt, daß ich Ihnen diese Erklärung schulde. Es war nicht Neil, der jene Nacht mit Ihnen verbrachte, sondern ich. Und das berechtigt Sie dazu, eine Erklärung zu erhalten.«

»Was für eine Erklärung? Was heißt das alles?«

Ein großes Benzinfaß lag genau an der Stelle, wo der Weg im Ufersand verlief. Er wandte sich ihm zu, stellte den Fuß darauf und starrte auf seinen Stiefel. »Es wird nicht leicht sein, die rechten Worte zu finden. Aber ich will nicht, daß Sie das in mir sehen, was Sie in mir sehen seit jenem Morgen. Und das tun Sie, weil Sie nicht verstehen. Ich bin mit Neil einer Meinung, daß sich nichts ändert, wenn Sie es erfahren; aber es könnte dann sein, daß Sie mich jetzt, wo wir uns zum letzten Mal gegenüberstehen, nicht ansehen können, ohne mich zumindest mit einem Teil Ihrer selbst zu hassen. Es könnte auch sein, daß Sie mich dann ganz und gar hassen.« Er richtete sich auf und begegnete ihrem Blick. »Es ist schwierig«, sagte er.

»Ich hasse Sie nicht, Michael. Ich könnte Sie nie hassen. Was geschehen ist, ist geschehen. Ich mag Trauerreden nicht. Also sagen Sie es mir, bitte. Ich möchte es jetzt wissen. Ich habe ein Recht darauf. Aber ich hasse Sie nicht. Ich habe es nie getan, und könnte es nie.«

»Luce hat sich nicht umgebracht«, sagte er. »Benedict hat ihn getötet.«

Sie sah sich zurückversetzt in die blutige Szene, all die zerstörte Schönheit, Luce auf dem Boden liegend, ohne jede Grazie, ohne jeden theatralischen Effekt, es sei denn, nacktes Entsetzen wäre der beabsichtigte Effekt gewesen. Aber das war nicht Luce. Luce liebte sich zu sehr, sich und sein Aussehen.

Ihr Gesicht war so bleich geworden, daß das Licht, das durch die Palmen fiel, ihm einen grünlichen Stich verlieh. Zum zweitenmal, seit sie sich kannten, ging Michael nah zu ihr, legte ihr den Arm um die Hüfte und hielt sie so fest, daß sie nur noch seine Berührung spürte.

»Kippen Sie mir nicht um! Kommen Sie jetzt, atmen Sie ein paarmal tief durch, so ist es brav!« Er sprach zärtlich, hielt sie zärtlich.

»Ich habe es gewußt, die ganze Zeit«, sagte sie langsam, als sie endlich sprechen konnte. »Irgend etwas stimmte nicht. Es paßte nicht zu Luce. Aber es ist typisch für Ben, natürlich.« Die Farbe kehrte langsam in ihr Gesicht zurück, sie ballte die Fäuste, voll ohnmächtiger Wut gegen sich selbst. »Oh, was bin ich für ein Dummkopf gewesen!«

Michael ließ sie los, trat einen Schritt zurück und schien befreit. »Wenn ich nicht so viel von Ihnen hielte, würde ich es Ihnen nicht gesagt haben, aber ich konnte einfach nicht ertragen, daß Sie mich haßten. Es brachte mich fast um. Neil weiß das auch.« Und dann, sich bewußt werdend, daß er vom Thema abschweifte, setzte er fort: »Benedict wird nie wieder so etwas tun, da haben Sie mein Wort. Solange ich da bin, um auf ihn aufzupassen, kann er es nicht tun. Sie verstehen doch jetzt? Ich muß auf ihn aufpassen! Ich bin für ihn verantwortlich! Er hat es für mich getan, wenigstens dachte er das, was dasselbe ist. Ich sagte es Ihnen doch an jenem Morgen, erinnern Sie sich, sagte, es sei falsch von mir gewesen, die Nacht mit Ihnen zu verbringen. Ich hätte zur Station zurückgehen müssen, um ein Auge auf Ben zu haben. Wäre ich dort gewesen, wo ich hingehörte, sagte ich, wäre es nie geschehen. Komisch, ich habe Menschen getötet, und soviel ich weiß, waren sie mehr wert als Luce. Aber Luces Tod geht auf meine Kappe. Der Tod der anderen geht auf die Kappe unseres Königs, dafür hat der König sich vor Gott zu verantworten, nicht ich. *Ich* hätte Ben davon abhalten können. Kein anderer sonst, denn nur ich wußte, was in Ben vorging.« Er schloß die Augen.

»Es war Schwäche, ich habe ihr nachgegeben. Aber, Schwester, ich wünschte mir so, mit Ihnen zusammenzusein! Ich konnte es nicht glauben! Ein kleines Stück Himmel, und ich war so lange in der Hölle gewesen ... Ich liebte Sie, aber ich hätte es mir nicht träumen lassen, daß Sie meine Liebe erwiderten.«

Sie nahm alle ihre Kraft zusammen. »Ich hätte es wissen müssen«, sagte sie. »Sie liebten mich.«

»Ich habe an mich zuerst gedacht«, sagte er, jetzt offensichtlich froh, daß er ihr alles sagen konnte. »Wenn Sie wüßten, wie mich die Schuld belastet. Luce *hätte* nicht sterben müssen! Alles, was ich tun mußte, war, auf der Station zu bleiben und Ben davon zu überzeugen, daß ich in Ordnung war, daß Luce mir nichts antun konnte.« Seine Brust hob sich, es war mehr ein Schaudern als ein Atemholen. »Während ich mit Ihnen in Ihrem Apartment war, war Ben allein und dachte, Luce wäre es irgendwie gelungen, mich zu vernichten. Und sobald er einmal in Gedanken so weit war, folgte der Rest automatisch. Wenn Neil eine Ahnung gehabt hätte, wäre es vielleicht anders gekommen. Aber Neil wußte nichts. Er hatte anderes im Kopf. Ich war nicht einmal dabei, als die furchtbaren Spuren beseitigt wurden. Das mußten die anderen tun.« Er streckte die Hand nach ihr aus, ließ sie wieder sinken. »Ich habe Ihnen viele Antworten zu geben, Schwester. Die Art, wie ich Sie verletzte – dafür gibt es keine Entschuldigung. Ich habe keine anzubieten, nicht einmal mir selbst gegenüber. Aber Sie sollen wissen, daß ich es . . . fühle, begreife, was ich Ihnen angetan habe. Und daß von allem, wofür ich einstehen muß, am schwersten zu ertragen ist, daß ich Ihnen weh getan habe.« Tränen rollten über ihre Wangen, jetzt nicht aus Schmerz über sich selbst, sondern aus Mitleid. »Lieben Sie mich gar nicht mehr?« fragte sie. »Oh, Michael, ich kann alles ertragen, nur nicht, Ihre Liebe zu verlieren!«

»Ja, ich liebe Sie. Aber das hat keine Zukunft – kann keine haben, hatte nie eine, auch wenn wir Luce und Ben beiseite lassen. Wenn nicht der Krieg gewesen wäre, würde ich nie jemanden wie Sie kennengelernt haben. Sie hätten Männer wie Neil getroffen, nicht Männer wie mich. Meine Freunde, meine Art zu leben, ja sogar das Haus, in dem ich wohne – sie passen nicht zu Ihnen.«

»Man verliebt sich nicht in ein Leben«, sagte sie, sich die Tränen abwischend, »man verliebt sich in einen Mann, und dann *führt* man mit ihm ein Leben.«

»Sie würden nie Ihr Leben mit einem Mann wie mir führen«, sagte er. »Ich bin nur ein Milchbauer.«

»Das ist doch lächerlich! Ich bin kein Snob! Zeigen Sie mir den Unterschied zwischen Hochnäsigkeit und Hochnäsigkeit! Mein Vater ist auch hochnäsig. Auf höherer Stufe hochnäsig, das ist alles. Und mein Glück hängt auch nicht davon ab, ob ich Geld habe.«

»Ich weiß. Aber Sie kommen aus einer anderen Klasse, und wir haben nicht dieselbe Lebensanschauung.«

Sie sah ihn befremdet an. »So, haben wir nicht? Und ausgerechnet Sie sagen so etwas! Wir neigen doch beide immer dazu, uns mehr um die Hilfebedürftigen zu kümmern als um uns selber, wollen doch beide dasselbe, ihnen Mut machen, das Leben zu meistern.«

»Das ist wahr . . . Ja, das ist sehr wahr«, sagte er langsam. Und dann: »Schwester, was bedeutet für Sie Liebe?«

Der offenbar falsche Schluß verblüffte sie. »Bedeutet?« fragte sie, suchte Zeit zu gewinnen.

»Ja, bedeutet. Was bedeutet für Sie Liebe?«

»Meine Liebe für Sie, Michael. Oder für andere?«

»Ihre Liebe für mich.« Die Worte flossen ihm leicht von den Lippen.

»Nun . . . nun ja, es bedeutet, das Leben mit Ihnen zu teilen.«

»Wie teilen?«

»Eben mit Ihnen leben! Ihren Haushalt führen, Ihre Kinder zur Welt bringen, mit Ihnen alt werden.«

Er schien weit weg. Ihre Worte berührten ihn, das sah sie, aber sie drangen nicht durch die ruhige, besonnene Entschlossenheit, die von ihm Besitz ergriffen hatte.

»Aber Sie haben dafür nicht die Voraussetzungen erlernt«, sagte er. »Sie sind jetzt dreißig, und was Sie gelernt haben, diente etwas anderem, einem anderen Leben. Oder nicht?« Er hielt inne und ließ den Blick nicht von ihrem Gesicht, das sie ihm voller Angst zuwandte, voller Angst und Verwirrung, die beide in sich auch das Verstehen für das, was er sagte, trugen. »Ich glaube, keiner von uns beiden ist für das Leben geschaffen, das Sie beschreiben. Als ich zu reden anfing, dachte ich nicht, es würde mich so weit führen. Aber Sie sind eine Kämpfernatur und lassen sich nicht abfertigen, ohne daß man Ihnen die Wurzel des Problems vor die Nase hält.«

»Das stimmt«, sagte sie.

»Diese Wurzel des Problems ist genau das, was ich schon gesagt habe – keiner von uns beiden ist für das Leben geschaffen, das Sie beschrieben haben. Zu spät, jetzt noch nach dem Wie oder Warum zu fragen. Ich bin ein Mensch, der den Wünschen und Begierden mißtraut, die von der Seite seines Ichs kommen, die er normalerweise gut in der Gewalt hat. Ich möchte es nicht herabsetzen, indem ich es die körperlichen Begierden nenne, und ich möchte auch nicht, daß Sie jetzt denken, ich entwerte meine Gefühle für Sie.« Er ergriff ihren Arm unterhalb der Schulter. »Schwester, hören Sie mir zu! Ich bin der Typ, der eines Abends nicht nach Hause kommt, weil ihm irgendwo jemand über den Weg gelaufen ist, der ihn dringender braucht als seine Frau. Das soll nicht heißen, ich würde Sie verlassen, und das muß nicht notwendigerweise eine andere Frau bedeuten. Das heißt nur, daß ich wissen würde, Sie kämen ohne mich aus, bis ich wiederkomme. Aber es kann zwei Tage dauern oder auch zwei Jahre, daß ich diesem Menschen beistehe. So bin ich eben. Und der Krieg gab mir die Möglichkeit, mich so zu sehen, wie ich bin. Er hat auch Ihnen die Möglichkeit gegeben, Ihr Wesen zu erkennen. Ich weiß nicht, wieweit Sie bereit sind, sich das einzugestehen. Was mich betrifft, so habe ich erfahren, daß ich helfen muß, wenn mein Mitleid einmal geweckt ist. Sie sind ein fertiger Mensch. Sie brauchen meine Hilfe nicht. Und da Sie meine Hilfe nicht brauchen, können Sie ohne mich auskommen. Sie sehen, Liebe ist hier zweitrangig.«

»Das ist ja fast paradox«, sagte sie. Ihre Kehle schmerzte von der Anstrengung, einen neuerlichen Tränenstrom aufzuhalten.

»Das ist es wohl.« Er schwieg, suchte nach einer Fortsetzung. »Ich glaube, ich habe keine sehr hohe Meinung von mir. Hätte ich die, dann würde ich es nicht nötig haben, daß man mich braucht. Aber ich muß gebraucht werden, Schwester! Ich brauche das!«

»Ich brauche dich!« sagte sie. »Meine Seele, mein Herz, mein Körper – jede Faser meines Seins braucht dich, wird dich immer brauchen! Oh, Michael, es gibt so viele Arten, gebraucht zu werden, so viele Arten von Einsamkeit! Verwechsle meine Stärke nicht damit, daß ich keine Zuwendung brauche! *Bitte,* tu das nicht! Ich brauche dich, damit mein Leben Erfüllung findet!«

Aber er schüttelte den Kopf, er war nicht zu überzeugen. »Nein. Du brauchst mich nicht. Du wirst mich nie brauchen. Du hast längst Erfüllung gefunden! Wäre das nicht so, dann wärest du nicht der Mensch, der du bist – warmherzig, voll Liebe, an allem interessiert und glücklich über eine Tätigkeit, die nur wenige Frauen ausüben können. Fast jede Frau kann einen Haushalt führen und Kinder kriegen. Du aber bist etwas Besonderes, du kannst dich in keinen solchen Käfig sperren lassen. Was du gelernt hast, das war für etwas anderes bestimmt. Und nach einer Weile wirst du das Leben, das du beschreibst, ein Leben, das du mir widmest, genau als das sehen, was es für dich ist: als einen Käfig! Für diesen Käfig bist du nicht der richtige Vogel, Schwester! Du mußt deine Schwingen ausbreiten können!«

»Dieses Risiko will ich eingehen«, sagte sie, bleich, verzagend, aber ohne schon aufgegeben zu haben.

»Aber ich nicht. Wenn es sich nur um dich handelte bei dieser Charakterbeschreibung, würde ich es vielleicht riskieren. Aber ich habe damit auch mich beschrieben.«

»Du kettest dich an Ben fester, als du dich an mich ketten würdest.«

»Aber ich kann Ben nicht so weh tun, wie ich am Ende dir weh tun würde.«

»Auf Ben aufzupassen, ist ein Full-time-job. Du könntest nicht einmal in die Stadt fahren und auf dem Weg dorthin jemanden auflesen, der deiner Hilfe bedarf.«

»Ben braucht mich«, sagte er. »Dafür werde ich leben.«

»Und wenn ich dir anbiete, mich zusammen mit dir um Ben zu kümmern?« fragte sie. »Würdest du einem Leben mit mir zustimmen, bei dem wir unser Bedürfnis, gebraucht zu werden, miteinander teilen?«

»Das bietest du an?« fragte er, unsicher geworden.

»Nein«, sagte sie. »Ich kann dich nicht mit jemandem wie Benedict Maynard teilen.«

»Dann ist nichts mehr zu sagen.«

»Über uns nicht.« Sie stand immer noch zwischen seinen Händen, machte keinen Versuch, ihnen zu entkommen. »Sind die anderen damit einverstanden, daß du dich um Ben kümmerst?«

»Wir haben einen Pakt geschlossen«, sagte er. »Wir sind alle übereingekommen: Kein Narrenhaus für Ben, egal was passiert. Noch auch werden Matts Frau und Kinder hungern müssen. Da waren wir alle einer Meinung.«

»Alle? Oder du und Neil?«

Er quittierte diese scharfsichtige Bemerkung mit einem schmerzlichen Verziehen der Lippen. »Ich muß jetzt Abschied nehmen«, sagte er. Seine Hände glitten an ihr hoch über ihre Schultern, umfaßten ihren Hals, die Daumen strichen sanft über ihre Haut.

Er küßte sie. Es war ein Kuß aus tiefster Liebe und tiefstem Schmerz. In ihm lag sowohl Ergebung in das, was war, als auch Hunger nach dem, was sein könnte. Und es war ein Kuß voll körperlichen Verlangens, erfüllt von der Erinnerung an jene eine Nacht. Doch er riß seinen Mund von dem ihren, zu früh, ein ganzes Leben lang wäre nicht genug gewesen.

Steif fand er wieder zu sich, ein Lächeln in den Augen, drehte sich auf dem Absatz um und schritt davon.

Da lag das Benzinfaß. Sie ließ sich darauf nieder und schaute auf ihre Schuhe und auf die dünnen Grasbüschel, um ihm nicht nachsehen zu müssen.

So war das also. Wie konnte sie mit Bens Bedürfnis nach Zuwendung konkurrieren? Insofern hatte er recht. Doch wie einsam und getrieben mußte er sich fühlen. War es nicht immer so: die Starken wurden zugunsten der Schwachen im Stich gelassen? Der Zwang – oder war es Schuldgefühl? – dem die Starken unterlagen, den Schwachen zu dienen? Was war zuerst da? Riefen die Schwachen oder boten sich die Starken unaufgefordert an? Erzeugte Stärke Schwäche oder machte sie den Starken noch stärker? Was war Stärke, was war Schwäche, so gesehen? Er hatte recht, sie könnte ohne ihn auskommen. Hieß das, sie brauchte ihn nicht? Er liebte sie wegen ihrer Stärke, doch er wollte nicht leben mit dem, was er liebte, und wandte sich von seiner eigenen Liebe ab.

Sie hätte ihm sagen wollen: Vergiß die Welt, Michael, vergiß dich bei mir! Bei mir erfährst du dein Glück, von dem du nie zu träumen gewagt hast! Statt dessen hatte sie geweint. Sie hätte ebensogut den Mond anweinen können. Hatte sie mit Absicht einen Mann gewählt, der es vorzog, zu dienen statt zu lieben? Seit dem Tag seiner Ankunft auf X hatte sie ihn bewundert, und ihre Liebe war dieser Bewunderung, dieser Hochschätzung seines Wertes, entsprungen. Jeder von ihnen hatte des anderen Stärke, Selbstsicherheit, Fähigkeit, zu geben, geliebt. Und doch schienen gerade diese Qualitäten sie zu trennen anstatt zusammenzuführen. Geliebter, ich werde an dich denken und für dich beten, daß du immer genug Stärke findest.

Sie blickte über den Strand, der nach dem Wind und Regen der vergangenen Tage etwas zerzaust aussah. Zwei weiße Seeschwalben flogen nebeneinander, als wären sie durch Fäden miteinander verbunden. Sie flogen eine Wende, immer noch wie an einem Faden zusammenhängend, tauchten zur Erde nieder und waren im nächsten Augenblick verschwunden. Ohne Käfig! Gemeinsam unter einem weiten blauen Himmel. Das wollte ich, Michael!

Höchste Zeit. Zeit, Matt, Benedict, Nuggett und Michael zum Versammlungsplatz zu bringen. Das war ihr Geschäft. Neil als Offizier würde gesondert die Station verlassen, sie wußte nicht, wann. Man würde es ihr rechtzeitig mitteilen.

Auf dem Weg stellten sich andere Gedanken ein. Es hatte also eine Verschwörung unter den Patienten von Station X gegeben, an der Michael willig teilgenommen hatte. Und Neil war der Rädelsführer. Es ergab keinen Sinn. Es ergab zwar einen Sinn, daß man sie über die Vorgänge im Badehaus in Unkenntnis gelassen hatte, solange die Todesursache nicht offiziell feststand und die Untersuchung nicht abgeschlossen war. Warum aber war Neil so dagegen, es ihr jetzt zu sagen, wenn sich dadurch nichts mehr änderte? Neil kannte sie gut genug, um zu wissen, daß sie nicht zu Colonel »Kinnbacke« laufen würde, um ihm die Wahrheit zu hinterbringen. Was für einen Nutzen hätte das? Was konnte es ändern? Es konnte dazu führen, daß

Benedict in eine geschlossene Anstalt kam, vielleicht, und außerdem zur unehrenhaften Entlassung der anderen aus der Armee, wenn nicht zu Freiheitsstrafen. Wahrscheinlich waren sie ohnehin übereingekommen, ihr gegenüber dichtzuhalten, und hätten auch alles abgeleugnet, was sie »Kinnbacke« erzählen mochte. *Warum* hatte Neil so darum gekämpft, sie nicht zu informieren? Und nicht nur Neil. Matt und Nuggett steckten ebenfalls dahinter.

Wie hatte Michael gesagt? Sie schlossen einen Pakt. Matts Frau und Kinder würden nicht hungern müssen. Nuggett würde sein Medizinstudium betreiben können, ohne dabei zu darben, gar kein Zweifel. Und Benedict brauchte nicht ins Irrenhaus. Michael und Neil . . . Sie hatten die Verantwortlichkeiten unter sich aufgeteilt. Aber was hatte Neil davon, wenn er das Geld für Matts Familie und Nuggetts Studium aufbrachte? Nichts – hätte sie noch vor zwei Wochen gesagt. Aber jetzt war sie dessen nicht mehr so sicher.

Neil, der keinen Schmerz mehr zu empfinden schien, der offenbar seine Zurückweisung mit solcher Ruhe zur Kenntnis nahm, daß sie zur Ansicht gelangen mußte, ihn könne nichts verletzen. Und wer hatte Michael jetzt diese antiquierten Vorstellungen von Klassenunterschieden vorgesagt? An diesen Strohhalm klammerte sie sich nur zu gern: Jemand hatte Michael so lange bearbeitet, bis dieser überzeugt war, er müsse sie aufgeben! Jemand? Neil!

5

DIE RÄUMUNG WAR GUT organisiert. Als sie mit ihren vier Männern zum Sammelplatz kam, wurden sie ihr rasch abgenommen. Da blieb kaum Zeit für eine kurze Umarmung und einen flüchtigen Kuß, und nachher konnte sie sich nicht einmal erinnern, wie Michael sie oder sie Michael angesehen hatte. Da es sinnlos schien, zu warten, um noch einen Blick zu erhaschen, schlüpfte sie durch die Reihen wartender Männer und Schwestern, die sie wie Herdenhunde umkreisten, und ging zurück zu Station X.

Es war ihre zweite Natur, sauberzumachen und aufzuräumen. Also ging sie durch den Saal, glättete die Laken, drapierte zum letzten Mal die Netze auf Oberschwesternart, öffnete die neben den Betten stehenden Nachttische und entfernte und faltete das Tischtuch des Eßtisches.

Danach ging sie in ihr Büro, streifte die Schuhe ab, ohne die Senkel zu öffnen, und setzte sich auf ihren Stuhl, die Beine untergeschlagen, was sie sich offiziell nie erlaubt hatte. Jetzt machte es nichts aus, niemand sah sie mehr. Auch Neil war weg. Ein gehetzter Sergeant mit einer Papptafel, an der mit Büroklammern Listen befestigt waren, informierte sie von Neils Abreise. Sie verstand noch immer nicht, auf welche Weise man sie reingelegt hatte, aber es war nun ohnedies zu spät, etwas zu unternehmen. Vielleicht war es besser, dem Anstifter der Verschwörung nicht gegenüberstehen zu müssen. Sie hätte zu viele peinliche Fragen stellen müssen.

Der Kopf sank ihr auf die Brust, und sie döste ein.

Etwa zwei Stunden später kam Neil in wiegendem Gang über das Gelände auf die Rückseite von Station X zu; er pfiff fröhlich und fühlte sich sichtlich wohl in seiner schick aussehenden Uniform, das Offiziersstöckchen lässig unter den Arm geklemmt. Leichtfüßig sprang er die Hintertreppe hoch und betrat das düstere, leblose Innere. Betroffen blieb er stehen. X war leer, die Leere sprang ihn förmlich an. Nach einer Weile geriet er wieder in Bewegung, nur weniger sicher, weniger fröhlich. Er öffnete die Tür seines Kämmerchens und erlebte einen weiteren Schock, denn sein Gepäck war fort. Keine Spur war von Troppo-Patient Neil Parkinson geblieben.

»Hallo?« drang Schwester Langtrys Stimme durch die dünne Wand. »Hallo? Wer ist da, bitte?«

Sie saß da mit untergeschlagenen Beinen, ohne würdevolle Haltung, ganz unprofessionell, mit der Seite zum Tisch, eine Stellung, die er nie bei ihr gesehen hatte. Und ihre Schuhe hatte sie einfach auf den Boden geschleudert. Der Raum war voll Zigarettenrauch, von ihren Zigaretten, die Zündholzschachtel lag für jeden sichtbar auf dem Schreibtisch. Es sah ganz so aus, als ob sie schon lange so säße.

»Neil!« sagte sie und starrte ihn an. »Ich dachte, Sie wären weg! Man sagte mir, Sie wären vor Stunden schon abgefahren.«

»Erst morgen. Und Sie?«

»Man hat mich einem nicht Gehfähigen zugeteilt, den ganzen Weg zurück – Brisbane oder Sydney, nehme ich an. Morgen oder übermorgen.« Sie wollte aufstehen. »Ich besorge Ihnen was zum Essen.«

»Bemühen Sie sich nicht, wirklich! Ich habe keinen Hunger. Ich bin nur froh, daß ich nicht schon heute fahren mußte.« Er tat einen lauten Seufzer. »Jetzt habe ich Sie endlich ganz für mich allein.«

Ihre Augen glitzerten. »Tatsächlich?«

Die Art, wie sie das sagte, bremste ihn etwas ab, doch er setzte sich, lehnte sich behaglich im Besucherstuhl zurück und lächelte. »Ja, das habe ich. Und gerade noch zur rechten Zeit. Eine kleine Mogelei war allerdings nötig, aber der Colonel ist immer noch sehr sensibel wegen des Whiskys, und so richtete er es ein, daß meine Abfahrt verschoben wurde. Und er hat mich gesundgeschrieben, was bedeutet, daß ich auf X nicht mehr Patient bin. Diese kommende Nacht bin ich hier bloß Mieter.«

Ihre Antwort war etwas rätselhaft. »Sie wissen, Neil, ich verabscheue den Krieg und was er uns allen angetan hat! Ich fühle mich so persönlich verantwortlich.«

»Nehmen wohl die Schuld der ganzen Welt auf sich, Schwester? Also ich bitte Sie!« schalt er sanft.

»Nicht der ganzen Welt, Neil. Nur den Anteil der Schuld, den Sie und die anderen mir vorenthalten haben«, sagte sie scharf und sah ihn an.

Lang und zischend zog er den Atem ein. »Also hat Michael sein verdammtes Maul doch nicht halten können.«

»Michael hat richtig gehandelt. Ich hatte ein Anrecht darauf, es zu wissen, und ich will es wissen. Alles, Neil. Was geschah *wirklich* in jener Nacht?«

Er zuckte die Achseln, verzog den Mund, als ob es nun darum ging, eine ziemlich langweilige Geschichte zu erzählen, die zu erzählen es sich nicht lohnte. Sie beobachtete ihn genau und stellte fest, daß die nun kahle Wand hinter ihm – die Zeichnungen hatte sie in ihrem Gepäck – sein Gesicht sehr deutlich hervortreten ließ.

»Also: Ich wollte noch was zu trinken haben und kehrte daher zum Whisky zurück«, sagte er und zündete sich eine Zigarette an, ohne ihr eine anzubieten. »Der Lärm, den Luce machte, weckte Matt und Nuggett, und sie beschlossen, mir beim Leeren der zweiten Flasche zu helfen. Damit hatte Ben Luce für sich allein. Luce war zu Bett gegangen. Ich fürchte, wir hatten ihn ganz vergessen. Oder wollten uns vielleicht nicht an ihn erinnern.«

Während er berichtete, standen ihm die Ereignisse jener Nacht wieder deutlich vor Augen, und sein Gesicht spiegelte den Schrecken wider, den er damals erlebt hatte.

»Ben suchte in seinem Seesack nach einem dieser verbotenen Souvenirs, die wir alle irgendwo im Gepäck verstaut haben – es war die Pistole eines japanischen Offiziers. Er zwang Luce, seine Rasierklinge zu nehmen, und marschierte mit ihm, die Pistole gegen seine Rippen drückend, ins Badehaus.«

»Ben hat euch erzählt, daß er mit Luce zum Badehaus gegangen ist?« fragte sie.

»Ja. Soviel brachten wir jedenfalls aus ihm raus. Was aber drin geschah, davon habe ich nur eine nebelhafte Vorstellung. Daran hat Ben auch nur sehr verschwommene Erinnerungen.« Er fiel in Schweigen.

»Und?« drängte sie.

»Wir hörten Luce schreien wie ein Schwein, das geschlachtet wird, vom Badehaus bis herüber schreien, schreien . . .« Er zog eine Grimasse. »Bis wir drüben waren, war es viel zu spät für Luce. Ein Rätsel, daß es sonst niemand gehört hat. Allerdings wehte der Wind in Richtung Palmwäldchen, und wir sind hier überhaupt etwas weit vom Schuß. Wir kamen zu spät – wie ich bereits sagte.«

»Haben Sie eine Vorstellung, wie Ben es bewerkstelligte?«

»Ich würde sagen, Luce hatte nicht den Mut, sich zu wehren; möglicherweise glaubte er nicht, was geschehen würde, bis es zu spät war. Diese Rasiermesser sind höllisch scharf . . . Nachdem Ben ihn mit vorgehaltener Pistole gezwungen hatte, das Messer zu öffnen und richtig in die Hand zu nehmen, packte er die Hand, und alles war vorüber. Ich sehe Luce vor mir, wie er vor Angst schreit und bibbert und nicht erkennt, was Ben vorhat, bis es geschehen ist. Man glaubt gar nicht, mit einem so scharfen Messer . . .«

Sie runzelte die Stirn und dachte nach.

»Aber seine Hand war nicht gequetscht oder abgeschürft«, warf sie ein. »Wäre sie das gewesen, hätte Major Menzies es entdeckt. Und Ben muß sehr fest zugegriffen haben.«

»So leicht ist eine Hand nicht abgeschnürt. Das ist anders als bei einem Arm. Und ob innerlich eine Quetschung vorlag, hat man nicht untersucht – wir sind hier schließlich nicht bei Scotland Yard, Gott sei Dank. Und es muß sehr rasch geschehen sein. Wir kennen Ben. Er muß lange darüber gebrütet haben, wie er Luce töten würde. Das war keine Eingebung des Augenblicks. Und doch hätte er es nie tun können, ohne als Mörder entdeckt zu werden, denn im Augenblick der Tat drehte er durch – irgendwie wurde er verrückt, ich weiß es nicht. Außerdem machte es ihm nichts aus, erwischt zu werden. Er wollte Luce in einer Weise erledigen, die ihn bis zum Ende bei Bewußtsein hielt. Er wollte, daß Luce die Verstümmelung seiner Genitalien mitansehen mußte.«

»War Luce tot, als ihr hinkamt?«

»Noch nicht. Damit retteten wir unsere Haut. Wir brachten Ben weg von Luce, bevor dieser im Todeskampf zu zucken begann; er umklammerte immer noch das Messer und vergoß Ströme von Blut. Große Arterien waren aufgerissen. Während also Matt Ben nach draußen nahm und auf ihn aufpaßte, machten Nuggett und ich sauber. Es dauerte nur ein paar Minuten. Was dauerte, war das Warten, bis Luce den letzten Atemzug getan hatte, denn wir wagten es nicht, ihn anzurühren.«

»Es *muß* euch doch der Gedanke gekommen sein, Hilfe

zu holen, zu versuchen, ihn zu retten«, sagte sie mit schmalen Lippen.

»Ach, meine Liebe, da war nicht mehr die leiseste Chance! Das können Sie mir glauben. Wenn wir ihn hätten retten können, wäre Ben nicht in einer so mißlichen Lage gewesen. Ich bin kein Arzt, aber ich bin Soldat. Ich gebe zu, ich habe Luce nie gemocht, aber es war die reine Hölle, dastehen zu müssen und mitanzusehen, wie der Mann starb!«

Mit grauem Gesicht beugte er sich vor, um die Asche von der Zigarette zu stippen, und beobachtete sie, wie sie dasaß, völlig geistesabwesend, Trauer in den Augen.

»Nuggett war bemerkenswert ruhig und gefaßt, wollen Sie mir das glauben? Da lebt man monatelang neben einem Menschen und weiß nicht, was in ihm vorgeht. Und in den Tagen danach sah es kein einziges Mal so aus, als würde er die Nerven verlieren.«

Er hatte sich entschlossen, die Zigarette auszudrücken.

»Das schlimmste war es, sicherzustellen, daß wir alles getan hatten, damit es wie Selbstmord aussah, daß wir nichts übersehen hatten, was zu Mordverdacht führen konnte . . . Jedenfalls, als wir fertig waren, führten wir Ben zum nächsten Badehaus, und während Matt Schmiere stand – er ist ein hervorragender Aufpasser, hört alles –, spritzten wir Ben mit einem Schlauch ab. Er war über und über mit Blut besudelt, aber Gott sei Dank nicht mit den Füßen in die Blutlache getreten. Ich fürchte, blutige Fußspuren hätten wir nicht beseitigen können. Seine Pyjamahose verbrannten wir. Erinnern Sie sich, beim Zählen der Wäsche fehlte ein Paar.«

»Wie ging's Ben?« fragte sie.

»War sehr ruhig und ganz ohne Reue. Ich glaube, er ist immer noch überzeugt, eine Christenpflicht erfüllt zu haben. Für ihn war Luce kein Mensch, sondern ein Dämon der Hölle.«

»Ihr habt also Ben gedeckt«, sagte sie kalt. »Ihr alle habt ihn gedeckt.«

»Ja, wir alle. Sogar Michael. Als Sie ihm sagten, daß Luce tot sei, muß er im selben Augenblick begriffen haben, was wirklich geschehen war. Mir tat Mike leid. Sie müssen gedacht haben, Luce sei von Michaels Hand gestorben, er war so verzweifelt, von Gewissensbissen geplagt. Sagte immer nur, er hätte nicht so selbstsüchtig sein, nicht bei Ihnen bleiben dürfen, es wäre seine Pflicht gewesen, bei Benedict zu bleiben.«

Kein Muskel regte sich in ihrem Gesicht. Da war ihr Anteil an der Schuld.

»Das sagte er auch mir. Daß er nicht hätte bei mir, sondern bei *ihm* bleiben müssen. Er . . . ihm! Er nannte nie den Namen! Ich glaubte, er meinte Luce.« Ihre Stimme brach, sie mußte sich erst wieder fassen, ehe sie weitersprechen konnte. »Es kam mir kein einziges Mal in den Sinn, daß er Benedict meinen könnte! Ich nahm an, er meint Luce und hat eine homosexuelle Beziehung zu Luce. Was habe ich nur alles getan, gesagt! Wie sehr habe ich ihm weh getan! Und was habe ich da für Mist gebaut! Mir wird übel, wenn ich nur daran denke.«

»Wenn er keinen Namen nannte, war Ihr Mißverständnis nur natürlich«, sagte Neil. »In seinen Papieren stand was von Homosexualität.«

»Wieso wissen Sie das?«

»Von Luce, über Ben und Matt.«

»Sie sind sehr, sehr clever, Neil. Sie wußten es, oder Sie errieten es, nicht wahr? Und Sie haben dafür gesorgt, daß die allgemeine Verwirrung noch größer wurde. Wie konnten Sie nur so etwas tun?«

»Was sollten wir Ihrer Meinung nach sonst tun?« fragte er, gebrauchte den Plural, statt den Singular. »Wir konnten doch Ben nicht einfach den Militärbehörden ausliefern! Luce war kein Verlust für die Welt, und Ben verdient es nicht, für den Rest seines Lebens in eine Anstalt gesperrt zu werden, nur weil er Luce getötet hat! Sie vergessen eines: Wir alle waren auf Station X und haben einen Vorgeschmack davon, wie das Leben in einer Nervenheilanstalt aussieht.«

»Ja, das verstehe ich alles«, sagte sie geduldig. »Aber das ändert nichts an der Tatsache, daß Sie das Gesetz in Ihre eigenen Hände genommen haben, daß Sie bewußt einen Mörder deckten und mich jeder Möglichkeit beraubten, die Sache in Ordnung zu bringen. Ich hätte ihn auf der

Stelle abführen lassen, wenn ich es gewußt hätte! Er ist gefährlich, ist das keinem von euch klar? Benedict gehört in ein Irrenhaus! Ihr hattet alle unrecht, und besonders Sie, Neil. Sie sind Offizier und kennen die Vorschriften, und man erwartet von Ihnen, daß Sie sich daran halten. Und wenn Sie Ihre eigene Krankheit als Entschuldigung gebrauchen, dann gehören auch Sie in eine Anstalt! Ohne meine Einwilligung habt ihr mich zur Komplizin gemacht, und wenn Michael nicht wäre, würde ich es nie erfahren haben. Ich habe Michael vieles zu danken, vor allem aber, daß er mir gesagt hat, wie Luce wirklich gestorben ist. Michaels Verhalten ist auch nicht ganz sauber, aber er steht hoch über euch anderen! Ich danke Gott, daß er es mir gesagt hat!«

Er warf sein Zigarettenetui so heftig auf die Tischplatte, daß es hochsprang und klirrend auf dem Boden aufschlug. Der Deckel sprang auf, die Zigaretten fielen heraus. Keiner von ihnen bemerkte es, sie waren zu sehr miteinander beschäftigt.

»Michael, Michael, Michael!« schrie er, das Gesicht krampfhaft verzerrt, Tränen in den Augen. »Immer und immer Michael! Wollen Sie um Gottes willen diese – diese Besessenheit, diese Leidenschaft für Michael endlich einmal ablegen? Michael dies, Michael das, Michael, Michael, Michael! Mir wird schon übel, wenn ich den Namen nur höre! Vom Moment an, als Sie ihn erblickten, haben Sie für niemanden mehr Zeit gehabt! *Und wir?* Wer waren wir?«

Wie damals bei der Auseinandersetzung mit Luce gab es keine Möglichkeit, zu entkommen. Sie saß da und verstand langsam, was für ein Klageschrei da aus tiefster Seele aufstieg, und ihr Zorn verflog.

Wild wischte er mit der Hand über seine Augen, kämpfte um seine Selbstbeherrschung, und als er sprach, versuchte er seiner Stimme einen ruhigen, vernünftigen Beiklang zu geben. O Neil, dachte sie, wie hast du dich gewandelt! Du bist innerlich gewachsen. Vor zwei Monaten hättest du solche Selbstdisziplin im Zustand höchster Erregung nie aufgebracht.

»Schauen Sie«, sagte er, »ich weiß, Sie lieben ihn. Sogar

Matt als Blinder hat das längst bemerkt. Also nehmen wir das als gegeben an und als Voraussetzung für alle unsere Überlegungen. Bevor Mike kam, gehörten Sie uns und wir Ihnen. Sie *kümmerten* sich um uns! Alles, was Sie hatten und was Sie waren, gaben Sie uns – um uns zu heilen, wenn Sie so wollen. Aber wenn man nicht gesund ist, kann man das nicht so objektiv sehen, sondern man nimmt es rein persönlich. Sie haben uns in Ihre Fürsorge eingehüllt! Und es wäre uns nie in den Sinn gekommen, anzunehmen, Sie könnten Ihr Herz anderswo lassen, nicht auf X und bei uns. Als Michael kam, war es so unübersehbar wie ein eiternder Daumen, daß ihm nichts fehlte. Für uns hieß das, daß Sie sich um ihn nicht zu kümmern brauchten. Statt dessen wandten Sie sich von uns ab und ihm zu. Sie ließen uns einfach im Stich. Und deshalb starb Luce. Luce mußte sterben, weil Sie sich in Michaels Gesundheit und Stärke verliebten! Und was glauben Sie, was wir anderen dabei empfanden?«

Sie wollte es herausschreien. Ich habe euch nicht im Stich gelassen! Ich habe nicht! Ich habe nicht! Alles, was ich wollte, war ein kleines bißchen für mich selber! Ja, man kann geben und geben und nie etwas nehmen, Neil! Und es schien so wenig zu sein. Meine Aufgabe auf Station X ging zu Ende. Und ich liebte ihn. O Gott, ich hab' so genug, immer nur zu geben und zu geben! Warum konntet ihr nicht so großmütig sein und mich auch etwas für mich haben lassen?

Aber sie sagte es nicht. Statt dessen sprang sie auf und wandte sich zur Tür, wollte irgendwohin, nur weg von ihm. Er packte sie am Handgelenk, riß sie herum und hielt sie eisern fest, nahm nun auch die andere Hand, drückte so brutal zu, daß sie jeden Widerstand aufgab.

»Sehen Sie?« sagte er ganz sanft, lockerte den Griff und strich mit den Fingern an ihren Armen hoch. »Ich hab' Sie jetzt viel stärker gehalten, als Ben wahrscheinlich Luce gehalten hat, und doch glaube ich nicht, daß Sie Abschürfungen haben.«

Sie sah ihm ins Gesicht. Er schien zugleich ernst und abwesend, als ob er ihre Gefühle kannte und sie dafür nicht tadeln wollte. Aber er wirkte auch wie einer jener Priesterkönige in alten Zeiten, entschlossen, alles zu ertragen, um alles zu Ende zu führen.

Vor diesem Gespräch hatte sie nie begriffen, was für ein Mensch Neil war, wieviel Leidenschaft und Entschlossenheit in ihm steckten. Und auch nicht, wie tief seine Gefühle für sie waren. Vielleicht hatte er seine Verletztheit zu geschickt verborgen, vielleicht auch hatte die Beschäftigung mit Michael es ihr zu leicht gemacht, sich einzureden, Neil sei durch ihre Zurückweisung nicht schwer getroffen. Doch er war getroffen. Was ihn nicht abgehalten hatte, der Bedrohung durch Michael entgegenzutreten. Er hatte nicht aufgegeben. Bravo, Neil!

»Es tut mir leid«, sagte sie, und es klang wie eine Feststellung. »Ich werde nicht die Hände ringen oder vor Ihnen auf die Knie fallen. Aber es *tut* mir leid. Mehr, als Sie vielleicht glauben. Und es tut mir auch leid, daß ich mich zu rechtfertigen suche. Alles, was ich dazu sagen kann, ist, daß wir, die wir uns um euch, die Patienten, zu kümmern haben, ebenso blind und mißgeleitet sein können wie jeder, der je durch die Tür von Station X gegangen ist. Ihr dürft mich nicht für eine Göttin halten, die unfehlbar ist. So etwas bin ich nicht. Keiner von uns ist es!« Ihre Augen füllten sich mit Tränen. »Dabei wünsche ich mir, eine zu sein.«

Er umarmte sie leicht, küßte sie auf die Stirn und ließ sie wieder los. »Nun, es ist vorbei, und Sie kennen ja den alten Spruch: Selbst Gott kann aus Rührei kein ganzes Ei mehr machen. Ich fühle mich jetzt besser, weil ich mein Teil sagen konnte. Aber auch mir tut es leid. Es tut mir weh, feststellen zu müssen, daß ich Ihnen weh tun kann, obwohl Sie mich nicht lieben.«

»Ich wünschte, ich könnte Sie lieben«, sagte sie.

»Aber Sie können es nicht. Das ist nun einmal so. Sie sahen mich immer so, wie ich war, als ich auf Station X kam, und das schuf zwischen uns eine Beziehung Betreuerin–Betreuter, die ich nicht auslöschen konnte, auch wenn es nie einen Michael gegeben hätte. Sie verfielen ihm, weil er von Anfang an ein ganzer Mann für Sie war. Er versteckte sich nie, erging sich nicht in Selbstmitleid und warf nie seine Männlichkeit ab. Sie brauchten nicht seine Hosen zu wechseln, seinen Dreck zu säubern oder seinen ermüdenden Klagelitaneien zuzuhören – denselben Klagen, die Sie vorher außer von mir schon von zwei Dutzend anderen gehört hatten.«

»Oh, bitte!« rief sie. »Ich habe nie, nie so darüber gedacht! Und ich habe auch über Sie nicht so gedacht!«

»Genauso denke ich heute über mich, wenn ich in die Vergangenheit zurückblicke. Ich *kann* das jetzt – zurückblicken. Und damit bekomme ich ein klareres Bild von mir, als Sie je bereit wären, mir zu skizzieren. Aber wie Sie wissen, bin ich geheilt. Von da, wo ich jetzt stehe, sehe ich nicht mehr, wie es überhaupt so weit kommen konnte.«

»Das ist gut«, sagte sie und ging zur Tür. »Neil, bitte, können wir es dabei belassen und Abschied nehmen? Jetzt gleich? Und können Sie diesen raschen Abschied als das nehmen, was er ist – nicht als Zeichen der Abneigung, der Zurückweisung oder fehlender Liebe? Heute ist ein Tag, dessen Ende ich herbeisehne. Und er sollte nicht mit Ihnen enden. Ich werde Sie nicht mehr wiedersehen, jetzt, wo kein Grund mehr vorliegt, bei Ihnen Nachtwache zu halten. Station X gibt es nicht mehr.«

Er begleitete sie hinaus auf den Korridor. »Dann werde ich eben selber bei mir Nachtwache halten. Wenn es Ihnen je danach sein sollte, mich zu treffen, dann finden Sie mich in Melbourne. Meine Adresse steht im Telefonbuch. Ich habe so lange gebraucht, die richtige Frau zu finden. Ich bin jetzt siebenunddreißig, und es ist nicht sehr wahrscheinlich, daß ich meine Meinung in dieser Hinsicht allzu rasch ändere.« Er lachte. »Wie könnte ich Sie je vergessen? Ich habe Sie nie geküßt.«

»Dann küssen Sie mich jetzt«, sagte sie, und fast liebte sie ihn jetzt. Fast.

»Nein. Sie haben recht. Station X gibt es nicht mehr, aber der Leichnam ist noch nicht kalt. Was Sie mir anbieten, ist eine Gunstbezeigung, und ich will keine Gunstbezeigungen.«

Sie streckte die Hand aus. »Leben Sie wohl, Neil. Und viel Glück. Ich bin sicher, Sie werden es haben.«

Er nahm die dargebotene Hand, schüttelte sie herzlich,

dann hob er sie zu sich empor und drückte einen Kuß darauf. »Leben Sie wohl, Schwester. Und vergessen Sie nicht – ich stehe im Telefonbuch von Melbourne.«

Ein letzter Gang von Station X quer über das Gelände. Man hatte nie wirklich gedacht, es würde einmal soweit sein, auch als man es herbeisehnte. Als sei Stützpunkt 15 das Leben selbst. Nun war es vorbei. Und hatte mit Neil geendet, was nur passend war. Welch ein Mann. Doch sie sah, wie wahr seine Worte waren, daß er das Rennen mit einem Handikap begonnen habe. Sie hatte in ihm tatsächlich den Patienten gesehen. Und ihn mit dem Rest in einen Topf geworfen. Bedauernswert, traurig, schwach . . . Daß er nun nichts mehr von dem war, stimmte sie froh. Er deutete an, daß er seine Heilung den Umständen auf X in den letzten Wochen verdanke, doch das stimmte nicht. Seine Heilung kam aus ihm selbst. Jede Heilung kam aus dem Patienten selbst. So konnte sie diesen Weg über das Gelände im Bewußtsein gehen, daß Station X trotz allem Kummer, aller Schmerzen und aller Schrecken einem guten Zweck gedient hatte.

Neil hatte es nicht einmal für nötig befunden, sie zu fragen, ob sie noch etwas unternehmen wollte in der Sache mit Ben, da sie das Verhalten der Männer ja nicht für richtig hielt. Dazu war es jetzt viel zu spät. Gott sei Dank, Michael hatte es ihr gesagt. Das Wissen nahm ihr ein wenig von der Last der Schuld, die sie durch die Vernachlässigung ihrer Pflichten ihnen gegenüber auf sich geladen hatte. Wenn sie dachten, sie hätte sie betrogen, indem sie sich Michael zuwendete, dann wußte sie jetzt, daß auch sie von ihnen betrogen worden war. Sie würden mit dem Tod von Luce Daggett leben müssen. Ebenso wie sie. Neil hatte nicht gewollt, daß man es ihr sagte, weil er fürchtete, ihr Eingreifen werde Michael von seiner Verantwortung befreien, und weil er wirklich wünschte, daß ein Teil der Schuld an ihr haften blieb. Zur Hälfte gut, zur Hälfte schlecht. Zur Hälfte er, zur Hälfte nicht er. Ein normaler Mensch.

Sieben

1

Als Schwester Langtry in Yass aus dem Zug stieg, war niemand da, der sie abholte, was sie nicht beunruhigte, da sie ihre Familie von ihrer Ankunft nicht benachrichtigt hatte. Sie liebte sie, ja, aber das Wiedersehen sollte nicht in der Öffentlichkeit stattfinden. Das hier war eine Rückkehr in ihre Kindheit, und diese Kindheit schien ferner denn je. Wie würden sie sie aufnehmen, was von ihr denken? Sie hatte den Augenblick des Wiedersehens jedenfalls aufgeschoben. Der Besitz ihres Vaters lag nicht weit außerhalb der Stadt; irgend jemand würde sie im Auto mitnehmen.

Das geschah dann auch, aber der sie mitnahm, war ihr unbekannt, und so konnte sie sich einfach im Sitz zurücklehnen und die Fahrt von 20 Kilometern schweigend genießen. Bis sie hinkam, würden sie's bereits wissen, denn der Stationsvorsteher hatte sie mit offenen Armen empfangen, er hatte jemanden für sie aufgetrieben, der sie mitnahm, und er hatte zweifellos bei ihr zu Hause angerufen und mitgeteilt, sie sei auf dem Wege.

Sie waren alle auf der Veranda versammelt und warteten. Der Vater, fülliger und kahler; die Mutter unverändert; ihr Bruder Jan, die jüngere, schlankere Ausgabe des Vaters. Umarmungen, Küsse, einander in Augenschein nehmen, Erklärungen und Sätze, die nicht zu Ende gesprochen werden, weil man einander ins Wort fällt.

Erst nach einem üppigen Abendessen verhielten sich alle wieder einigermaßen normal. Charlie Langtry und sein Sohn gingen zu Bett; ihr Arbeitstag begann um vier Uhr früh. Faith Langtry folgte ihrer Tochter ins Schlafzimmer, um dort zu sitzen und ihr beim Auspacken zuzusehen. Und mit ihr zu plaudern.

Das Zimmer war hübsch, wenn auch schlicht eingerichtet. Es war jedoch geräumig und durchaus nicht mit billigen Möbeln ausgestattet. Weder bei den Farben noch bei den Tapeten hatte man sich besondere Mühe gemacht, doch das große Bett war bequem, und ebenso der mit Chintz bezogene Lehnsessel, auf dem Faith Langtry Platz genommen hatte. Als Arbeitsplatz dienten ein alter Tisch mit Hochpolitur und ein geschnitzter Stuhl; dann gab es da noch einen riesigen Kleiderschrank, einen Standspiegel und einen weiteren Lehnsessel.

Während Schwester Langtry zwischen Schrank, Schubladen und Koffern hin- und herpendelte, saß ihre Mutter still da und gab sich ganz dem Erlebnis hin, ihre Tochter zum erstenmal seit Jahren wieder vor sich zu sehen. Natürlich hatte es in den Jahren des Armeedienstes Heimaturlaube gegeben, doch ihre kurze Dauer, das Gefühl, die Zeit laufe einem davon, hatten verhindert, daß wirkliche und dauerhafte Eindrücke entstanden. Jetzt war es anders. Faith Langtry konnte ihr Kind ansehen, ohne daran denken zu müssen, wie der Plan für den nächsten Tag aussah oder wie sie sich nach ihrem Besuch mit ihrer Abwesenheit abfinden würde, einer Abwesenheit, die noch dazu für die Abwesende mit Lebensgefahr verbunden war. Jan hatte nicht einrücken können; er wurde in der Landwirtschaft gebraucht. Ich hätte nie angenommen, dachte Faith Langtry, daß es meine Tochter sein würde, die ich einmal in den Krieg schicken muß. Meine Erstgeborene. Das Geschlecht ist nicht so wichtig, es macht keine so großen Unterschiede, wie früher einmal.

Jedesmal, wenn sie heimkam, waren Veränderungen an ihr festzustellen, vom leichten Gelbton der Haut angefangen bis zu den kleinen Ticks und Gewohnheiten, die sie zur Erwachsenen, zum selbständigen Menschen machten. Sechs Jahre. Gott wußte, was diese sechs Jahre alles enthalten haben mochten, denn die Tochter wollte nie über den Krieg reden, wenn sie heimkam, und wich jeder Frage aus. Wie dem auch war, Faith Langtry stellte nun fest, daß ihre Tochter sich von dem Platz, der ihre Heimat war, gleichsam bis hin zum Mond entfernt hatte.

Sie war dünn; aber das war zu erwarten gewesen. Sie

hatte Falten im Gesicht, wenn auch kein einziges graues Haar, Gott sei Dank. Sie hatte Festigkeit ohne Härte, war sehr bestimmt in ihrem Handeln, in sich zurückgezogen, ohne sich von der Außenwelt abzuschließen. Sie war keine Fremde, aber ein völlig anderer Mensch als früher.

Wie froh waren sie doch gewesen, als sie sich entschloß, anstelle eines Medizinstudiums die Schwesternausbildung zu absolvieren. Dabei hatten sie in erster Linie an die Leiden gedacht, die ihrer Tochter dadurch erspart bleiben würden. Doch wenn sie Medizin studiert hätte, wäre sie zu Hause geblieben, und jetzt, nach allem, fragte Faith sich, ob ihrer Tochter nicht damit auch so manches Leid erspart geblieben wäre.

Sie packte eben ihre Medaillen aus – kurios, eine Tochter zu haben, die den Empire-Orden verliehen bekommen hatte! Charlie und Jan würden stolz auf sie sein!

»Davon hast du mir nie was gesagt«, sagte Faith ein wenig vorwurfsvoll.

Schwester Langtry schaute überrascht auf. »Wirklich nicht? Muß ich glatt vergessen haben. Es ging damals rund bei uns. Und ich mußte meine Briefe rasch hinkritzeln. Die Verleihung ist jedenfalls erst vor kurzem bestätigt worden.«

»Hast du Fotos von dort, Liebling?«

»Müssen irgendwo welche sein«, Schwester Langtry suchte in einer Tasche und brachte zwei Briefumschläge zum Vorschein; einer davon war größer als der andere. »Da sind sie schon.« Sie kam herüber und setzte sich auf den zweiten Lehnsessel, griff nach ihren Zigaretten.

»Das sind Sally, Teddy, Wilma und ich . . . Das ist der Chef in Lae . . . Ich in Darwin vor der Abfahrt, weiß nicht mehr, wohin . . . Moresby . . . Das Pflegepersonal auf Morotai . . . Eine Ansicht von Station X . . .«

»Wie gut dir das Käppi steht!«

»Ist bequemer als der Schleier, wahrscheinlich deshalb, weil man es abnehmen kann, kaum daß man ein Gebäude betritt.«

»Was ist in dem anderen Umschlag? Andere Bilder?«

Schwester Langtrys Hand zögerte, als ob sie sich nicht sicher sei, ob sie den Inhalt des zweiten preisgeben sollte.

Doch dann öffnete sie ihn. »Nein, keine Fotos. Einige Bleistiftporträts von Patienten auf Station X – mein letztes Kommando, wenn ich es so nennen darf.«

»Sehr gut gemacht«, sagte Faith, sah jedes einzelne genau an und legte, wie Schwester Langtry mit Erleichterung registrierte, das Bild Michaels beiseite, ohne ihm besondere Bedeutung beizumessen. Wie sollte sie auch? Komisch, daß sie erwartet hatte, ihre Mutter würde in dem Bild das sehen, was sie bei jenem ersten Zusammentreffen mit Michael auf dem Korridor von X gesehen hatte.

»Wer hat sie gezeichnet?« fragte Faith, sie auf den Tisch legend.

»Der da«, sagte Schwester Langtry, blätterte sie durch und legte Neils Bildnis obenauf. »Neil Parkinson. Seines ist nicht gelungen. Er scheiterte kläglich, als es darum ging, sich selbst zu zeichnen.«

»Aber es ist gut genug, um mich an jemanden zu erinnern. Ich habe den Mann schon irgendwo gesehen. Wo kommt er her?«

»Melbourne. Ich glaube, sein Vater ist ein ziemlich hohes Tier.«

»Longland Parkinson!« sagte Faith triumphierend. »Also habe ich auch den hier schon einmal getroffen. Beim Melbourne-Cup 1939. Er war zusammen mit seinen Eltern da, in Uniform. Ich habe Frances – seine Mutter – bei verschiedenen Gelegenheiten in Melbourne getroffen.«

Wie hatte Michael gesagt? Daß sie in ihrer Welt nur Männer wie Neil kennenlernte und nicht solche wie ihn. Eigenartig. Sie würde Neil irgendwann kennengelernt haben. Wenn nicht der Krieg dazwischengekommen wäre.

Faith ging den Stoß nochmals durch, fand das Bild, das sie gesucht hatte, und legte es auf das von Neil. »Und *wer* ist das? Dieses Gesicht! Dieser Ausdruck in den Augen!« Sie schien wie gebannt. »Ich weiß nicht, ob ich ihn mag, aber das Gesicht ist faszinierend.«

»Sergeant Lucius Daggett. Luce. Er wurde – beging Selbstmord kurz vor der Auflösung von Stützpunkt 15.« O Gott, fast hätte sie gesagt, daß er umgebracht worden war.

»Armer Kerl. Was kann ihn in den Tod getrieben haben?

Er sieht so – nun erhaben aus.« Faith gab ihr die Zeichnung zurück. »Welcher von ihnen war dir am liebsten?«

Die Versuchung war zu groß. Schwester Langtry holte das Bild von Michael hervor und zeigte es ihrer Mutter. »Dieser da. Sergeant Michael Wilson.«

»Tatsächlich?« fragte Faith und sah ihre Tochter zweifelnd an. »Nun, du kanntest sie alle in persona. Netter Kerl, soviel kann ich sehen . . . Sieht aus wie ein Streckenarbeiter.«

Bravo, Michael! dachte Schwester Langtry. Da spricht die reiche Schafzüchterfrau, die Leute wie Neil Parkinson beim Rennen trifft und instinktiv Angehörige ihrer Schicht erkennt, auch ohne ein Snob zu sein. Und Mutter war kein Snob.

»Er ist ein Milchbauer«, sagte sie.

»Spricht für das Land, das er hat.« Faith seufzte, streckte sich. »Bist du müde, Liebling?«

»Nein, Mama, kein bißchen.« Schwester Langtry legte die Zeichnungen neben ihrem Sessel auf den Boden und zündete sich eine Zigarette an.

»Noch immer keine Heirat in Sicht?« fragte Faith.

»Nein«, sagte Schwester Langtry lächelnd.

»Nun, immer noch besser, eine alte Jungfer zu werden, als aus den falschen Gründen zu heiraten.«

Das hatte sie mit solch ironischer Geziertheit gesagt, daß ihre Tochter in Gelächter ausbrach.

»Ganz deiner Meinung, Mama.«

»Ich nehme an, du gehst wieder in deinen Beruf zurück?«

»Ja.«

»Wieder ans Prinz Alfred?« Sie fragte erst gar nicht, ob die Wahl ihrer Tochter auf das kleine Yass-Krankenhaus fallen würde. Sie hatte immer leistungsfähigere Arbeitsstätten vorgezogen.

»Nein«, sagte Schwester Langtry; sie wollte nicht weitersprechen.

»Nun, wohin dann?«

»Ich gehe an einen Ort, der Morisset heißt, und lasse mich dort für die Betreuung Geisteskranker ausbilden.«

Faith Langtry machte große Augen. »Du machst Witze!«

»Nein.«

»Aber – aber das ist doch lächerlich! Du bist schon älter. Du kannst mit deiner Erfahrung überallhin gehen. *Betreuung von Irren!* Guter Gott, du hättest dich ebensogut als Gefängniswächterin bewerben können! Da ist man wenigstens besser bezahlt!«

Schwester Langtrys Mund verhärtete sich. Ihre Mutter sah nun sehr deutlich, welche Kraft und Entschlossenheit in der jungen Frau steckten, die so gar nicht mehr das war, was sie sich unter ihrer Tochter vorgestellt hatte.

»Das genau ist der Grund, warum ich Geisteskranke betreuen will«, sagte sie. »Die letzten eineinhalb Jahre habe ich Männer betreut, die seelische Störungen hatten, und ich habe entdeckt, daß diese Arbeit mir mehr gefiel als jede andere Art der Krankenpflege. Leute wie ich sind gesucht, weil Leute wie du allein schon beim Gedanken daran einen Schreck kriegen, und auch aus anderen Gründen! Schwestern an Nervenheilanstalten haben einen so niederen Status, daß man fast ein Stigma trägt, wenn man zu ihnen gehört. Wenn also Leute wie ich sich nicht für diese Tätigkeit bereitstellen, dann wird diese Sparte sich nie weiterentwickeln. Als ich im Gesundheitsministerium anrief, um Informationen über die Ausbildung von Schwestern an Nervenheilanstalten einzuholen, da hielten die mich für bekloppt! Ich mußte zweimal hinfahren, um sie zu überzeugen, daß ich als Schwester mit langjähriger Berufserfahrung wirklich Interesse hatte, an einer Nervenheilanstalt zu arbeiten. Sogar für die Leute im Gesundheitsministerium, die auch die Nervenheilanstalten in ihrem Ressort haben, ist man als Schwester an einer solchen Anstalt nichts anderes als Irrenwächterin.«

»Genau das wirst du auch sein«, sagte Faith.

»Wenn ein Patient einmal den Eingang einer Nervenheilanstalt durchschritten hat, wird er ihn wahrscheinlich nie mehr in anderer Richtung passieren«, versuchte Schwester Langtry zu erklären. Ihre Stimme bebte. »Die Männer, die ich zu betreuen hatte, waren bei weitem nicht so krank, und dennoch gab es genug Vergleichsmöglichkeiten, die mich erkennen ließen, daß Leute wie ich gebraucht werden.«

»Das klingt ja so, als wolltest du Buße tun oder das Heil einer neuen Religion verkünden! Was immer du im Krieg erlebt hast, es kann dein Urteilsvermögen nicht so sehr getrübt haben!«

»Vermutlich klingt es, als wäre ich von Missionseifer getrieben«, sagte Schwester Langtry nachdenklich und zündete sich eine neue Zigarette an. »Aber so ist es nicht. Auch tu' ich nicht Buße für etwas. Und ich werde nicht zulassen, daß jemand sagt, mein heißer Wunsch, einen Beitrag dazu zu leisten, daß den Geisteskranken ihr Los erleichtert wird, sei ein Anzeichen für meine eigene geistige Labilität!«

»Aber ist ja gut, Liebling«, sagte Faith beschwichtigend. »Es war mein Fehler, etwas dieser Art anklingen zu lassen. Aber nun geh nicht gleich wieder hoch, wenn ich dich frage, ob dabei was Konkretes für dich herausschaut, etwa ein weiteres Zeugnis.«

Schwester Langtry lachte; ihr Ärger verflog. »Ich fürchte sehr, da schaut nichts dabei für mich heraus, Mama. Es gibt keinen offiziellen Kursus dafür, also auch kein Zeugnis, nichts. Wenn meine Ausbildung vorbei ist, bin ich nicht mehr Schwester, sondern ganz gewöhnliche Pflegerin und kann es höchstens noch zur Oberpflegerin bringen.«

»Wie hast du das alles rausbekommen?«

»Ich habe mit der Stationsschwester von Callan Park gesprochen. Dorthin wollte ich ursprünglich gehen, doch nachdem wir uns eine Weile unterhalten hatten, gab sie mir den dringenden Rat, nach Morisset zu gehen. Die Ausbildung dort ist gleich gut, wie es scheint, dafür ist das Arbeitsklima besser.«

Faith stand auf und begann, auf und ab zu gehen. »Morisset. Das ist in der Nähe von Newcastle, nicht wahr?«

»Ja, in Richtung Sydney. Etwa achtzig Kilometer von Sydney entfernt, was bedeutet, daß ich nach Sydney abhauen kann, wenn ich Ablenkung brauche, und die werd' ich oft genug brauchen. Du weißt, ich seh' nie etwas durch die rosarote Brille. Es wird hart werden, besonders wenn man wieder Anfängerin ist. Aber, Mama, glaub mir, ich bin lieber Anfängerin und lerne was Neues, als daß ich als

Altgediente vor allen, von der Oberschwester angefangen über die Ärzte bis zum Primar, katzbuckle und alle fünf Minuten einen Hürdenlauf über irgendwelche Regeln und Vorschriften machen muß. Ich kann nach dem Leben, das ich geführt habe, die Formalitäten und das Geschwätz einfach nicht mehr ertragen.«

Faith griff nach Schwester Langtrys Zigarettenpackung, nahm sich eine Zigarette und zündete sie an.

»Mama! Du rauchst?«

Faith lachte, bis ihr die Tränen kamen. »Oh, es ist geradezu beruhigend, daß du noch Vorurteile hast! Ich glaubte schon, ich hätte eine Suffragette in die Welt gesetzt. Du rauchst wie ein Schlot. Warum sollte ich nicht auch?«

Schwester Langtry stand auf, ging zu ihrer Mutter und drückte sie an sich. »Du hast ganz recht. Setz dich und laß sie dir schmecken! Egal, wie gescheit man zu sein glaubt, die Eltern bleiben für einen gottähnliche Wesen. Keine menschlichen Fehler, keine menschlichen Begierden. Entschuldige.«

»Entschuldigung angenommen. Charlie raucht, Jan raucht, du rauchst. Ich mußte feststellen, daß man mich hatte draußen in der Kälte stehenlassen. Ich trinke jetzt auch. Jeden Abend vor dem Abendessen nehme ich mit Charlie einen Whisky, und es ist sehr angenehm.«

»Und auch sehr kultiviert«, sagte Schwester Langtry lächelnd.

»Nun, ich hoffe nur, es kommt alles so, wie du es dir erhoffst, Liebling«, sagte Faith und paffte tüchtig. »Wenn ich auch zugeben muß, daß mir lieber wäre, man hätte dich nie auf einer Troppo-Abteilung stationiert.«

Schwester Langtry erwog genau, was sie nun sagte. »Mama, selbst zu dir kann ich nicht über die Dinge reden, die geschahen, als ich Troppos betreute, und ich glaube nicht, daß ich jemals darüber reden kann. Nicht deine Schuld, sondern meine. Aber manche Dinge gehen tief. Sie schmerzen einen zu sehr. Ich unterdrücke sie nicht, gar nicht. Es ist nur so, daß niemand es versteht, der nicht weiß, was für eine Welt Station X war. Und das verständlich zu machen . . . dazu hab' ich nicht die Kraft. Es würde mich umbringen. Und doch – so viel kann ich dir sagen:

Ich weiß nicht, warum ich diesen Gedanken habe, aber ich bin ganz sicher, daß ich mit Station X noch nicht zu Ende bin. Sie kommt noch einmal auf mich zu, und als ausgebildete Schwester für seelisch Erkrankte bin ich dann besser gerüstet für das, was auf mich zukommt.«

»Was könnte auf dich zukommen?«

»Ich weiß es nicht. Ich hab' da schon einige Ideen, aber es fehlen die Fakten.«

Faith drückte ihre Zigarette aus, erhob sich und beugte sich hinab, um ihre Tochter zärtlich zu küssen. »Ich sag' jetzt gute Nacht, Liebling. Es ist schön, dich zu Hause zu haben! Wir haben uns genug gesorgt, als wir nicht wußten, wo du genau warst und wie nahe der Front das war. Nach solchen Sorgen bist du als Pflegerin von Geisteskranken die reinste Erholung.«

Sie ging aus dem Schlafzimmer ihrer Tochter hinüber in ihr eigenes und schaltete unbarmherzig die Nachttischlampe an. Der helle Schein flutete über das Gesicht ihres schlafenden Gatten. Er zog eine Grimasse, brummte und drehte sich weg. Sie ließ das Licht an, kletterte ins Bett, lehnte sich schwer gegen seine Schulter, schlug ihm mit der flachen Hand mehrmals auf die Wange und rüttelte ihn mit der anderen Hand.

»Charlie, wenn du nicht aufwachst, ermorde ich dich!« sagte sie.

Er öffnete die Augen, setzte sich auf, fuhr sich mit den Fingern durch die spärlichen Haarsträhnen und gähnte. »Was ist los?« fragte er. Er kannte sie zu gut, um ärgerlich zu sein. Faith weckte ihn nicht ohne Ursache.

»Es ist wegen unserer Tochter«, sagte sie, und ihr Gesicht war in Kummerfalten gezogen. »Oh, Charlie, ich hab's nicht gewußt bis vorhin, in ihrem Zimmer!«

»Was nicht gewußt?« Jetzt war er ganz wach.

Aber sie brachte kein Wort heraus, Kummer und Angst überkamen sie, und sie weinte lange und bitterlich.

»Sie ist weg und kommt nie wieder zurück«, sagte sie, als sie wieder sprechen konnte.

Er wurde merklich steif. »Sie ist weg? Wohin?«

»Nicht körperlich. Ihr Körper ist da. Tut mir leid, ich wollte dich nicht erschrecken. Ihre Seele hält es nicht mehr hier. O Gott, Charlie, wir sind solche *Kinder* im Vergleich zu ihr! Es ist schlimmer, als wenn wir eine Nonne zur Tochter hätten – denn wenn du eine Tochter hast, die Nonne ist, dann weißt du wenigstens, daß sie in Sicherheit ist, daß sie von der Welt unberührt geblieben ist. Aber an ihr kleben die Spuren der Welt, und doch hat sie diese Welt satt. Ich weiß nicht, ob das richtig ist, was ich sage, du mußt selber mit ihr reden und dich selbst von dem überzeugen, was ich meine. Ich habe zu rauchen und zu trinken angefangen, aber das sind wenigstens Laster. Unsere Tochter hat alle Sorge dieser Welt auf sich genommen, und das kann kein Mensch ertragen. Du wirst nicht wollen, daß dein Kind leidet.«

»Das ist der Krieg«, sagte Charlie Langtry. »Wir hätten sie nicht gehen lassen dürfen.«

»Sie hat uns nicht einmal um Erlaubnis gefragt, Charlie. Warum hätte sie auch? Sie war fünfundzwanzig, als sie in die Armee eintrat. Eine erwachsene Frau, dachte ich damals, alt genug, um es zu überleben. Ja, es ist der Krieg.«

2

ALSO LEGTE SCHWESTER LANGTRY den Schleier ab, setzte eine Kappe auf und wurde Pflegerin Langtry an der Nervenheilanstalt von Morisset. Das riesige, weitläufige Gelände mit seinen zahlreichen, über viele Hektar Land verstreuten Gebäuden befand sich in einer der lieblichsten Gegenden, die sich finden lassen. Rundum weit ins Land reichende, seenartige Meeresbuchten, dahinter dicht mit Regenwäldern bedeckte Berge, fruchtbares Hügelland und die nahe Brandung des Ozeans.

Zuerst befand sie sich in einer eigenartigen Lage, denn niemand in Morisset hatte je von einer ausgebildeten Krankenschwester gehört, die alles aufgab, was sie beruflich erreicht hatte, um sich als Pflegerin in dieser Anstalt ausbilden zu lassen. Viele ihrer Ausbildungskolleginnen waren zumindest gleichaltrig, manche hatten in der Armee gedient. Diese Art von Tätigkeit interessierte ältere Personen mehr als junge Mädchen, doch Schwester Langtrys Status machte sie zur Außenseiterin. Jeder wußte, daß die Stationsschwester ihr gesagt hatte, sie könne das Oberpflegerinnenexamen nach zwei statt nach drei Jahren machen, und jeder wußte auch, daß die Stationsschwester sie nicht nur respektierte, sondern auch schätzte. Es gab das Gerücht, sie habe im Krieg harte Pflegerinnenarbeit geleistet und dafür den Empire-Orden erhalten, und das blieb auch Gerücht, denn Pflegerin Langtry machte nie eine Bemerkung über diese Zeit.

Es dauerte sechs Monate, bis sie jeden davon überzeugt hatte, daß sie weder eine Art Buße ableistete, noch für irgendeine geheimnisvolle Agentur in Sydney Schnüffelarbeit leistete, noch selbst ein Fall für den Nervenarzt war. Und nach sechs Monaten wußte sie auch, daß die ausbildenden Oberpflegerinnen sie mochten, weil sie hart arbeitete, effizient arbeitete, nie krank war und bei vielen Gelegenheiten bewies, daß ihre Schwesternausbildung an einem Ort wie Morisset ein Segen war, denn die Handvoll Ärzte konnte nicht annähernd alle Patienten hinsichtlich ihrer physischen Leiden, die zu den seelischen Leiden hinzukamen, im Auge behalten. So konnte Pflegerin Langtry eine Lungenentzündung im Anfangsstadium erkennen und richtig behandeln und war auch geschickt genug, ihr Wissen anderen zu vermitteln. Sie erkannte Bläschenausschlag, Tuberkulose, akute Baucherkrankungen, Infektionen des inneren und des Mittelohres, eitrige Angina und all die anderen Leiden, die die Patienten befielen. Auch konnte sie eine Verstauchung von einem Bruch unterscheiden, Erkältung von Heufieber und eine Migräne von Kopfschmerzen. Und alles das machte sie äußerst wertvoll.

Die Arbeit war nervenaufreibend. Es gab nur zwei Schichten, die Tagschicht von 6.30 morgens bis 6.30 abends und die Nachtschicht für die restlichen zwölf Stunden. Die meisten Stationen beherbergten zwischen sechzig und hundertzwanzig Patienten, hatten keinerlei Bedienungspersonal und nur drei bis vier Pflegerinnen, die Oberpflegerin inbegriffen. Jeder Patient mußte täglich gebadet werden, und das bei meist nur einer Badewanne und einer Dusche je Station. Das gesamte Reinemachen, vom Waschen der Wände und Lampen bis zum Säubern des Fußbodens, fiel in den Aufgabenbereich der Pflegerinnen. Die Heißwasseraufbereitung erfolgte auf jeder Station mit Hilfe eines mit Koks beheizten Boilers, den die Pflegerinnen zu bedienen hatten. Die Pflegerinnen kümmerten sich um die Bekleidung der Patienten, vom Waschen bis zum Ausbessern. Das Essen wurde zwar in der Zentralküche zubereitet, dann jedoch in Behältern angeliefert, was bedeutete, daß es aufgewärmt, portioniert oder vorgeschnitten werden mußte, ebenfalls Aufgabe der Pflegerinnen, die noch dazu häufig den Nachtisch zubereiteten oder auf der Station das Gemüse dünsteten. Das Geschirr wurde auf der Station gespült. Für Patienten, die auf Diät gesetzt waren, mußten die Pflegerinnen das Essen auf der Station kochen, da es so etwas wie eine Diätküche nicht gab, geschweige denn einen Diätkoch.

Drei oder vier Schwestern ohne sonstige Hilfe, die mindestens sechzig Patienten, manchmal auch doppelt so viele, zu betreuen hatten, konnten nicht hoffen, je mit allem fertig zu werden, was zu tun war, wie intensiv sie auch arbeiteten. Also mußten, wie auf Station X, auch die Patienten arbeiten. Jobs standen hoch im Kurs, und das erste, was eine neue Pflegerin lernte, war, sich in keiner Weise in die Tätigkeit eines Patienten einzumischen. Schwierigkeiten gab es gewöhnlich nur, weil ein Patient einem anderen den Job weggenommen hatte oder einer dem anderen seine Tätigkeit verleidete. Die Arbeit wurde von den Patienten mustergültig erledigt, und es existierte eine strenge Hierarchie, fußend auf dem Grad der Nützlichkeit eines Patienten und auf dem Patientenstolz. Die Böden glänzten stets wie poliert, die Säle waren fleckenlos rein, und die Bäder und Küchen strahlten vor Sauberkeit.

Ganz im Gegensatz zur allgemein herrschenden Meinung über derartige Anstalten, und das war vielleicht auch sehr ungewöhnlich für Morisset, gab es viel menschliche

Wärme. Alles Menschenmögliche wurde getan, um eine heimelige Atmosphäre zu schaffen, und die große Mehrheit der Pflegerinnen sorgte sich wirklich um die Schützlinge. Das Personal lebte sozusagen mit den Patienten in Gemeinschaft, und es gab sogar ganze Familien – Vater, Mutter, erwachsene Kinder –, die in Morisset arbeiteten und wohnten, so daß für viele die Anstalt ihr Zuhause war.

Das gesellschaftliche Leben war rege, und Patienten wie Personal zeigten großes Interesse daran. Jeden Montagabend sah man sich gemeinsam im großen Saal einen Film an; es gab öfters Konzerte, bei denen Patienten und Personal gleichermaßen als Mitwirkende oder als Publikum fungierten. Einmal im Monat war Tanz; danach gab es ein üppiges Abendessen. Bei diesen Bällen saßen die männlichen Patienten an der einen Wand, die weiblichen an der anderen, und wenn ein Tanz angekündigt wurde, eilten die Herren über die Tanzfläche und schnappten sich eine Partnerin. Vom Personal wurde auch erwartet, daß es tanzte, allerdings nur mit Patienten.

Alle Stationen waren abgesperrt. Männlein und Weiblein waren getrennt voneinander in separaten Gebäuden untergebracht, und jedesmal, wenn beide Geschlechter zusammengekommen waren, wurde eine genaue Zählung durchgeführt. Weibliche Patienten hatten weibliche, männliche Patienten männliche Pfleger.

Besuch gab es nur für wenige, und nur wenige hatten ein privates Einkommen. Manche erhielten kleine Summen als Abgeltung für eine spezielle Tätigkeit auf der Station oder auf dem Gelände. Alle Pläne und Vorhaben der Patienten waren an die Vorstellung geknüpft, die Anstalt sei ihr Zuhause. Manche hatten nie ein anderes Zuhause gehabt, andere hatten es vergessen, und einige starben schließlich daran, daß sie sich nach einem wirklichen Zuhause mit Eltern oder Ehepartnern sehnten. Es war nicht ungewöhnlich, daß ältere Kranke zusammen mit ihren gesunden Ehepartnern in der Anstalt lebten, weil die letzteren das der völligen Trennung vorzogen.

Es war nicht das Paradies, aber ein Ort, wo man sich um die Menschen kümmerte, und die Pfleger hatten fast alle begriffen, daß viel zu verlieren, aber nichts zu gewinnen war, wenn man nicht alles tat, um die Leute glücklich zu machen – soweit ihre Krankheit das überhaupt zuließ. Natürlich gab es schlecht geführte Stationen und bösartige Pfleger, doch sie waren weit in der Minderzahl, ganz im Gegensatz zu den Mythen und Legenden, die in Umlauf waren. Sadistische Pfleger wurden nicht geduldet, zumindest nicht auf den Frauenstationen, wo Pflegerin Langtry arbeitete, und ebensowenig ließ man Stationsschwestern ihre Stationen selbstherrlich regieren.

Mitunter fühlte man sich hier unwillkürlich auf humorige Weise in die alten Zeiten zurückversetzt. Da einige der Stationen so weit von den Unterkünften der Pfleger entfernt waren, wurden diese vom und zum Dienst und zu den Mahlzeiten von einem männlichen Patienten mit einem von einem Pferd gezogenen Wägelchen geholt. Der Primar und die Oberschwester machten ihre täglichen Runden; sie begannen um neun Uhr morgens. In einem von einem Patienten gelenkten zweirädrigen Pferdewagen reisten sie von Station zu Station, die Oberschwester in blendendem Weiß königlich auf ihrem Sitz thronend, bei starker Sonne mit Sonnenschirm, bei Regen mit Regenschirm. Im Hochsommer trug das Pferd stets einen großen Strohhut, aus dem die Ohren durch zwei ausgeschnittene Öffnungen herausragten.

Pflegerin Langtry wußte vorher, was ihr am meisten zu schaffen machen würde. Es war hart, wieder Anfängerin zu sein, nicht so sehr, weil man Befehlsempfänger war, sondern weil man auf alle Privilegien und Bequemlichkeiten wieder zu verzichten hatte. Sie nahm an, daß es ihr noch schwerer gefallen wäre, wenn sie nicht den Krieg durchgemacht hätte. Aber eine Frau um die Dreißig, die bereits Stationsschwester gewesen war, unter feindlichem Beschuß auf Verbandsplätzen und in Feldlazaretten und Militärlazaretten Dienst getan hatte, mußte es hart ankommen, ihr Zimmer jeden Dienstagmorgen von der Oberschwester inspizieren zu lassen. Sie mußte die Matratze hochheben, so daß die Oberschwester unter das Bett schauen konnte. Decken und Laken hatten säuberlich gefaltet auf der Matratze zu liegen. Sie versuchte, gelassen zu bleiben. Ein Glück, daß man sie ihr Zimmer nicht mit einer Kommilitonin teilen ließ, eine kleine Konzession an ihr Alter und ihren Berufsstatus.

Als das erste Jahr in Morisset seinem Ende zuging, gewann sie langsam ihren alten Schwung wieder, und mit aller Gewalt drängte ihr eigentliches Wesen zurück an die Oberfläche. Sie hatte es nicht gewaltsam unterdrückt, es war von selber auf Grund gesunken; dadurch war es ihr leichter, mit dem Status als Neuling und einem Job, den sie noch nicht ganz beherrschte, fertig zu werden.

Aber die Wahrheit will stets ans Licht, und der Hitzkopf, der Schwester Langtry früher einmal war, blieb stets präsent und erhob sich jetzt wie Phönix aus der Asche. Diese Wiedergeburt richtete kein Unheil an, denn Schwester Langtry hatte sich ohnehin immer nur gegen Dummheit, Inkompetenz oder Nachlässigkeit gewendet. Und das tat sie auch jetzt wieder.

Sie ertappte eine Pflegerin dabei, wie sie eine Patientin körperlich mißhandelte, und brachte den Vorfall der Oberpflegerin zur Kenntnis, die eher dazu neigte, Pflegerin Langtrys Bericht als hysterische Übertreibung einzustufen.

»Su-Su ist Epileptikerin«, meinte sie, »und denen ist nicht zu trauen.«

»So ein Quatsch!« sagte Pflegerin Langtry verächtlich.

»Glauben Sie nur nicht, Sie könnten mir in meinem Job Belehrungen erteilen, weil Sie ausgebildete Krankenschwester sind!« fuhr die Oberpflegerin sie an. »Wenn Sie mir nicht glauben, dann lesen Sie es im Roten Buch nach, dort steht es schwarz auf weiß. Epileptikern ist nicht zu trauen. Sie sind verschlagen und bösartig.«

»Da irrt das Rote Buch«, sagte Pflegerin Langtry. »Ich kenne Su-Su gut, und sie ist durch und durch vertrauenswürdig. Doch das steht hier nicht zur Debatte. Selbst das Rote Buch befürwortet körperliche Züchtigung nicht.«

Die Oberpflegerin sah sie an, als hätte sie eine Gotteslästerung getan. In Wahrheit war es auch eine; denn das Rote Buch war ein rot eingebundenes Handbuch für Pflegerinnen und stellte die einzige gedruckte Unterlage für richtiges Verhalten dar, die die Pflegerinnen besaßen.

Aber es war überholt, hoffnungslos ungenau und offenbar für Studenten von sehr niedrigem geistigen Niveau gedacht. Es empfahl für alle Krankheitssymptome vorzugsweise das Klistier. Pflegerin Langtry hatte es nur oberflächlich durchgesehen und so haarsträubende Fehler darin gefunden, daß sie fast ganz darauf verzichtete, es zu Rate zu ziehen, und sich lieber auf die eigene Lernfähigkeit verließ und auf Fachbücher der Psychiatrie, die sie sich besorgte, sooft sie nach Sydney kam. Sie war davon überzeugt, daß das, was die neuesten Fachbücher sagten, in der Reform der Betreuung Geisteskranker, so sie einmal käme, seinen Niederschlag finden würde.

Der Kampf wegen Su-Su wurde auch an die Oberschwester herangetragen, aber nichts konnte Pflegerin Langtry beschwichtigen oder mundtot machen.

Am Ende erhielt die schuldige Pflegerin einen Verweis und wurde auf eine andere Station versetzt. Die Oberpflegerin blieb ungeschoren, aber sie zog hinsichtlich der Pflegerin Langtry die folgende Lehre daraus: Wenn du es mit der Langtry zu tun bekommst, dann mußt du alle guten Argumente zur Hand haben, sonst wirst du den Tag verwünschen, an dem du die Klingen mit ihr gekreuzt hast. Diese Person war nicht nur intelligent, sie fürchtete auch weder Titel noch Rang und hatte eine äußerst gewandte Zunge.

Als sie nach Morisset ging, war ihr wohl bewußt gewesen, daß Michaels Farm nur etwa 120 Kilometer von da im Nordwesten lag, doch war das eindeutig nicht der Grund für die Wahl dieses Ausbildungsortes gewesen. Sie hatte sich dabei von der Oberschwester von Callan Park leiten lassen, und jetzt, ein Jahr später, wußte sie, daß sie gut beraten gewesen war.

Wenn sie körperlich nicht so erschöpft war, daß sie in ihrer Freizeit bloß aß und schlief, dachte sie oft an Michael. Und an Benedict. Eines Tages würde sie einen Abstecher nach Maitland hinüber wagen, anstatt nach Sydney zu fahren, das wußte sie. Doch jetzt noch nicht. Noch schmerzte die Wunde. Aber das war nicht der eigentliche Grund, warum sie es aufschob. Michael sollte Zeit haben, zu erkennen, daß das, was er mit Benedict versuchte, keinen Erfolg haben konnte. Wenn dieses erste Jahr in Morisset sie etwas gelehrt hatte, dann, daß man Leute wie Benedict nicht in die Isolation eines Bauernhauses stoßen durfte, ihnen nicht erlauben durfte, sich selbst noch mehr zu reduzieren, indem man ihren menschlichen Umgang auf eine Person beschränkte, auch wenn diese eine Person sich mit noch soviel Liebe um sie kümmerte. Auf Michaels Farm konnte sich Benedicts Zustand nur verschlimmern. Die Erkenntnis bedrückte sie, aber es hatte keinen Zweck, sich einzumischen, bevor genug Zeit vergangen war, um Michael erkennen zu lassen, daß sie recht hatte.

Auf dem Gelände der Anstalt befand sich auch die Arrestantenstation für Kriminelle. Der Anblick des hinter Bäumen aufragenden roten Ziegelblocks, von einer Mauer umgeben und streng bewacht, ließ sie immer erschauern. Dort würde Benedict jetzt leben, wären die Ereignisse im Badehaus anders abgelaufen. Und es war kein schöner Ort. Warum also sollte sie Michael sein Bemühen vorwerfen? Sie konnte nur eines tun: sich für den Tag rüsten, an dem Michael sie um Hilfe bat oder an dem sie es für richtig hielt, ihm ihre Hilfe anzubieten.

3

ALS IHR EINES ABENDS mitgeteilt wurde, jemand warte auf sie im Besucherzimmer, dachte Pflegerin Langtry sofort an Michael. Wenn er die Geduld aufgebracht hatte, ihren Aufenthaltsort herauszufinden, dann brauchte er ihre Hilfe. Aber es konnte auch Neil sein, Neil, der verdreht genug war, sie ausfindig zu machen, der neue Neil, von dem sie sich vor achtzehn Monaten verabschiedet hatte, der es müde war, darauf zu warten, daß sie ihn aufsuchte, und beschlossen hatte, wieder in ihr Leben zu treten. Außerdem könnte ihre Mutter ihn getroffen haben, obwohl sie davon in ihren Briefen nichts erwähnt hatte.

Sie ging so ruhig und gefaßt, wie ihr das möglich war, zum Besucherzimmer und spielte im Geist die kommende Szene in allen denkbaren Variationen und mit zwei verschiedenen Männern durch. Denn eines war sicher, der Besuch jeder der beiden machte sie froh.

Aber die Person im Besuchersessel, die die Beine von sich gestreckt und die Schuhe ausgezogen hatte, war Schwester Sally Dawkin. Pflegerin Langtry blieb abrupt stehen, die Hand aufs Herz gedrückt, als ob sie von einem Schuß getroffen worden wäre. O Gott, warum sind Frauen solche Närrinnen? fragte sie sich, brachte ein Lächeln zustande und schenkte es diesem ersten Besucher, den sie in Morisset hatte. Aber so sind wir alle, fixiert auf einen Mann. Wir können uns monatelang einreden, es wäre nicht so, doch kaum winkt uns eine kleine Chance, dann ist der Mann wieder da.

Schwester Dawkin lächelte breit, erhob sich aber nicht. »Ich bin schon eine Weile hier in Morisset, aber ich wollte Sie nicht von der Station wegholen lassen, also trank ich inzwischen im ›Wyong‹ Tee und kam dann wieder her. Wie geht es Ihnen, Schwester?«

Pflegerin Langtry setzte sich in den Stuhl gegenüber von Schwester Dawkin, immer noch gezwungen lächelnd. »Es geht mir gut. Und Ihnen?«

»Ein bißchen wie dem Tennisball. Ich weiß nicht, was zuerst kaputtgeht, ich oder das Racket.«

»Sie bestimmt nicht«, sagte Pflegerin Langtry. »Sie sind unverwüstlich.«

»Sagen *Sie* das meinen Füßen, ich hab's schon aufgegeben. Vielleicht glauben sie Ihnen mehr als mir«, sagte Schwester Dawkin und blickte wild auf ihre Füße nieder.

»Sie und Ihre Füße! Manche Dinge ändern sich nie.«

Schwester Dawkin trug sich in Zivil ziemlich eintönig und zusammengewürfelt, wie das bei vielen lange Jahre im Dienst stehenden Schwestern der Fall war, die sich daran gewöhnt hatten, nur in gestärktem Weiß und mit Schleier beeindruckend zu wirken.

»Sie sehen so anders aus, Schwester«, sagte die Besucherin. »Viel jünger und glücklicher!«

In der Tat sah sie nicht älter aus als jede Schwesternschülerin und trug dieselbe Uniform wie während ihrer Ausbildung im PA, mit nur kleinen Unterschieden. Hier in Morisset war das Schwesternkleid weiß und lila gestreift, hatte lange Ärmel und auswechselbare Kragen und Manschetten aus Zelluloid. Die Schürze war die gleiche wie überall, groß und weiß, steif gestärkt, rundum und bis über die Brustpartie den Körper bedeckend und mit breiten Bändern am Rücken befestigt. Die schlanken Hüften waren von einem breiten weißen Gürtel gehalten. Rock und Schürze reichten bis zu den Waden. Sie trug schwarze Schnürschuhe mit niederen Absätzen und, wie im PA, dunkle Baumwollstrümpfe. Die Kappe in Morisset war weniger kleidsam, topfförmig, weiß, am Nacken mit einem Zugband befestigt, vorn mit einem breiten Stirnband, und in Pflegerin Langtrys Fall mit zwei Kerben versehen, zum Zeichen dafür, daß sie im zweiten Ausbildungsjahr stand.

»Das macht bloß die Uniform«, sagte Pflegerin Langtry. »Sie sind es gewohnt, mich ohne Schürze und dafür mit Schleier zu sehen.«

»Nun, was Sie auch anhaben mögen, Sie sehen aus wie frisch aus dem Ei geschlüpft.«

»Haben Sie den Posten als Stellvertreterin der Oberschwester im North Shore bekommen?«

Schwester Dawkin bekam plötzlich traurige Augen. »Nein. Ich konnte schließlich doch nicht in Sydney bleiben, Pech. Ich bin wieder am Royal Newcastle, nah von Zuhause, so daß ich daheim wohnen kann. Wie ist die Arbeit mit den Kranken hier?«

»Ich mag sie sehr«, sagte Pflegerin Langtry, und auf ihre Wangen kam Farbe. »Es hat so gut wie nichts mit normaler Krankenpflege zu tun, obwohl wir auch unsere medizinischen Probleme haben. Ich habe nie im Leben so viele Epileptiker mit seelischer Dauerveränderung erlebt. Wir können nicht allen helfen. Arme Menschen sind das. Als Pflegerin hier hat man das Gefühl, wichtiger zu sein, mehr gebraucht zu werden. Als Stationsschwester hätte ich langsam jeden Kontakt zur Arbeit verloren, aber hier *pflegt* man in des Wortes wahrster Bedeutung. Die Patienten sind einem fast wie Verwandte. Man weiß, sie bleiben hier, solange man selber da ist, und länger, wenn sie nicht an ihrem Leiden oder an Lungenentzündung sterben – sie sind weniger widerstandsfähig als Leute mit gesundem Gehirn. Und ich sage Ihnen eines, Sally, wenn Sie der Meinung sind, Krankenpflege sei verbunden mit Bindung und Verpflichtung, dann betreuen Sie doch einmal seelisch Kranke.« Sie seufzte. »Ich wünschte, ich hätte einige Jahre hier gearbeitet, bevor ich Station X übernahm. Auf X machte ich viele Fehler aus reiner Unwissenheit. Nun, besser spät als nie, wie der Bischof zum Callgirl sagte.«

Schwester Dawkin grinste. »Aber, aber, das ist meine Ausdrucksweise, nicht Ihre! Wenn Sie nicht achtgeben, werden Sie so enden wie ich, als Kreuzung zwischen einem Drachen und einem Hofnarren.«

»Ich kann mir ein traurigeres Schicksal vorstellen«, sagte Pflegerin Langtry und lachte jetzt plötzlich in echtem Vergnügen. »Oh, Sally, meine Liebe, es ist so schön, Sie zu sehen! Ich konnte mir nicht denken, wer auf mich wartete. Wir sind hier so abgelegen, daß ich noch nie Besuch hatte.«

»Ich freue mich auch, Sie zu sehen. Bei Treffs und dergleichen glänzen Sie durch Abwesenheit. Haben Sie nie versucht, mit dem alten Haufen von Stützpunkt 15 wieder Kontakt aufzunehmen?«

»Nein. Komisch, ich habe die Vergangenheitsbeweihräucherung immer verabscheut«, sagte Pflegerin Langtry unsicher. »Das ist so eine Art, sich das Gesicht zu entfernen, damit keiner sieht, was sich darin alles ausdrückt.«

»Was Sie da beschreiben, ist die psychiatrische Praxis.«

Pflegerin Langtry verschränkte die Arme über dem Bauch und beugte sich vor. »So habe ich es nie gesehen. Trotzdem hasse ich es.«

»Sie schnappen langsam über, das ist Ihr Problem«, sagte Schwester Dawkin heiter. »Ich hab's gewußt. Wenn man an einem solchen Ort lebt und arbeitet, mit den schönen Gärten und allem.«

»Warum haben Sie nach Stützpunkt 15 gefragt, Sally?«

»Ach, nur so. Außer, daß ich, bevor ich von North Shore nach Newcastle ging, einen Ihrer Männer zum Patienten hatte.«

Pflegerin Langtry fühlte Prickeln, Kneifen und Kälteschauer auf der Haut. »Welchen?« fragte sie mit trockenem Mund.

»Matt Sawyer. Seine Erblindung war keine Hysterie.«

»Das wußte ich. Was war es?«

»Ein Riesentumor, der aufs Sehzentrum drückte. Ein Mengiom im Bereich des Riechnervs. Wuchs und wuchs. Aber deshalb wurde er nicht in North Shore eingeliefert. Hatte eine subarachnoide Blutung.«

Pflegerin Langtry seufzte. »Er ist also tot. Natürlich.«

»Kam schon im Koma zu uns und starb eine Woche darauf ohne Schmerzen. Eine Schande, hat eine so nette Frau, so nette Kinder.«

»Ja, es ist eine Schande«, sagte Pflegerin Langtry tonlos.

Eine Stille trat ein, nicht unähnlich der Stille, wie kultivierte Menschen sie eintreten lassen, um dem Walten Gottes Respekt zu zollen. Pflegerin Langtry benützte sie, um sich zu fragen, wie Matts Frau mit der Erblindung ihres Mannes wohl zurechtgekommen war. Welche Wirkung es auf die Kinder hatte. Ob die Frau begriff, welches Zeichen man ihrem Mann aufgebrannt hatte, indem man ihn zum Hysteriker machte? Hatte sie den Geist geschmäht, der beharrlich ablehnte, daß seine Augen wieder etwas wahrnahmen? Oder war sie zur Überzeugung gelangt, die Blindheit müsse eine andere, bösere Ursache haben? Bestimmt das letztere, wenn die Mrs. Sawyer als Mensch so war, wie die Fotografie auf Matts Tischchen sie zeigte. Nun ja. Schlafe wohl, lieber Matt. Die große Schlacht ist zu Ende.

»Warum verließen Sie North Shore und gingen nach Newcastle, Sally?« fragte sie, denn sie wunderte sich darüber, daß Schwester Dawkin, die doch von dieser Stellung geträumt hatte, sie dann freiwillig sausen ließ.

»Eigentlich wegen meines alten Vaters«, sagte Schwester Dawkin traurig. »Verkalkung, Alterssenilität, Gehirnschwund. Egal, ob eines oder alle drei. Ich muß ihn heute einliefern.«

»Oh, Sally! Es tut mir so leid! Wo ist er? Hier?«

»Ja, er ist hier. Ich war so dagegen und habe versucht, es zu vermeiden, glauben Sie mir. Ich kam heim nach Newcastle in der Hoffnung, ich könnte es schaffen, aber Mama ist hoch in den Siebzigern, und sie ist dem einfach nicht mehr gewachsen, daß Papa die Hosen vollmacht oder es sich in den Kopf setzt, splitternackt zum Kaufmann zu gehen. Die einzige Möglichkeit wäre gewesen, meinen Beruf aufzugeben, aber ich bin die einzige Verdienerin, Geld ist keines da, und eine alte Jungfer bin ich obendrein. Kein Gatte, der den Speck nach Hause bringt. Da hab' ich leider Pech gehabt.«

»Sorgen Sie sich nicht, bei uns geht es ihm gut«, sagte Pflegerin Langtry und legte in ihre Worte allen Trost, den sie zu geben vermochte. »Wir gehen mit unseren Alten liebevoll um, und wir haben viele hier. Ich werde regelmäßig nach ihm sehen. – Und deshalb haben Sie mich hier gefunden?«

»Nein. Ich dachte, Sie wären im Callan Park, also versuchte ich verzweifelt, Papa dort unterzubringen. Ich ging sogar zur dortigen Oberschwester – Gott sei Dank gehört man zur Branche, das ist ein großer Unterschied! – und erfuhr von ihr, daß Sie hier sind. Sie erinnerte sich sofort an das Gespräch mit Ihnen. Es geschieht wahrscheinlich nicht oft, daß Schwestern mit Ihrem Background sich für die Psychiatrie ausbilden lassen wollen. Sie können sich vorstellen, es war für mich Manna vom Himmel, zu erfahren, daß Sie hier sind. Den ganzen Tag lauf ich schon hier 'rum. Die Oberschwester bot mir sogar an, Sie von der Station wegholen zu lassen, aber das wollte ich nicht, ich bin entsetzlich feige und fürchte mich davor, heute abend heimzukommen und Mama vor die Augen zu treten . . .« Sie mußte innehalten, um sich zu fassen. »Also tat ich alles, um die unangenehme Aufgabe um ein paar Stunden zu verschieben und mich an Ihrer Schulter auszuweinen.«

»Das können Sie immer, Sally, das wissen Sie. Ich hab's an Ihrer auch getan.«

Schwester Dawkins Gesicht hellte sich auf. »Ja, das haben Sie, nicht wahr? Dieses kleine Luder namens Pedder!«

»Sie wissen wohl nicht, was aus ihr geworden ist?«

»Nein, und es interessiert mich auch nicht. Ich möchte ein Monatsgehalt verwetten, daß sie inzwischen verheiratet ist. Die war nicht gebaut dafür, ein Leben lang ihren Unterhalt zu verdienen.«

»Dann hoffen wir, daß ihr Mann, egal wer es ist, gut verdient und von sanguinischem Temperament ist.«

»Ja«, sagte Schwester Dawkin, etwas geistesabwesend. Sie zögerte, holte tief Atem, als ob sie sich Mut holen müßte für etwas, was sie nicht gerne tat, und sprach dann mit veränderter Stimme weiter. »Eigentlich, Schwester, ist da außer Papa noch ein Grund, warum ich Sie sehen wollte. Als die Oberschwester im Callan Park mir sagte, wo Sie wären, da fiel bei mir der Groschen. Lesen Sie zufällig Zeitungen aus Newcastle?«

Pflegerin Langtry sah ihr Gegenüber aufmerksam an, ohne zu verstehen, was sie meinte. »Nein.«

Schwester Dawkin nickte. »Nun, Sie kommen, wie ich wußte, nicht aus dem Hunter Valley, und daher kam mir, als ich erfuhr, wo Sie arbeiten, sofort der Gedanke, daß Sie keine Zeitungen aus der Gegend lesen. Denn wenn Sie es täten, glaube ich nicht, daß Sie noch hier wären.«

Pflegerin Langtry errötete, saß aber stolz und unnahbar da, daß es Schwester Dawkin schwerfiel, fortzufahren.

»Ihre Zuneigung zu Michael Wilson war für mich in den Tagen auf Stützpunkt 15 offensichtlich, und ich muß zugeben, ich hatte erwartet, ihr beide würdet daraus etwas machen nach dem Krieg. Als ich aber dann den Bericht in der Newcastler Zeitung las, da wußte ich, daß ihr es nicht getan habt. Dann erfuhr ich, Sie wären hier in Morisset, und das wiederum sah für mich so aus, als hätten Sie sich in der Nähe, wenn auch nicht zu nah, niedergelassen, vielleicht in der Hoffnung, ihm einmal über den Weg zu laufen, oder mit der Absicht, ihn aufzusuchen, wenn sich der Staub gesetzt hat ... Schwester, Sie haben nicht die leiseste Idee, wovon ich rede, nicht?«

»Nein«, flüsterte Pflegerin Langtry wie betäubt.

Schwester Dawkin schreckte nicht vor dem nächsten Schritt zurück. Zu oft war sie im Lauf der Jahre in solche Situationen geraten, um jetzt zurückzuschrecken, aber sie entledigte sich ihrer Pflicht mit Liebe, Verständnis und ohne um die Sache herumzureden.

»Meine Liebste, Michael Wilson ist vor vier Monaten gestorben.«

Pflegerin Langtrys Gesicht war ohne Leben, ohne Ausdruck.

»Ich bin keine Tratschtante, und ich sage es Ihnen auch nicht, um mich an Ihrem Schmerz zu weiden. Ich dachte nur, wenn Sie es nicht wüßten, sollten Sie es erfahren. Ich war auch einmal in Ihrem Alter und weiß, was Sie jetzt durchmachen. Hoffnung kann die grausamste Sache der Welt sein, und manchmal ist das beste, was man für jemanden tun kann, eine falsche Hoffnung zu zerstören. Ich beschloß, es Ihnen jetzt gleich zu sagen, weil Sie vielleicht mit Ihrem Leben etwas anderes anfangen wollen, ehe es zu spät ist und Sie hier Wurzeln geschlagen haben. Wie ich. Und es ist besser, Sie erfahren es von mir, als eines schönen, sonnigen Tages von einem Ladenbesitzer in Maitland.«

»Benedict hat ihn getötet«, sagte Pflegerin Langtry tonlos.

»Nein. Er tötete Benedict und danach sich selbst. Und alles nur wegen ihres Hundes, der beim Nachbarn in die Einfriedung einbrach und dort die Hühner jagte. Der Nachbar kam herübergefahren, gebärdete sich wie wild und ging auf Michael los. Hierauf stürzte sich Benedict auf den Kerl, und wenn es Michael nicht gelungen wäre, Benedict zurückzuhalten, hätte der Nachbar auch den Tod gefunden. Der ging statt dessen zur Polizei, aber bis die Polizei kam, war alles vorüber. Sie waren beide tot. Michael hatte Benedict eine Überdosis von Barbituraten verabreicht und sich dann erschossen. Er wußte nur zu gut, wohin er zielen mußte.«

Pflegerin Langtry hievte ihren Körper hoch; mühsam tat sie ein paar Schritte und ließ die Arme schlaff hängen wie eine Puppe.

Oh, Michael, mein Michael! All die begrabene Liebe, all ihr Verlangen und all ihr Hunger sprangen sie in voller Schärfe wieder an. Der Schmerz überschwemmte sie, drohte sie zu ersticken. *Oh, Michael!* Ihn nie mehr sehen können, und dabei hatte sie ihn vermißt, die Trennung von ihm kaum ertragen. All diese Monate ihm so nah, daß sie ihn an jedem freien Tag hätte besuchen können, und sie hatte es nicht getan. Er war tot, und sie wußte es nicht einmal, hatte es nicht einmal gefühlt.

Der Fall Benedict hatte seinen unvermeidlichen Verlauf genommen, bis zum unvermeidlichen Ende, und es gab kein anderes denkbares. Solange er bei ihm war, ist Benedict sicher, hatte er geglaubt, ja glauben müssen, denn er hatte freiwillig diese Last auf sich genommen, und jede Aufgabe muß ihren Lohn mit sich bringen, zumindest das Bewußtsein, sie gut zu erfüllen. Und als er nicht mehr sicher sein konnte, daß ihm das gelingen würde, hatte er Benedict sanft in den Tod geführt. Und danach keine andere Wahl gehabt, als selbst in den Tod zu gehen. Es gab kein Gefängnis für Michael, keine Station X, kein Morisset. Er war ein Vogel, der sich seinen Käfig selbst zimmerte.

Oh, Michael! Ein Mann ist das, was er ist, nicht mehr. Niedergemäht wie Gras.

Sie wandte sich mit einem Ruck um. »Warum ist er nicht zu mir gekommen?« fragte sie. »*Warum* nicht?«

Gab es eine Möglichkeit, die Wahrheit so zu sagen, daß es nicht weh tat? Schwester Dawkin bezweifelte es, aber sie machte den Versuch. »Vielleicht hat er Sie nur vergessen. Sie vergessen uns, wissen Sie«, sagte sie sanft.

Das war nicht zu ertragen. »Sie haben nicht das Recht, uns zu vergessen!« schrie Pflegerin Langtry.

»Und doch tun sie es. Es liegt in ihrer Natur, Schwester. Nicht, weil sie uns nicht lieben. Sie gehen weiter ihren Weg, wir gehen weiter unseren Weg. Keiner von uns kann es sich leisten, in der Vergangenheit zu leben.« Ihre Hand beschrieb einen weiten Kreis, der die ganze Anlage des Morisset-Hospitals umfaßte. »Und wenn wir es täten, würden wir hier enden.«

Langsam hob Pflegerin Langtry ein Stück Wahrheit nach dem anderen auf, einsam, alt, kalt. »Wahrscheinlich würden wir das«, sagte sie. »Nun, ich bin bereits hier.«

Schwester Dawkin arbeitete sich hoch, schlüpfte in ihre Schuhe, streckte die Hand aus und faßte nach Pflegerin Langtrys Hand. »Richtig, Sie sind hier. Aber Sie stehen auf der anderen Seite der Umzäunung, und Sie haben auf der anderen Seite zu bleiben, vergessen Sie das nie, gleichgültig, was Sie zu tun gedenken.« Sie seufzte. »Ich muß gehen. Mama wartet.«

Oh Sally, du bist die, die die echten Sorgen auf dem Hals hat! dachte Pflegerin Langtry, während sie mit der Freundin durch die Halle des Schwesternhauses ging. So ein Leben bis zum Ende gehen zu müssen – kein Geld, alte Eltern und keine Hoffnung auf Hilfe. Und schließlich Einsamkeit. Was ein Leben in Pflichterfüllung Schwester Dawkin zu bieten hatte, waren neue Pflichten. Nun, was mich betrifft, kam Pflegerin Langtry zu dem Schluß, so hängen mir die Pflichten zum Hals heraus. Sie haben mein ganzes Leben bestimmt. Und Michael getötet.

Sie gingen zu dem Wagen, den Schwester Dawkin sich geliehen hatte, um ihren Vater nach Morisset bringen zu können. Bevor sie einstieg, zog Pflegerin Langtry sie an sich und umarmte sie kurz.

»Passen Sie auf sich auf, Sally, und sorgen Sie sich nicht um Ihren Vater. Bei uns hat er's gut.«

»Keine Angst, ich paß auf mich auf. Heute bin ich down, aber morgen, wer weiß? Morgen gewinne ich vielleicht in der Lotterie. Und das Royal Newcastle ist schließlich keine schäbige Baracke. Vielleicht werde ich Oberschwester anstatt bloß Stellvertreterin.« Sie kletterte in den Wagen. »Wenn Sie je nach Norden Richtung Newcastle kommen, rufen Sie mich an, und wir treffen uns auf einen Imbiß und einen Schwatz. Es ist nicht gut, alle menschlichen Kontakte zu verlieren, Schwester. Außerdem, jedesmal, wenn ich Papa besuchen komme, werde ich mich Ihnen aufdrängen.«

»Das wird mich freuen, aber ich glaube nicht, daß es mich jetzt noch allzulange hier hält. Es gibt jemanden in Melbourne, den ich daran erinnern muß, daß es mich noch gibt, bevor es zu spät ist«, sagte Pflegerin Langtry.

Ein Strahlen ging über Schwester Dawkins Gesicht. »Braves Mädchen! Sie machen weiter, wie Sie es für richtig halten.« Sie kuppelte ein, wendete vorsichtig, und hoppelnd entfernte sich der Wagen.

Pflegerin Langtry stand, sah dem Wagen eine Weile

nach, winkte, dann drehte sie sich um und ging zum Schwesternhaus zurück, den Kopf gesenkt und die wechselweise sich vor- und zurückbewegenden Umrisse ihrer Füße in der Dunkelheit mit den Augen verfolgend.

Neil hatte gesagt, er werde auf sie warten. Wenn sie das Flugzeug nahm, war es nicht weit nach Melbourne. Sie konnte hinfliegen, sobald sie wieder ihre vier freien Tage hatte. Und wenn er immer noch wartete, brauchte sie nicht mehr nach Morisset zurückzukehren. Sie war zweiunddreißig Jahre alt, und was hatte sie vorzuweisen? Ein paar mit Stempeln versehene Papiere, einige Ordensbänder, ein paar Medaillen. Kein Gatte, keine Kinder, kein eigenes Leben. Nur Dienst an anderen, eine Erinnerung, ein toter Mann. Bei weitem nicht genug.

Sie hob den Kopf, schaute auf die gelben Lichtwürfel um sie herum, auf diesen Ort, wohin man die abschob, die bar aller Hoffnung waren. Wann hatte sie den nächsten Vier-Tage-Urlaub? Drei Tage Dienst, drei Tage frei, vier Tage Dienst, und dann vier Tage frei. Also noch zehn Tage bis dahin.

Oh, das traf sich gut! Da war sie beim nächsten Vortragsabend noch hier. Es würde eine der größten Veranstaltungen werden, die hier bisher stattgefunden hatten. Hoffentlich konnte sich die arme alte Marg die zwei Worte merken, die sie zu sprechen hatte. Aber sie hatte es sich so sehr gewünscht, mitzumachen, daß keiner das Herz gehabt hatte, es ihr abzuschlagen. Da gab's nur eines: beten. Und welch ein Glück, daß die Stationsschwester entdeckt hatte, daß Annie singen konnte! Sie konnte recht niedlich aussehen, wenn sie zurechtgemacht war, und einige Männer aus der Korbflechterei waren dabei, einen großen Weidenkäfig zu machen, und Annie würde singen: »Ich bin nur ein Vöglein im goldenen Käfig . . .« Und der Sketch zwischen Katze und Maus würde das ganze unkritische Haus zu tobendem Gelächter bringen, wenn nur Su-Su ihren Part hinter sich brachte, ohne einen Anfall zu kriegen . . .

Pflegerin Langtry blieb stehen, als hätte die Hand eines Riesen sie aufgehalten. Was in aller Welt denke ich da? Ich kann sie nicht im Stich lassen! Wen haben sie denn noch, wenn Leute wie ich blind auf und davon gehen, um einem Traum nachzujagen? Denn es ist ein Traum! Ein dummer Jungmädchentraum. Das hier ist mein Leben. Dafür habe ich gelernt, was ich gelernt habe. Michael wußte es. Und Sally Dawkin hat recht. Die Wahrheit ist grausam, aber man kann ihr nicht für immer entfliehen, und wenn sie schmerzt, dann heißt es einfach den Schmerz ertragen. Sie vergessen uns. Achtzehn Monate ohne ein Wort von ihm. Neil hat auch alles vergessen. Als ich Zentrum seines Universums war, da liebte er mich und brauchte mich. Wofür braucht er mich jetzt? Warum sollte er mich jetzt lieben? Ich habe ihn zurückgeschickt auf seinen Weg, zurück in ein größeres, aufregenderes Leben, o ja, in ein Leben, das ihn durch ein Spalier von Frauen führt. Warum sollte er sich an eine Zeit erinnern, die ihm soviel Schmerz und Qual gebracht hat? Und erst gar: Warum erwarte ich von ihm, daß er sich erinnert? Michael hatte recht. Michael wußte es. Ein seltsamer Vogel braucht viel Raum zum Fliegen.

Sie hatte hier eine Aufgabe. Wie wenige Menschen gab es, die wie sie dafür gerüstet waren, das, was sie hier tat, ohne Mühe zu tun? Wie viele hatten die Ausbildung, das Wissen, die Begabung? Nur jede zehnte hatte die Ausdauer, die drei Jahre Ausbildung durchzuhalten. Sie würde durchhalten. Sie hatte Ausdauer. Und die dafür erforderliche Liebe. Für sie war es nicht bloß ein Job – ihr Herz hing daran! Das hier war, was sie wirklich wollte. Ihr Platz war bei denen, die die Welt vergessen hatte, nicht mehr brauchen konnte oder sich aus den Augen schaffte, weil ihr Anblick nicht zu ertragen war.

Pflegerin Langtry ging weiter, mit festen, raschen Schritten, ohne Furcht. Sie wußte es jetzt. Pflicht, diese verwegenste aller Leidenschaften, war nur ein anderes Wort für Liebe.

Ausgewählte Belletristik bei C. Bertelsmann:

Richard Adams
MAIA
Roman, 1100 Seiten
Aus dem Englischen von
Gisela Stege

Mit diesem Roman erfindet Richard Adams eine phantastische, eigene Welt, faszinierend und schillernd wie alte Mythen und Märchen. Eine Welt zum Hineinfallen und Träumen.

Frederic Morton
Ewigkeitsgasse
Roman, 480 Seiten
Aus dem Amerikanischen von
Hermann Stiehl

Mit dem Roman »Die Rothschilds« wurde Frederic Morton zum Bestseller-Autor. In seinem neuen Roman schreibt er über die Familie des Berek Spiegelglas in Wien, von 1873–1938. Ein Roman, in dem Zeitgeist, Familiengeschichte, Legende und Fiktion zu einer lebendigen Chronik verschmelzen.

Gregor von Rezzori
Kurze Reise übern langen Weg
224 Seiten

Ein Top-Manager reißt aus seinem Alltag aus und bucht ein Ticket für den Orient-Express. So beginnt eine lange Reise in die Erinnerung, in die längst verdrängte Welt der Kindheit und der Jugend, eine Reise voll Welt- und Menschenkenntnis, charmant und weise zugleich.

Annie Ernaux
Das bessere Leben
120 Seiten

Das Leben eines Bauernknechts, der unbedingt nach oben wollte und der dabei nur, unbemerkt, eine Abhängigkeit mit der »nächsthöheren« eintauschte. Eine Lebensgeschichte ohne Pathos, ohne Anklagen.

Larry Collins/Dominique Lapierre
Oder du wirst Trauer tragen
352 Seiten
Aus dem Französischen von
Wolfgang Teuschl

»Faszinierende Seiten in der Geschichte des modernen Spanien, die sich im Schicksal eines armseligen Andalusiers spiegeln, der einer der reichsten Männer der Welt wurde.«   Paris Match

Françoise Sagan
Stehendes Gewitter
Roman, 224 Seiten
Aus dem Französischen von
Aria Wilms

Wenn sich in diesem Roman das Gewitter der Leidenschaften auflöst, bleiben nur noch leere Hüllen zurück – und ein Chronist, der von den Enttäuschungen seiner einzigen großen Liebe erzählt.

Udo Steinke
Bauernfangen
240 Seiten

Frühjahr 1948. Von einer Hamsterfahrt bringt ein gefürchteter Preisboxer keine Lebensmittel, sondern eine Bäuerin und ihren Sohn in die Kleinstadt. Diesen Knaben nimmt der Boxer gehörig in die Ausbildung – was für beide in einer Tragikomödie endet.

Joseph Heller/Speed Vogel
Überhaupt nicht komisch
350 Seiten
Aus dem Amerikanischen von
Günther Danehl

Dieses Buch ist ein »Bericht« der kranken Menschen Mut macht. Mit Hilfe seiner Freunde, allen voran Speed Vogel, nimmt Heller seine Krankheit als Herausforderung – an seinen Körper, seinen Geist und seinen Witz.